De pers over *Het tulpenvirus*:

'**** Met dit verhaal heeft Daniëlle Hermans een prachtig boek geschreven. Een debuut dat sterk is opgebouwd, veel literaire kwaliteiten heeft en ontzettend lekker wegleest. Volgend jaar volgt haar tweede thriller. Ik kan niet wachten tot het uitkomt.' – CRIMEZONE.NL

'De tulpenhandel in de zeventiende eeuw is een boeiend historisch gegeven. Hermans schrijft er vlot en met kennis van zaken over.' – EINDHOVENS DAGBLAD

'De zeventiende-eeuwse tulpenkoorts wordt door Hermans vaardig ingezet als decor voor een roman waarvan de thematiek uiteindelijk afbuigt naar een immer actueel onderwerp: vrijheid van meningsuiting.' – NRC HANDELSBLAD

'Origineel en oer-Hollands onderwerp.' – VN'S DETECTIVE EN THRILLERGIDS

'**** Een meeslepende thriller, geschreven met veel historische kennis. […] Een spannende zoektocht naar antwoorden op allerlei vragen, die leiden naar een verrassend einde.' – VERONICA MAGAZINE

'Een fijn relativerend geluid, waarin de instorting van de 17de-eeuwse welvaart actueel wordt gemaakt.' – NRC.NEXT

De pers over *De watermeesters*:

'Wat dit verhaal extra bijzonder maakt, is het onderwerp: water. Nederlanders hebben eeuwenlang gestreden met en tegen water. Daardoor is dit een echte Nederlandse thriller. En dat is een positieve kwalificatie.' – CRIMEZONE.NL

'Hermans kan […] beslist schrijven en een verhaal opbouwen. De door de zee belaagde kustlijn met zilte windstoten die iedereen die in de herfst ooit op een pier heeft gelopen nooit meer zal vergeten, komt schitterend uit de verf. En ook haar rechercheduo is zeer zeker voor herhaling vatbaar.' – NU.NL

'Hermans werkt dat historische gegeven [de eeuwenoude strijd tegen het water] knap uit en maakt veel werk van haar karakterbeschrijvingen. *De watermeesters* is ook nog eens bloedspannend.' – DE STENTOR

'Prima gedoseerd – het wordt nooit een ouderwetse geschiedenisles – met humor en tal van interessante weetjes.' – DAGBLAD VAN HET NOORDEN

'Spannend boek, dat de schaduwkanten van de VOC-mentaliteit belicht.' – HISTORISCH NIEUWSBLAD

'Voor liefhebbers van de vaderlandse geschiedenis is het werk van Daniëlle Hermans al snel een aanrader geworden. Spannend en leerzaam.' – WEGENER

Van dezelfde auteur

Het tulpenvirus
De watermeesters

Bezoek onze internetsite www.awbruna.nl
voor informatie over al onze boeken en dvd's.

Daniëlle Hermans

De man van Manhattan

A.W. Bruna Uitgevers B.V., Utrecht

ISBN 978 90 229 9651 5
NUR 305

Deze uitgave kwam tot stand door bemiddeling van
Sebes & Van Gelderen Literair Agentschap te Amsterdam.
Zie ook: www.BoekEenSchrijver.nl.

'Bij elke verandering van het gezag is het in beslag nemen van de archieven een van de eerste stappen, want wie de belangrijkste documenten van een samenleving beheert, heeft zeggenschap over haar verleden en toekomst.'

Russell Shorto, *Nieuw Amsterdam,*
Eiland in het hart van de wereld, 2007

'The only thing we have to fear is fear itself.'

Franklin D. Roosevelt

'Het is het land, waar rijkdom zonder weelde bestaat, vrijheid zonder losbandigheid, lasten zonder ellende.'

Edmondo de Amicis, *Nederland en zijn bewoners,* 1874

Voor Hanneke

hem. Zag hij daar nou iemand staan? De schim bewoog. Daar was iemand. Iemand die hem wilde helpen, die hem iets toestak waar hij zich aan vast kon grijpen.

Hij bracht zijn hand omhoog, greep de roeispaan vast en probeerde zich te ontspannen, probeerde op adem te komen. Opeens voelde hij een ruk. Hij schreeuwde en probeerde het hout met man en macht vast te houden. Het sneed in zijn handen en splinters haakten in zijn huid toen het uit zijn handen werd getrokken. Hij brulde, keek omhoog en zag de roeispaan naar beneden komen.

Toen het hout zijn hoofd raakte, trok een helse pijn via zijn schedel door heel zijn lichaam. Hij stak zijn arm omhoog en zakte het water in, dieper en dieper, tot hij de bodem van de Amsterdamse gracht onder zijn vingers voelde. Vlak voordat zijn longen zich met water vulden, greep hij in de modder. Een rivierkreeftje krabbelde over zijn hand en hij glimlachte. *Amsterdam, mijn Amsterdam. Zo heb ik je nog nooit gevoeld.*

1

Met een stalen uitdrukking op haar gezicht liep Kes van Buren naar de vissenkom. Achter de glazen wanden van zijn werkkamer wachtte haar chef, Bart Bonnier, haar op. Kes voelde zijn ogen op haar gericht terwijl ze zijn kant uit liep. En hij was niet de enige.

In de vijfentwintig meter kantoortuin die ze moest overbruggen, probeerde Kes zich af te sluiten voor de minachtende blikken van haar collega's. Dat mislukte grandioos. Ze was er veel te laat mee begonnen en hun verachting was al in haar waarneming geslopen. Het ergst van alles was dat ze niet onderweg was naar een veilige haven, maar zich tussen de haaien door aan het manoeuvreren was om vervolgens een duik in het piranhabassin te nemen. Bij elke stap die ze nam, moest ze de neiging onderdrukken zich om te draaien en hard weg te rennen.

Ze zwiepte haar haren naar achteren, en liep stug door. Kes heeft het verklohoot, Kes heeft het verklohoot, dreinde in een treiterdeun door haar hoofd. Ze had het inderdaad verkloot. En goed ook. Het was allemaal haar eigen stomme schuld. Ze had haar billen gebrand en moest nu op de blaren zitten. Al met al was het een pijnlijke situatie.

Het lekken van 'interne kwesties' was bij de krant sinds jaar en dag een bedrijfssport. Maandelijks ging de voltallige redactie van *Nederland Vandaag* de wedstrijd aan wie de beste roddel had. Kes deed altijd fanatiek mee en won tot haar grote vreugde regelmatig de mok die dienstdeed als wisselbeker. Nu zij zelf de scoop was, vond ze het allemaal minder amusant. Bovendien had zij iets op haar kerfstok wat voor de krant verstrekkende consequenties zou hebben, en mogelijk ook voor haarzelf.

Kes trok de deur van Barts kantoor achter zich dicht. Het gemurmel achter haar verstomde en werd vervangen door het zware stemgeluid van Bart Bonnier.

'Trots op jezelf?'

Ze schudde haar hoofd. 'Totaal niet. Ik schaam me dood.'

'Schaamte is nog het minste van wat er door je heen zou moeten gaan.'

Kes zuchtte en maakte aanstalten om te gaan zitten, maar Bart stak zijn wijsvinger op en bewoog hem langzaam heen en weer. 'Niet zinvol. Je bent hier zo weer weg namelijk.'

Een steek sneed door haar maagstreek. Ze trok haar handen weg van de stoel, rechtte haar rug en trok een pruillip.

Met een routineus gebaar veegde Bart het vocht op zijn wang weg dat uit zijn chronisch tranende rechteroog liep en zei: '*Forget it*. Denk maar niet dat ik daarin trap. Bewaar die praktijken maar voor andere kerels. Daarmee ben je bij mij aan het verkeerde adres.' Met zijn duim wees hij naar zichzelf. 'Gepokt en gemazeld.' Toen leunde hij achterover, zijn pen horizontaal tussen de toppen van zijn wijsvingers. 'Is het allemaal waar?'

Kes haalde diep adem. 'Ik wil je mijn excuses aanbieden. Bart, het was echt het stomste wat ik had kunnen doen. Sorry, ik beloof je dat het nooit meer zal gebeuren. Ik wist echt niet waar ik mee bezig was. Het eh...'

'Het klopt dus allemaal. Heel fijn. Voor excuses is het te laat, daar schiet ik geen moer mee op. Bovendien, hoe kun je me trouwens beloven dat het niet meer voor zal komen? Je had jezelf totaal niet onder controle. Ga me nou niet vertellen dat je nooit meer een druppel alcohol aanraakt.'

Kes haalde haar schouders op en Bart smeet zijn pen neer. 'Verdomme, je hebt hier een verantwoordelijke baan. Soms vraag ik me af of jij je daar wel van bewust bent.' Hij stak zijn wijsvinger omhoog en ze zag een blauwe stip op zijn vingertop zitten. 'Eén fout en ik krijg direct een jurist op mijn dak. Hoe zou jij in mijn plaats reageren als jij hoorde dat ik informatie heb gelekt naar een of ander mokkel van een concurrerende krant omdat ik te veel gezopen had en met haar de koffer in ben gedoken? Dat dat mokkel van de concurrent er vervolgens met ons verhaal vandoor gaat, een verhaal waar weken werk in zit, waar elk dagblad een moord voor zou doen. Nou?'

Kes deed haar best zich een voorstelling te maken van Bart en seks, maar het lukte haar niet. 'Ik zou woedend zijn,' zei ze.

Bart boog zich voorover, legde met een dramatisch gebaar zijn hand achter zijn oor en duwde het naar voren. 'Pardon?'

'Ik zou woedend zijn,' verzuchtte ze.

'Dat dacht ik ook. En verder?'

'Ik zou je... ik zou je op je flikker geven, je in dienst houden op voorwaarde dat dit nooit meer gebeurt en je een kloteklus in de schoenen schuiven.'

'Heel goed geantwoord. Dat is dus precies wat ik ga doen.' Hij gebaarde naar de stoel en ze ging zitten. 'Je hoeft echt niet zo opgelucht te kijken. Ik geef je nog een kans. Maar je zult begrijpen dat ik je proefaanstelling niet over laat gaan in een vast contract. Dat kun je voorlopig op je buik schrijven.'

Ze stoof omhoog. 'Wacht even. Dat is niet eerlijk. Bart, we hadden afgesproken dat...'

'Dat weet ik, maar je zult begrijpen dat ik jouw contract in heroverweging heb moeten nemen. Bovendien ben ik niet de enige die daarover beslist. Ik ben op het matje geroepen en heb moeten praten als Brugman om ze ervan te overtuigen je nog een kans te geven.'

'Bedankt,' mompelde ze en nam weer plaats.

'Zeg dat wel. En die rotklus waar je het over had? Alsjeblieft.'

Bart legde zijn hand op het blaadje dat voor hem lag en schoof het naar haar toe.

'Wat is het?'

'Donald Christie.'

'Donald wie?' Ze pakte het op en scande de tekst.

'Christie. Amerikaan. Historicus.'

'*Never heard of him.*'

'Wij straks wel, dankzij jou.'

Ze keek op. 'Moet ik naar Amerika?'

'Ik dacht het niet, Van Buren. Dit is een rotklus, geen snoepreisje. De man werkt momenteel in Nederland, hier in Amsterdam om precies te zijn. Zijn boekpresentatie is over een paar dagen. Ik wil dat jij hem volgt voor ons zaterdagkatern.'

Weer trok ze een pruillip en wapperde met het A4'tje. 'Waar gaat zijn boek over?'

'Over Nieuw-Amsterdam. Hij...'

'Nieuw-Amsterdam? Het vroegere New York?'

'Hou je mond nou eens even dicht en luister. Gaat dat lukken, denk je?'

Ze knikte.

'Donald Christie is al meer dan dertig jaar bezig met het vertalen van een archief. Het bestaat uit meer dan tienduizend zeventiende-eeuwse documenten die beschrijven hoe de Nederlanders zo'n vierhonderd jaar geleden Manhattan hebben gekoloniseerd. Het bestaat voornamelijk uit verslagen en brieven. Manhattan heette toen inderdaad Nieuw-Amsterdam.'

'En daar is hij al meer dan dertig jaar mee bezig? '

'Je kunt beter dertig jaar lang met iets bezig zijn waar daadwerkelijk iets uit voortkomt dan weken aan iets werken en het in één avond verknallen, vind je ook niet? Heb je van het Henry Hudson-jaar gehoord? Toch wel mag ik hopen?'

'Dat heeft toch iets met vierhonderd jaar handelsbetrekkingen tussen Nederland en Amerika te maken?'

'Klopt. Deels. Christies boek wordt nu uitgegeven omdat het vier eeuwen geleden is dat Henry Hudson, van oorsprong Engelsman, in opdracht van de Nederlanders voet aan wal zette op Manhattan. Als ik het goed heb begrepen komen er zeven delen. Christies boek vormt de eerste publicatie van de vertaling van het archief.'

Ze trok haar wenkbrauwen op. 'Is dit pas zijn eerste publicatie? In dertig jaar?'

'Dat komt doordat alle stukken uit zijn archief zwaar beschadigd zijn door vuur en vocht en knaagdieren en wat al niet. Veel stukken zijn haast onleesbaar. Christie is de expert op dit gebied. Die man weet alles, maar dan ook echt alles van de geschiedenis van Manhattan.'

'Hm.'

'Je vraagt je waarschijnlijk af wie daar in hemelsnaam in geïnteresseerd zou zijn. Nou, dat zijn er heel veel, kan ik je verklappen.'

'Waarom is dit dan een rotklus?'

'Allereerst omdat geschiedenis jou van geen kanten boeit. Daarom leek het me typisch iets voor jou. Ten tweede omdat je met deze klus niet kunt scoren. Daar baal je van, dat zie ik nu al aan je gezicht. En ten derde omdat we ontzettend veel moeite hebben moeten doen om Donald Christie over te halen zijn medewerking te verlenen. Met andere woorden: een rotklus.' Bart keek haar glimlachend aan.

'Goh, heb ik even pech.'

Bart Bonniers glimlach verdween. Met een klap landde zijn hand op de tafel. 'Inderdaad, ja, heb jij verdomme even pech. Weet je wat? Sodemieter maar op.'

'Ik... sorry, je hebt gelijk. Ik luister.'

'Nee, laat maar zitten. Ik heb hier geen zin meer in. Waar haal je de arrogantie vandaan om te denken dat je dit gewoon kunt flikken en ermee weg kunt komen? Dat je je op deze manier kunt opstellen? Wie denk je wel dat je bent? Heb je enig benul wat je hebt veroorzaakt? Enig idee hoe ontzettend vervangbaar je bent? Nou?'

Ze wist op elke vraag het antwoord maar schudde haar hoofd terwijl ze naar de punten van haar laarzen staarde.

'Ik word hier echt zo moe van. Soms heb ik het idee dat ik hier een kindercrèche aan het leiden ben.' Bart slaakte een diepe zucht. 'Maar goed. Christie liet mij in niet mis te verstane bewoordingen weten dat hij helemaal geen tijd had om aan een reportage mee te werken. Hij heeft het veel te druk en bovendien heeft hij er totaal geen zin in iemand op sleeptouw te moeten nemen. Ook duldt hij geen pottenkijkers. Ik heb hier en daar wat navraag gedaan. De man schijnt uitermate vriendelijk te zijn, maar hierin stelt hij zich onmogelijk op.'

'Toch is hij uiteindelijk overstag gegaan.'

'Niet van harte, kan ik je melden.' Bart klikte op zijn mailbestand en gaf een tikje tegen zijn leesbril waardoor deze van zijn voorhoofd naar zijn neusbrug gleed. 'Luister. "Geachte heer Bonnier, u weet dat ik had besloten niet in te gaan op uw voorstel mij voor een aantal dagen door een journalist van uw krant te laten volgen voor een of ander katern. Ik heb het momenteel zeer druk, en mijn beperkte tijd noopt mij hiervan af te zien."' Bart keek naar Kes en zei: 'Nu komt het, nu moet je goed luisteren. "Daarnaast is de huidige generatie journalisten in mijn ogen geen knip voor de neus waard, daar zij niet meer in staat lijken iets te onderzoeken noch te kunnen luisteren, twee eigenschappen die, in mijn ogen althans, iedere journalist zou moeten bezitten. Ook zijn hun waarden en normen tegenwoordig ver te zoeken. Als ze deze al hebben, zijn het in elk geval niet de mijne."' Over de rand van zijn leesbril keek Bart haar aan. 'Een man naar mijn hart,' zei hij en richtte zijn ogen weer op de mail. '"Echter, aangezien de organisatoren van het Hudson-herdenkingsjaar en meerdere andere direct betrokkenen er bij mij, uit publiciteitsdoeleinden, op hebben aangedrongen op uw verzoek in te gaan, voel ik mij gedwongen u mijn medewerking te verlenen. Bij dezen. Wel wil ik u van tevoren waarschuwen dat de betreffende journalist zich zal moeten voegen naar mijn werktijden, mijn plannen, mijn dagindeling. Deze persoon kan zich op onderstaand telefoonnummer bij mij melden.'"

'Deze persoon? Dat klinkt veelbelovend. Hm, dat wordt dus geen makkie.'

'Nee, voor de verandering eens niet. Maak je borst maar nat.'

'Wat wil je daarmee zeggen? Vind je dat ik het makkelijk heb gehad tot nu toe?'

'Eerlijk gezegd wel, ja. Op die laatste opdracht na natuurlijk, maar laten we het daar maar niet meer over hebben.'

Ze sloeg haar armen over elkaar. 'Vind je dat ik de kantjes ervan afloop?'

'Helemaal niet, maar dan spreek ik namens mezelf, en de krant. Maar voor jou? Ik vraag het me af.'

'Wat bedoel je daarmee?'

Hij vouwde zijn handen achter zijn nek en leunde iets achterover. 'Jij bent iemand die leeft bij de gratie van een uitdaging. Als je er geen in je schoot geworpen krijgt, ga je ernaar op zoek. Je bent verslaafd. Anderen, de normalen onder ons, vinden het heerlijk die schaarse momenten van rust en contemplatie die hun in dit leven zijn gegund te benutten om eens goed na te denken, om eens goed om zich heen te kijken, en naar zichzelf. Jij? Jij raakt volledig in paniek als deze rust je gegund is. Je hebt die kick nodig. Daarin maak je het jezelf makkelijk, ja. Waarom zie je het niet eens een keer als een uitdaging dingen net iets anders aan te pakken? In feite zou je dat ook een boost moeten geven.'

Kes liep rood aan. 'Ik heb er geen enkele behoefte aan om nog meer naar mezelf te kijken. Daar weet ik al genoeg van. Bovendien, sinds wanneer denk jij alles te weten van mijn innerlijke noodzaak?'

'Raak ik een gevoelige snaar? Ik weet alles van jouw innerlijke noodzaak vanaf de dag dat ik je bij dat krantje heb weggehaald. Vanaf dag één dat je hier werkt dus.'

Daar had je het. Ze had er maanden op zitten wachten en nu

kwam het. Het moment was aangebroken dat ze Bart moest bedanken voor het feit dat hij haar 'had ontdekt', zoals hij dat omschreef. Dat ze het bij de regionale krant waar ze toen voor werkte best naar haar zin had, kwam niet bij hem op. Ook had hij niet in de gaten dat ze er zelf voor had gezorgd dat ze onder zijn aandacht kwam. Haar carrièrepad was zorgvuldig uitgestippeld. Toeval bestond niet bij haar, alles was ingecalculeerd. Zo ook de ontmoeting met Bart Bonnier. De borrel waar ze naartoe was gegaan, waarvan ze wist dat hij er zou zijn, haar keuze voor het simpele zwarte jurkje, de map die ze uit haar handen had laten vallen toen ze hem passeerde, dat hij zich bukte om alles bij elkaar te rapen en zijn oog op de kop van het artikel zou vallen dat ze speciaal voor deze gelegenheid geschreven had. TAMIFLU EN RUMSFELD stond er met koeienletters boven, voorzien van een vetgedrukte ondertekst: *Een pandemie is voor velen een angstaanjagend vooruitzicht. Dat geldt niet voor Donald Rumsfeld en andere betrokkenen bij Gilead Sciences, het farmaceutische bedrijf dat eigenaar is van de rechten van Tamiflu; het griepgeneesmiddel dat momenteel door tientallen landen in enorme hoeveelheden wordt aangekocht en in sommige gevallen ernstige bijwerkingen veroorzaakt.*

Natuurlijk raakten ze over haar artikel in gesprek, natuurlijk wilde hij meer weten, natuurlijk werd ze de volgende dag door hem benaderd of ze deel wilde uitmaken van zijn redactie. De logica van oorzaak en gevolg. Daarom peinsde ze er niet over Bart te bedanken. Ze had het allemaal zelf voor elkaar gekregen. Ze mocht hem graag, maar hij was van de babyboomgeneratie, een grote groep verwende wereldvreemden die wel wisten wat er in de wereld speelde, maar dat op de een of andere manier nooit geïnternaliseerd hadden. De consequentie was een grenzeloze naïviteit gecombineerd met een zelfingenomenheid waar de honden geen brood van lustten. Ze gedroegen zich alsof iedereen jonger dan vijfenvijftig op zijn achterhoofd was gevallen. Daarnaast lag het niet in haar intentie trouw te zijn aan een werkgever, hoe sympathiek ook. Al lang geleden was ze tot de conclusie gekomen dat er bij die vorm van loyaliteit sprake was van een sterke mate van eenrichtingsverkeer. Dat Bart zich nu op zijn borst zat te kloppen dat hij haar 'bij dat krantje' had weggehaald en zij hem daar dankbaar voor moest zijn, was tekenend.

Ze trok haar schouders op. 'Dat zal allemaal wel. Wanneer wil je dat ik hiermee begin?'

'Nu.' Hij printte de mail en gaf het aan Kes. 'Hier heb je het nummer. Ik wil dat je Christie tot de dag na zijn boekpresentatie volgt. Helder?'

Kes stond op. 'Helder.' Ze schraapte haar keel. 'Ik zal je niet teleurstellen.' Ze vond het zelf behoorlijk overtuigend klinken, maar Bart kende haar blijkbaar beter dan ze dacht.

'Daar hoef je bij mij niet mee aan te komen. Ik weet dat je daar geen flikker van meent. Toch mag ik het hopen.' Als teken dat ze kon gaan, trok Bart zijn toetsenbord naar zich toe en keerde zich naar zijn beeldscherm. Toen Kes bij de deur stond, zei hij haar naam. Ze draaide zich om.

'Maak er wat van. Als ik niet tevreden ben, kun je vertrekken,' zei hij zonder naar haar te kijken.

Vanuit zijn tranende rechterooghoek keek Bart Bonnier haar na. Langzaam schudde hij zijn hoofd terwijl hij zich afvroeg of het met dit vak ooit nog goed zou komen. Hij was er een van de oude stempel. De journalistiek zat hem in het bloed. Zijn grootvader was oprichter van een verzetskrant die tijdens de Tweede Wereldoorlog ondergronds werd verspreid. Die man had zijn leven gewaagd om het nieuws te brengen. Ook Barts vader was journalist geworden en had zich opgewerkt tot een van de meest invloedrijke hoofdredacteuren van Nederland. Bart Bonnier had alles in zich om de kant van zijn vader op te gaan, maar hij had de tijd tegen. En de tijdgeest. Los van de stagnatie in de abonnementenverkoop, waren journalisten in zijn optiek tegenwoordig van een ander kaliber. Het waren levende knipselmappen, die hun stukken bij elkaar plakten uit bronnen die ze, veelal op internet, tegenkwamen. Vaak namen ze niet eens de moeite deze te verifiëren. Zelfs zijn meest ervaren medewerkers moest hij regelmatig op de vingers tikken. Hij kon Kes deze coulance tonen omdat zij zich hier tot nu toe niet aan had bezondigd. Ze was een harde werker, authentiek, en beschikte over een extreem ongezonde vorm van wantrouwen. Met die instelling vormde ze een frisse wind binnen zijn ingedutte redactie. Zonder dat ze zich daar bewust van was, trok ze anderen mee in haar fanatieke speurtocht naar de waarheid. Uiteindelijk waren het allemaal strebertjes. Een perfecte medewerker dus, en een heel sterke persoonlijkheid met één heel grote zwakte: mannen. En dan het liefst zo fout mogelijk. Bij hen verdween haar wantrouwen als sneeuw voor de zon. De blinde vlek die daarvoor in de plaats kwam, had haar nu bijna de kop gekost, en hem ook. Diep in zijn hart wist Bart dat het niet de laatste keer zou zijn.

'Stelletje kleuters,' verzuchtte hij. Kes was zesentwintig, oud en wijs genoeg om zelf te bepalen met wie ze zich inliet. Als hij van tevoren had geweten dat ze iets met die Steven Stoutenbeek van plan was, zou hij haar bij zich hebben geroepen. Hij zou haar vaderlijk hebben toegesproken, haar hebben gewaarschuwd dat ze er niet in moest trappen, in Stevens charmante glimlach en gestroomlijnde lichaam. Hij had er meestal geen oog voor, dit tot grote ergernis van zijn dochters. Maar zelfs hij kon zien dat Steven aantrekkelijk was, kon begrijpen dat vrouwen bij bosjes voor hem vielen. Bovendien zou Kes, net als zijn dochters, zich niets van zijn wijze raad hebben aangetrokken. Toch had hij van haar meer verwacht. Meer intuïtie, meer inzicht in waar haar onenightstand toe zou leiden.

Toen Barts informant hem een maand geleden het document had overhandigd, wist hij dat hij een scoop in handen had waar je 'U' tegen zegt. Maar voordat hij het openbaar kon maken, moest het geverifieerd worden. Het probleem was dat de huidige regering een heftige opschoonactie binnen de veiligheidsdienst had gehouden. Alle informanten die Bart daar had gehad, waren vervangen door hielenlikkers, de keffertjes van de nieuwe premier. Kes leek de aangewezen persoon om voor die verificatie te zorgen. Hij had haar de opdracht gegeven alles tot in de puntjes uit te zoeken. Dat had ze ook gedaan. Meer dan dat zelfs.

Uit het document bleek dat de Nederlandse regering sinds een aantal weken stelselmatig alle asielzoekers in Nederland, ook al had het Europese Hof voor de Rechten van de Mens anders bepaald, het land aan het uitzetten was. Systematisch werden asielzoekerscentra geleegd en de vluchtelingen werden zonder pardon op het vliegtuig gezet naar hun land van herkomst. Om ervoor te zorgen dat dit niet in de openbaarheid kwam, werden hier geheime vluchten voor geregeld.

Tijdens haar onderzoek had Kes getuigen gevonden. Van de groep piloten die de vluchtelingen terugbrachten, waren er twee die hun verhaal wel aan haar kwijt wilden. Ze hadden haar alles verteld. De paniek in het vliegtuig. Het geschreeuw en gehuil van de passagiers. Het moment dat wielen de landingsbaan raakten en de politiebusjes die het vliegtuig opwachtten aan kwamen scheuren. De asielzoekers, hele gezinnen die als beesten de busjes in werden gedreven, hun lot in handen van het land waaruit ze gevlucht waren. Barts krant zou hiermee naar buiten komen. Helaas was het allemaal heel anders verlopen.

Diep in zijn hart vroeg Bart zich af of hij het Kes ooit zou vergeven. En daar kwam dat andere gezeur nog bij. Bart wist dat Kes een uitmuntende speurneus was, en dat ze er niet voor terugdeinsde haar vrouwelijke charmes in de strijd te gooien om haar doel te bereiken. Hij had daar zelf geen enkel probleem mee, maar bij een aantal van haar collega's, vooral onder de vrouwelijke, leidde dit tot grote ergernis. Zo was Belinda van Kampen drie weken geleden zijn kamer binnengestormd met de vraag of hij wel wist waar Kes mee bezig was.

'Ze krioelt als een krolse kat om die kerels heen. Bart, je moet er wat van zeggen, ik schaam me kapot. Jij ziet het niet, maar wij wel. Vandaag nog zag ik haar zitten in de portiersloge van het Binnenhof, ze zat haast bij die mannen op schoot. Onze naam, ons imago gaat zo helemaal naar zijn gallemiezen. Wij zijn een degelijke krant, tenminste, dat dacht ik altijd. Als zij onze maatstaf is, zijn wij nu geen haar beter dan het blaadje waar zij vandaan komt. Doe er iets aan.'

'Dat is haar manier, Belin. Ze weet heus wel wat ze doet.'

'Dat vraag ik me af. Het komt jou gewoon wel goed uit, daarom wil je er niets aan doen.'

Bart had geglimlacht. 'Natuurlijk komt het mij goed uit, ze krijgt het altijd wel weer voor elkaar. En weet je wat het mooie is: ze kan nog schrijven ook. Ze is gewoon goed in haar werk.'

'Dat is wel erg kort door de bocht, vind je niet? Wat zij doet heeft niets, maar dan ook helemaal niets met journalistiek te maken. Je zou haar eens bezig moeten zien. Ze draagt dan kleren die ze hier op kantoor nooit aanheeft, echt, te ordinair voor woorden. Ik heb ook veel over voor een verhaal, maar ik heb tenminste wel mijn grenzen.'

Hij had haar aangekeken. Als het om dat soort grenzen ging, was het zeker niet Belinda zelf die achter het karretje liep om de witte streep te trekken. Belinda was een klein onooglijk propje. Bovendien zag ze er altijd uit alsof ze een griep onder de leden had. Haar oogleden hingen zwaar naar beneden en de wallen eronder maakten het geheel er niet mooier op. Dat was allemaal nog tot daar aan toe. Wat haar onaantrekkelijk maakte was de constante stuurse en ontevreden trek om haar mond. Kortom: het was een stuk chagrijn van heb-ik-jou-daar.

'Dan liggen haar grenzen ergens anders,' zei hij. 'Laat haar nou maar.'

'Het is toch waar? Bart? Het klopt toch wat ik zeg? Ik waarschuw je, straks heb je de poppen aan het dansen.' Na die woorden had Belinda de deur zó hard achter zich dichtgesmeten dat de glazen wanden bijna uit hun voegen waren geknapt.

Belinda voelde blijkbaar aan dat hij naar haar zat te kijken, misschien wist ze zelfs wat hij op dat moment dacht, want vanachter haar bureau keek ze plotseling op en ze keek hem met een vileine glimlach aan.

Bart duwde zich uit zijn stoel omhoog. Misschien had Belinda gelijk. Hoe ver moesten ze gaan om de oplagecijfers omhoog te krijgen? Zijn krant was niet de enige die in zwaar weer verkeerde, maar het was dweilen met de kraan open.

Op het moment dat hij zijn luxaflex wilde sluiten, zag hij Kes aan de andere kant van de kantoortuin staan, omringd door kwaad kijkende collega's. Ze hield haar schouders opgetrokken. Even schoot het door hem heen zich ermee te bemoeien. 'Zoek het maar uit,' mompelde hij en hij sloot het probleem van zich af door de luxaflex dicht te trekken.

Zonder op hun opmerkingen te reageren, wurmde Kes zich tussen haar collega's door naar de uitgang. Vlak voordat ze de redactieruimte uitliep, siste een van haar collega's haar iets toe. Ze wist het niet zeker, maar dacht 'vuile slet' te horen. Spettertjes speeksel gevuld met haat brandden op haar huid.

Eenmaal buiten, weg van de walging die uit de poriën van haar collega's stroomde, op het grijze kantoortapijt gleed en naar haar achillespees hapte om haar voor eens en voor altijd onderuit te halen, wreef ze hard over haar wangen. Ze wist precies wat ze op dat moment nodig had: een koevoet waarmee ze de stoeptegels langs de buitenmuur van het pand kon opwippen om ze vervolgens een voor een door de ruiten van de redactieruimte te smijten, net zo lang tot er geen raam meer heel was. Glasscherven zouden als dolken in het rond vliegen. Kermend zouden haar collega's over de grond kruipen, hun handen voor hun gezicht geslagen. Bloed zou door hun vingers sijpelen en op het tapijt druppen. De rest van hun leven zouden ze de littekens dragen. Dag in dag uit zouden ze eraan herinnerd worden wat ze haar hadden aangedaan, wat voor gevoel ze haar hadden gegeven.

Maar ze had geen koevoet en stond als een gefrustreerde junk aan haar fietsketting te rukken. Haar vinger kwam tussen een van de kettingschakels terecht. Met een kreet trok ze hem terug en stak hem in haar mond. De mentale en fysieke pijn bracht de herinneringen aan Robert weer boven. Ze legde haar hand over haar mond om haar schreeuw te dempen en kneep haar ogen dicht. Ze probeerde zich te concentreren op haar ademhaling. Na een paar seconden opende ze haar ogen en schudde met haar hoofd. Terwijl ze tot rust kwam, zag ze zichzelf opeens staan, alsof ze met een helikopter over zichzelf heen cirkelde. Daar stond ze. Een vrouw met lang donker haar en een lijf van een meter drieëntachtig waarin ze nog steeds haar draai niet had gevonden. Ze stond naast haar fiets op een winderige hoek, de armen slap langs haar lichaam, haar gezicht naar beneden gericht.

'No way,' mompelde ze, en ze stak haar sleutel in het slot.

2

Het hengsel drukte pijnlijk op zijn nekspier en veroorzaakte een lichte hoofdpijn. Donald Christie trok de tas van zijn schouder, drukte hem als een baby tegen zich aan en liep door, zijn hoofd gebogen om de snijdende wind te ontwijken. Halverwege de brug keek hij opzij. Wolken in verschillende grijstinten raasden over de rivier waarin eeuwen geleden een dam werd aangelegd waarop het vissersdorp Amstelredam zich ontwikkelde, het dorp dat uitgroeide tot de hoofdstad van dit kleine indrukwekkende land waar Donald zijn hart aan had verpand.

Plotseling weken de wolken uiteen tot er een smalle felblauwe streep zichtbaar was. De lucht leek naar hem te glimlachen. Toen verdween ze even snel als ze tevoorschijn was gekomen, plagerig haast, alsof de natuur hem op deze grauwe dag een glimp wilde gunnen van de wolkeloze hemel boven het laaghangende wolkendek, daar waar de zon scheen. Alsof ze wilde zeggen: zo kan het ook, zie je dit? Zo kan het ook zijn.

Rillend versnelde Donald Christie zijn pas. De wind voelde ijzig aan en deed hem aan thuis denken. Toch was deze in temperatuur niet te vergelijken met de New Yorkse poolwind die het snot in je neus deed bevriezen. Zodra de steenkoude wind Manhattan bereikte, begon die zijn eindeloze slalom tussen de wolkenkrabbers, scheerde hij rakelings langs de torens en zwiepte als Spiderman naar beneden om de voetgangers de adem te benemen.

Een jonge vrouw fietste hem langzaam voorbij. Hij blikte opzij. Ze kwam nauwelijks vooruit. Haar lange haren wapperden haast horizontaal naar achteren, en het kind dat achterop zat, had zijn handen diep in haar jaszakken gestoken. Donald hoorde haar zachte gehijg. Het jongetje zong een liedje. 'Een, twee, drie, vier, hoedje van, hoedje van, een, twee...' De wind droeg het ijle stemmetje met zich mee, en de melodie vervloog over de Amstel.

Verbaasd veegde Donald de tranen uit zijn ogen. Het zat hem blijkbaar hoger dan hij dacht. Zo'n blijk van emotionele betrokkenheid was niet handig, dat mocht straks niet gebeuren. Hij moest het blokkeren, elk greintje gevoel dat hij bezat, moest hij wegdrukken. Zeker nu. Momenten van zwakte kon hij zich niet permitteren. Zakelijk moest hij zijn, en standvastig.

Terwijl hij dit in zijn tred en houding tot uiting probeerde te laten komen, liep hij door. Maar het hielp niet, en bij elke stap die hij zette, kwam het hotel, en daarmee zijn probleem, dichterbij. Bij elke meter die hij aflegde, zakte de moed hem meer in de schoenen.

Het Amstel Hotel was een van Donalds favoriete plekken. Terwijl hij de bordestrap opliep, vroeg hij zich af waarom hij ervoor had gekozen juist hier af te spreken, op een plek waar hij alleen maar goede herinneringen aan had. Hij knikte naar de portier die teruggroette door met twee vingers de rand van zijn pet te raken. De conciërge, die in de hal achter een mahoniehouten tafel zat, maakte aanstalten om op te staan toen hij Donald zag. Die gebaarde dat hij kon blijven zitten en stak doelgericht de hal over.

Bij de ingang van de serre bleef Donald staan, negeerde het prachtige uitzicht over de Amstel en spiedde de ruimte af. Daar zat hij, helemaal achterin, met de krant voor zich. Even twijfelde Donald of hij door zou lopen, of hij zichzelf kenbaar zou maken. Want de man met wie hij een afspraak had, beschikte over alle karaktereigenschappen die Donald Christie verafschuwde. Olaf van Hoorn was arrogant, aanmatigend en onbeschoft. Maar Donald wist dat het onmogelijk was deze man te ontlopen. Het was te laat. Ze zaten aan elkaar vast als de dop op een gebruikte tube tweesecondenlijm.

De machteloosheid die Donald voelde opkomen terwijl hij daar stond, stemde hem somber. Hij moest blijven geloven in zijn doel, moest zich blijven vasthouden aan zijn plan en alles op alles zetten om deze wurgende relatie zo snel mogelijk te ontbinden zodat hij deze man uit zijn leven kon schrappen.

Olaf van Hoorn keek niet op toen Donald Christie voor hem stond, maar vouwde tergend langzaam zijn krant dicht en legde die met eenzelfde lome beweging naast zich neer. Toen stond hij op, keek Donald met een knikje aan en stak zijn hand uit.

Hij torende boven Donald Christie uit. Die was er ondertussen aan gewend dat hij meestal zijn hoofd in zijn nek moest gooien als hij met een Nederlander sprak. Toch bleef het hem verbazen waarom ze uitgerekend hier, in dit piepkleine land onder de zeespiegel, zo lang waren. Wat dat betreft waren de Nederlanders volgens Donald *freaks of nature*, levend in strijd met elke natuurwet die ze dagelijks tartten met hun niet-aflatende strijd tegen het water. Het woord strijd hadden ze de laatste jaren geherformuleerd en ze spraken nu eerder over leven met het water, het water de ruimte geven. Want als geen ander wist de Nederlander dat hij van zijn, al dan niet vermeende, vijand zijn vriend moest maken. Pas dan kun je van hem profiteren.

Olaf gebaarde naar de stoel tegenover hem. 'Ga zitten.' Hij wees naar Donalds tas. 'Je gaat me toch niet vertellen dat je dat hele archief de godganse dag bij je draagt?'

'Ik, eh, nee, natuurlijk niet. Dat is veel te omvangrijk.'

Olaf leunde achterover, spreidde zijn armen en legde ze over de rugleuning van de bank. 'Zit dat van mij er wel bij?'

Donald schudde kinderlijk hard met zijn hoofd. 'Nee, natuurlijk niet, dat heb ik veilig opgeborgen. Het is...'

Olaf schoot naar voren en greep Donald bij zijn arm. 'Dus het is klaar? Je hebt het af? Waar is het? Hebben we er iets aan?'

'Ik... Dat weet ik nog niet.'

'Hoezo? Verdomme! Hoe ingewikkeld kan het zijn? Je kent die taal toch? Dat schrift? Het zijn geen hiëroglyfen.'

'Nou, als je het zo stelt, dan scheelt dat niet eens echt zo v...'

'Bespaar me alsjeblieft die verhalen over hoe moeilijk het allemaal wel niet is. Dat is wel het laatste waar ik in geïnteresseerd ben. Hoe lang ben je van plan er nog over te gaan doen?'

Donald zuchtte. 'Daar gaat het niet om. Het is inderdaad af. Maar er...'

Olaf stak zijn vinger uit en priemde ermee in Donalds richting. 'Waarom heb je het dan niet bij je? Gaat het om het geld? Dat komt daarna. De rest dan, bedoel ik, dat hebben we ook zo afgesproken. Die aanbetaling heb je als het goed is al binnen.'

'Ja, die is binnen.'

'Dan weet je dat ik goed ben voor mijn geld.'

Donald zuchtte. Geld. Hollanders en hun geld. Je mocht alles van ze weten: hun seksuele geaardheid, of ze ooit drugs hadden gebruikt of nog steeds, hoeveel ze dronken, of ze ooit naar de hoeren waren geweest. Maar vraag ze nooit hoeveel geld ze hebben. Het was de meest onbeschofte vraag die je hier kon stellen.

'Dat je goed bent voor je geld is iets waar ik altijd van uit ben gegaan,' loog Donald. 'Dat is het punt niet, het is...'

'Je bent aan het rekken, Christie. Er klopt iets niet.'

Donald wist dat het gesprek een andere wending zou krijgen. Op dat moment wilde hij dat hij decennia terug kon in de tijd, naar de dag dat hij werd aangenomen om deze gigantische klus te klaren. Naar de dag dat Elsa op zijn pad kwam met wie hij dezelfde passie deelde: het archief. Al die jaren die ze samen hadden gewerkt, het werkstramien dat ze hadden ontwikkeld. Van negen tot zes transcriberen. Daarna met een glas wijn alles doornemen wat ze die dag gelezen hadden, hun dagelijkse nabeschouwing zoals ze dat noemden. Dat is wat hij de rest van zijn leven wilde doen, en dat stond nu allemaal op losse schroeven.

Elke dag dat ze met het archief bezig waren, was een cadeau, een reis door de tijd. Via de tijdmachine van hun fantasie waanden Elsa en hij zich in de zeventiende eeuw. Gearmd liepen ze door de modderige straten van Nieuw-Amsterdam, de paden die de oorspronkelijke bewoners hadden gemaakt. Het was de hoofdstad van Nieuw-Nederland; de overzeese kolonie in Amerika, een immens gebied dat delen bevatte van de huidige staten New York, New Jersey, Connecticut, Pennsylvania en Delaware.

Elsa en hij spraken met de mensen die er woonden, die er hun brood verdienden en hun gezinnen onderhielden. Ze passeerden kroegen waar op het moment dat zij voorbijkwamen net een gevecht plaatsvond, zoals in oude westerns. Ze slenterden langs huizen waar bevervellen opgeslagen waren, voorbij bordelen waar lachsalvo's uit opstegen. Via de documenten die ze lazen, wandelden ze verder, naar Fort Amsterdam en de boerderij van Peter Stuyvesant, de man die namens de West-Indische Compagnie het eiland, volgens de overlevering, met ijzeren hand en een houten been regeerde. Daar, bij zijn huis, hielden ze even stil en loerden naar binnen. Achter het raam zagen ze hem zitten, gebogen over zijn bureau.

Met de jaren, in gelijke tred met de vorderingen van het vertalen van het archief, leerden ze Nieuw-Amsterdam steeds beter kennen, konden verder kijken dan alleen de oppervlakte, de straten, de huizen, de mensen. Ze leerden in de ziel van het eiland kijken. Het was een oude ziel, wijs geworden door haar eeuwenlange bestaan, op handen gedragen door de indianen die haar vereerden, die hetgeen ze te bieden had op waarde wisten te schatten.

Met de komst van de kolonisten veranderde er veel. Maar haar ziel veranderde niet, werd door alles wat ze meemaakte sterker en sterker, zo sterk zelfs, dat ze tot diep in het hart van iedere bewoner doordrong, zelfs in de harten van de meest vluchtige bezoeker. Eenmaal binnen, wilde iedereen haar voor altijd bij zich houden.

'Hallo? Ga je me nog vertellen wat er aan de hand is?'

Olafs onaangename stem trok Donald weg uit Nieuw-Amsterdam en bracht hem terug naar de serre van het hotel, naar de geur van dure parfum, espresso, boenwas en het zicht op de rivier. De Amstel zag er woest uit vandaag, alsof ze de ruimte zocht, uit haar oevers wilde treden en een gevecht wilde aangaan met de kades die haar in bedwang hielden, haar inkaderden in het stramien dat de Hollanders voor ogen hadden en waar niet aan getornd mocht worden.

Donald trok zijn blik weg van het water en richtte zijn ogen op Olaf. 'Excuseer, ik was ergens anders met mijn gedachten.'

'Dat was overduidelijk. Christie, luister. Het enige wat ik van jou wil weten is of die vertaling die ik in Utah heb gevonden, klopt met het zeventiende-eeuwse origineel. Daar moet ik echt zeker van zijn.'

Donald zei niets.

'Waar zit je nou zo moeilijk over te doen? Het is gewoon een zeventiende-eeuws document, iets waar jij je hand niet voor omdraait. Gewoon een oud stuk papier, net als die andere in je heilige archief. Je hebt het toch wel, mag ik hopen?'

'Dat is het nou juist. Het is geen gewoon document. Dat weet je net zo goed als ik.'

'Zit niet zo te mierenneuken. Je begrijpt precies wat ik bedoel. Ik vraag niet meer van je dan iets voor mij te doen wat je haast je hele leven aan het doen bent. Wat is het probleem? Waarom moet dit zo lang duren? Jij bent niet eens de eerste die een poging doet. Het testament is al door iemand vertaald, en het enige wat ik van je vraag is die vertaling die ik heb gevonden naast het origineel te leggen.'

'Degene die het heeft vertaald, heeft zijn best gedaan, maar toen ik het vergeleek met het originele testament...

Olaf schoof naar voren. 'Je hebt het dus gevonden? Het zat tussen jouw stukken?'

'Ja, ik heb het gevonden.'

'Aha, dacht ik het niet. Zie je wel dat ik gelijk had.'

Donald knikte en onderdrukte de neiging naar voren te leunen om die arrogante glimlach van Olafs gezicht te slaan. 'Er is alleen een probleem. De vertaler heeft iets over het hoofd gezien.'

'Wat bedoel je? Klopt de tekst niet?'

'Jawel, maar... er hoort een nog een pagina bij.'

'Wat?'

'Ja, ik mis een bladzijde van het testament. De originele pagina die ik heb, eindigt midden in een zin. Uit jouw vertaalde stuk blijkt dat niet. Die vertaler heeft die halve zin gewoon weggelaten. Het is niet volledig. Ik ben natuurlijk geen jurist, maar volgens mij heeft het testament zonder die aanvullende bladzijde, dus zoals het nu is, geen enkele waarde en zeker geen juridische grondslag.'

Olaf liep rood aan. 'Daar hoef je geen jurist voor te zijn, Christie, om die conclusie te trekken. Verdomme. Als het originele testament tussen die andere documenten in je archief zat, dan moet die ontbrekende bladzijde er toch ook bij zitten?'

'Toen ik het merkte, achtte ik de kans groot dat die pagina die we missen inderdaad in mijn archief zou zitten. Ik heb me rot gezocht, maar ik ben hem nog niet tegengekomen.'

'Je zet me voor het blok, Christie, en daar hou ik niet van.' Olaf leunde naar voren. 'Ik raad je aan die ontbrekende bladzijde van dat testament als een gek te gaan zoeken. Als je die niet vindt, kun je naar de rest van je geld fluiten.'

Zonder iets de zeggen stond Donald op, pakte zijn tas en liep weg. Als hij zich had omgedraaid, zou Donald hebben gezien dat Olaf hem glimlachend nakeek. Want Donald had hem precies datgene gegeven wat hij nodig had. Tijd.

Op het moment dat Olaf van Hoorn daar in de serre van het Amstel Hotel erg tevreden over zichzelf zat te zijn, was hij zevenenveertig jaar oud. Geboren en getogen in de Schilderswijk in Den Haag was hij niet met een gouden lepel in zijn mond geboren, maar met een plastic patatvorkje. Nadat hij met de hakken over de sloot zijn lts-diploma had gehaald, werd hij verkoper in een tuincentrum. Twintig jaar later stond hij niet meer achter de toonbank, maar was hij directeur-grootaandeelhouder van acht tuincentra. Toen hij van een concurrent een bod had gekregen dat hij niet kon weerstaan, deed hij zijn keten van de hand. Hij leefde van de rente die zijn spaargeld hem opbracht en van de opbrengst van een kleine maar lucratieve vastgoedportefeuille.

Tegenover de buitenwereld ging Olaf er prat op dat hij een selfmade man was en sprak hij met trots over zijn achtergrond. Maar diep in zijn hart verafschuwde hij zijn, in zijn ogen, schamele afkomst. Het gevolg was dat hij geen moment voorbij liet gaan om te benadrukken dat hij niet zomaar iemand was. Nee, hij was een nazaat van Peter Stuyvesant. Niet dat hij dit ooit had geverifieerd, maar de geruchten die jarenlang in zijn familie rondgingen, nam hij graag voor waar aan. Hij merkte niets van de meewarige blikken die hem werden toegeworpen als hij dit meldde of en passant liet vallen. Als hij in Amerika had gewoond, was dit waarschijnlijk anders geweest, maar in Nederland was niemand geïnteresseerd in die informatie. Niemand waarschuwde hem dat hij een lachertje van zichzelf maakte door met zijn afkomst te pronken. Ook al zou iemand hem hierop attent maken, dan nog was de kans groot dat Olaf van Hoorn zich er niets van aan zou trekken. Olaf wist altijd alles beter en hield niet van advies. Eens selfmade, altijd selfmade.

Een paar jaar geleden was Olaf er eens goed voor gaan zitten en had hij uit zitten rekenen dat het, mede vanwege zijn kostbare scheiding, nog maar een paar jaar zou duren voordat hij weer geld moest gaan verdienen. Hij besloot al zijn spaargeld te beleggen. Dat kwam hem nu duur te staan.

Week na week had hij zijn aandelenkoersen zien kelderen tot ze zo ver waren gezakt dat van het bedrag dat hij had belegd haast niets meer over was. Hij had een van de veiligste beleggingen gekozen die er waren, had het zelfs over twee grote banken verspreid. Maar groot stond niet gelijk aan veilig. Daarnaast zegden zijn huurders massaal op en liepen zijn panden leeg. En vanwege het slechte economische klimaat waren nieuwe huurders even schaars als vacht op een Mexicaanse naakthond.

Zijn grootste probleem was nog niet eens dat zijn privévermogen was verdwenen, maar ook het geld dat hij namens zijn familie in beheer had. Geld dat ergens anders voor bestemd was. Hij had beloofd hun bijdrage op een spaarrekening vast te zetten met een mooie rente en had ze tot op de cent nauwkeurig voorgerekend hoeveel dat zou opleveren. Hij had hun toegezegd het geld er pas van af te halen zodra ze het nodig hadden om het proces te bekostigen.

Als zijn familieleden zouden horen dat hij hun investering had gebruikt om deze te beleggen met de bedoeling elke euro die boven de vaste inleg uitkwam in zijn eigen zak te steken, zouden ze hem aan de schandpaal nagelen. Zijn intentie was altijd oprecht geweest, maar het was te aanlokkelijk om de kans het bedrag te verdubbelen aan zich voorbij te laten gaan.

Nu zat hij klem. Hij had zijn familie een financieel overzicht beloofd, dat ze uiterlijk volgende week zouden ontvangen. De advocaten stonden in de startblokken en hadden zijn toezegging dat het testament deze week nog bij hen zou worden aangeleverd. Het ergste van alles was dat het plan, dat hij tot nu toe uit de openbaarheid hadden weten te houden, op straat zou komen te liggen als zijn familie erachter zou komen. Dat was een ding dat zeker was.

Hij had alle mogelijkheden de revue laten passeren. Een lening afsluiten? Geen bank die hem dat geld zou verstrekken, zeker niet in deze tijd. Ze keken wel uit. Kon hij bij iemand anders terecht? Vrienden misschien? In zijn hoofd was hij het rijtje afgegaan. Er zaten drie mensen tussen die een fortuin hadden, maar dat was niet voor niets. Ze gingen heel zorgvuldig met hun geld om. Nee, zij zouden hem nooit dergelijke bedragen lenen. Niet in de laatste plaats omdat het eigenlijk geen vrienden waren. Vriendschap heette onvoorwaardelijk te zijn, en dat zat er bij hen echt niet in. Van zijn kant trouwens ook niet.

Wat hij nodig had, was tijd om een oplossing te vinden. En tijd was hem net door Donald Christie in de schoot geworpen.

3

'Wacht even.' Ter verduidelijking stak de premier de Rubiks kubus omhoog. 'Ik ben er bijna.'

Zonder iets te zeggen bleef Werner Benjamin bij het bureau staan en luisterde naar het zachte geklik van de kubus.

'Zit Werner, zit.'

Werner Benjamin keek er niet meer van op. Hij was er ondertussen aan gewend als een hond behandeld te worden. Hij liep naar de bank, schoof de stapel papier die erop lag naar het uiteinde en liet zich erin zakken. Hij keek naar de man die twee jaar geleden premier was geworden. Zijn donkerbruine haar zat zoals altijd onberispelijk. Met een verbeten trek om zijn mond, een trek die Werner maar al te goed kende, fixeerde hij zich op de kubus die hij met zijn lange vingers beroerde. Klik, klik, klik. Werner vroeg zich af hoe lang hij het nog vol zou houden stafchef te zijn van iemand waar hij geen greintje respect voor had. Niet dat Werner hem ooit hoog had gehad, maar dat het zo erg zou worden, had hij niet verwacht. Niemand eigenlijk.

Al snel na de aanstelling van de premier en de installering van zijn kabinet waren de ministeries leeggelopen en hadden de meer weldenkende topambtenaren eieren voor hun geld gekozen. Werner kreeg er al snel spijt van dat hij die stap toen niet ook had gezet. Nu kon hij geen kant meer op. De banen lagen niet voor het oprapen en het kenbaar maken van zijn aversie zou niet slim zijn. Dan kon hij het helemaal wel schudden. Zijn jarenlange ervaring als ambtenaar bij het ministerie van Algemene Zaken had hem tot nu toe uit de wind gehouden, maar hij voelde dat het niet lang meer zou duren of ook hij werd de laan uit gestuurd, net als al die anderen.

Typisch Werner, zouden mensen die hem kenden hebben gezegd als ze zijn gedachten hadden kunnen lezen. Werner Benjamin was inderdaad iemand die altijd de veilige kant koos. Het leiden van een overzichtelijk en risicoloos bestaan was een reactie op zijn ouders, die in de jaren zestig het hippietijdperk hadden omarmd om het vervolgens nooit meer los te laten. Ze hadden schijt aan alles en lapten elke regel aan hun laars. Werner was in vier verschillende communes opgegroeid en mocht van jongs af aan zijn eigen huisregels bepalen. De laatste twee jaren van het gymnasium woonde hij als enige van de school op kamers. Zijn vriendenkring bestond niet uit alto's maar uit jongens en meisjes met een overwegend rechts georiënteerde politieke voorkeur die meestal rechten gingen studeren en lid werden van het corps. Zo ook Werner.

Zijn eerste baan na zijn studie was bij Algemene Zaken en daar zat hij nu, indirect, nog steeds. Zijn ouders waren op zijn zachtst uitgedrukt niet blij toen hij hun te kennen had gegeven dat hij bij deze premier als stafchef in dienst zou treden. Ze hadden verbaasd gereageerd. Stafchef? Zoals die de Amerikaanse presidenten altijd hebben? Zo'n man? Ze hadden er heftige discussies over gehad, maar onderhand maakten ze er alleen maar grapjes over. Ongemakkelijke grapjes. Voor hem dan. Zij konden er blijkbaar de lol van inzien. Werner niet. Werner kon zich niet eens meer herinneren wanneer hij dat voor het laatst had gehad. Lol. Gewone, simpele lol.

Het kwam steeds vaker voor dat Werner 's ochtends in de spiegel keek en bij god niet wist wie dat was, die persoon die terugstaarde met de blik van een oude man terwijl hij net veertig was geworden. In het begin weet hij het aan zijn gestrande relatie, maar na een tijdje moest hij erkennen dat hij haar niet eens miste, nooit gemist had ook.

Inmiddels wist Werner voor honderd procent zeker waar het mee te maken had, deze twijfels die hem op onregelmatige tijden overspoelden. Het kwam door hem, door de premier die als een ongeleid projectiel steeds vaker uit de bocht vloog. De man kreeg steeds meer commentaar te verduren. Het effect was dat hij steeds onuitstaanbaarder werd en steeds standvastiger in de idiote beslissingen die hij nam.

Werner had altijd gedacht dat het wel mee zou vallen, en zo niet, dat hij de premier wel onder controle zou kunnen krijgen. Niets was minder waar. Sinds deze man aan de macht was gekomen, ging er meer fout dan goed. Iedereen met een normaal verstand wist dat angst een slechte raadgever was. Maar deze man had angst gecreëerd. Hij had de bevolking zodanig opgefokt dat ze niet meer met een gerust hart gingen slapen. Dieren die bang zijn, gaan bijten. Mensen ook. De sfeer in het land was volkomen verziekt. Angst beheerste elke politieke beslissing. Angst voor buitenlanders, voor buurlanden, voor buren, voor elkaar. Iedereen hield zich verkrampt vast aan de door hen verworven rechten, zoals ze dat omschreven. Daarbij gingen ze totaal voorbij aan het feit dat die rechten niet door henzelf verworven waren. De omvorming van Nederland naar een vrij en democratisch land had eeuwen in beslag genomen. Het was haast een natuurlijk proces geweest. Het merendeel van de bevolking was vergeten dat hun ouders en voorouders hadden gestreden om deze rechten, de rechten die de basis vormen voor een maatschappij vrij van angst: vrijheid van godsdienst, van boekdrukkunst, van meningsuiting.

Met de komst van deze premier was het kleine koninkrijk, dat bekendstond om zijn tolerantie, veranderd in een verkrampte enclave met als belangrijkste kenmerken zelfgenoegzaamheid, arrogantie en niet mis te verstane pretenties. Het waren exact de karaktereigenschappen van de door hen gekozen leider. Wel klonken de laatste tijd steeds meer tegengeluiden. Nu een groot deel van het Nederlandse volk erachter kwam dat het zich had vergist, dat het op het stembureau het vakje voor de naam van iemand anders rood had moeten maken, was het te laat.

Terwijl Werner naar de premier zat te kijken en wachtte tot die zijn driedimensionale puzzel had opgelost, iets wat bij voorbaat gedoemd was te mislukken, werd hij overvallen door zo'n intens gevoel van moedeloosheid, dat hij een paar keer moest slikken. Hij was erin meegegaan, in het hele circus, had zich mee laten slepen in de roes van de overwinning. Want wie wil nou niet bij een winnaar horen?

De eerste paar maanden waren in euforie voorbijgegaan. Toen die periode voorbij was, werd het iedereen die goed bij zijn hoofd was duidelijk dat ze hier te maken hadden met een despoot die in de verste verte niet verlicht was en bovendien bij dat woord alleen aan gloeilampen dacht. De charmante onbeholpenheid van zijn nieuwe baas, iets wat Werner in eerste instantie op een bepaalde manier vertederend vond, bleek niets meer en niets minder dan domheid en desinteresse; een logisch gevolg van jarenlang alleen maar naar jezelf luisteren.

Met een lijdzame blik volgde Werner de boog van de kubus toen die met een vloek door de kamer werd gesmeten en tegen de deurpost knalde. Geen enkel vlak van de kubus had dezelfde kleur, overal piepten er anders gekleurde vierkantjes doorheen. Werner bedacht hoe symbolisch dit was. De premier kon draaien wat hij wilde, maar de bevolking van dit land zou nooit dezelfde kleur krijgen, nooit zo eenduidig worden als hij voor ogen had. Nederland en eenduidigheid was al eeuwen een gepasseerd station. In alle opzichten.

'Werner, wist jij dat het kubusrecord in handen is van een Nederlander? Het wereldrecord, *mind you*. Die jongen deed er om precies te zijn 7,08 seconden over. Heb je ze bij je?'

Werner stond op en haalde de uitdraai uit zijn binnenzak. Zoals altijd zag hij ertegenop, maar deze wekelijks terugkerende afspraak was bindend. De maandagochtend van de premier van Nederland: koffie, de peilingen en Werner verrot schelden. En niet altijd in die volgorde.

'En? Hoe staan we ervoor?'

'Niet zo goed, eerlijk gezegd.'

De premier wuifde het stuk papier weg dat hem werd aangereikt. 'Vertel het me maar, ik kan wel tegen een stootje.'

'Uit de peilingen van afgelopen week blijkt dat uw populariteit is gezakt van 43 naar 24 procent.'

'Gezakt? Zoveel? Dat kan niet. In één week tijd? Vorige week? Dat is onmogelijk. Zijn die cijfers van hetzelfde onderzoeksbureau als de afgelopen keer?'

Aangezien de premier dondersgoed wist dat het altijd hetzelfde bureau was omdat de opiniepeiler een zoon was van zijn zwager, gaf Werner geen antwoord.

'Godverdegodver. Hoe kan dat nou?'

'Ik denk dat de plannen die u afgelopen week heeft aangekondigd over...'

'Laat maar zitten. Ik heb geen enkele behoefte aan een analyse van een feit. Dit is de stand van zaken. Actie dus. Wat is het plan?'

Werner zei niets.

De premier roffelde op zijn bureau. 'Hallo. Is daar iemand? Ik mag toch aannemen dat er een plan is, dat er aan de hand van deze kutuitkomst een brainstormsessie is georganiseerd waar de beste strategen van het land bij aanwezig waren? Dat er uit die bijeenkomst iets is gekomen wat ervoor zal zorgen dat ik in *no time* weer bovenaan sta in de peilingen? Werner?'

'Nog niet nee. Maar dat is zo geregeld. Dezelfde samenstelling als de andere keren neem ik aan?'

'Waarom moet ik alles zelf doen? Waarom ben ik altijd degene die met dit soort ideeën moet komen? Moet ik nou echt altijd alles voorkauwen? Waarom lopen jullie altijd achter de feiten aan? Werner, hoe achterlijk ben jij eigenlijk?'

'Pardon?'

'Je hoorde me wel. Wie denk je dat je hier voor je hebt? Een of andere idioot? Een gestoorde debiel die niet tot tien kan tellen?'

Schot in de roos, dacht Werner en zei: 'Excuses. U hebt gelijk. Ik zal iets anders verzinnen, andere deelnemers zoeken. Deze samenstelling werkt inderdaad niet.'

'Zet er een paar schrijvers bij, filmmakers, weet ik veel, mensen die creatief zijn in elk geval. Doen ze in Amerika ook als er crisis is. Ik ben dat politiek correcte geklets spuugzat. Al die lui zitten me alleen maar naar de mond te praten en daar heb ik echt geen flikker aan. Werner, er moet iets gebeuren en snel. Ik moet mezelf weer op de kaart zien te krijgen, en deze keer op een positieve manier. Als er niets op ons pad komt, dan verzin je maar iets. Iets waar ik mee kan scoren, niet alleen bij die slappe socialisten of die links-liberale idioten of bij mijn aanhang, maar bij iedere Nederlander.'

De premier reikte naar de kubus die door de bewaker op zijn bureau was gelegd en keek er verstoord naar. 'Je kunt gaan. De eerstvolgende keer dat ik je spreek, en laat daar geen dagen overheen gaan, wil ik een oplossing van je horen.'

Terwijl Werner naar de deur liep, begon het zachte geklik van de kubus weer. Hij had het altijd aan de premier geweten, maar het drong nu tot hem door dat hij als een hond werd behandeld omdat hij zich zo gedroeg, en terwijl hij door de gang naar zijn kamer liep nam hij twee beslissingen: dat er een eind moest komen aan zijn loyaliteit en dat als hij morgenochtend opstond en in de spiegel keek, hij iemand voor zich zou zien die hij zou willen zijn, niet wie hij nu was.

4

Met grote passen liep Richard Holman door de gangen van het Nationaal Archief in Den Haag. Nathalie Kremer vervloekte hem terwijl ze halfrennend en met een steek in haar zij achter hem aan snelde.

Richard Holman werkte al drieëntwintig jaar bij het archief, de laatste tien jaar als hoofd van de sector Collectie. Hij stapte stevig door en genoot met volle teugen van het getrippel en lichte gehijg in zijn kielzog. Want als hij ergens niet tegen kon, was het om gecontroleerd te worden. Het was altijd hetzelfde liedje. Zodra iets naar de Verenigde Staten moest worden verscheept, zaten die Amerikanen er met hun neus bovenop. Soms waren ze door de musea gestuurd waar het archiefstuk zou worden geëxposeerd, soms door de betrokken verzekeringsmaatschappijen. Dan wilden ze controleren of alle archiefstukken die in het vliegtuig zouden worden geladen er ook daadwerkelijk bij zaten. Alleen was het deze keer geen Amerikaan maar de cultureel attaché van het consulaat-generaal van New York die hem met een bezoek kwam vereren.

Richard Holman wist dat het hem veel tijd zou besparen als hij van tevoren contact met de betrokken partijen op zou nemen, als hij ze zou uitnodigen erbij aanwezig te zijn als de stukken werden verpakt en in hun kist werden gelegd. Konden ze het met eigen ogen zien. Dat had hij in dit geval ook kunnen doen. Maar hij wachtte altijd net zo lang tot zij zelf aan de bel trokken. Deels om te genieten van hun nervositeit en deels in de hoop dat ze het zouden vergeten, of de tijd er niet meer voor zouden hebben. Zij wilden het zo graag, dus was het ook hun verantwoordelijkheid. In dit specifieke geval kwam daar nog bij dat hij vanaf hun eerste ontmoeting een pesthekel had aan Nathalie Kremer. Alles aan haar stoorde hem. Haar hoge hakken, haar dichtgeplamuurde uitdrukkingsloze gezicht, haar belachelijke Nederlands dat ze met een licht Amerikaans accent uitsprak zoals veel Nederlanders die een tijd in Amerika woonden, en haar arrogante betweterige houding. Alles bij elkaar opgeteld maakte Nathalie Kremer het slechtste in Richard Holman los.

'We zijn er bijna,' riep hij vrolijk over zijn schouder. Opeens stond hij stil, zo plotseling dat ze tegen hem aanbotste.

'O, sorry. Hier moeten we zijn.' Hij draaide zich naar haar toe. 'Ik zal u zeggen, ik ben doodop. Ik zal blij zijn als het hele zwikje binnenkort vertrekt. Voorlopig hoef ik ze niet te zien.' Hij deed alsof hij Nathalies geïrriteerde blik niet zag en ging door. 'Ik hou veel van mijn werk, meisje, geloof me. Maar het werd me op een gegeven moment wat veel, al dat gedoe eromheen. Kunt u zich dat voorstellen? Vast wel. Zodra ik ze op het vliegtuig heb gezet, ga ik heerlijk een paar dagen naar Schiermonnikoog, lekker uitwaaien. Ik ben er gek op.'

Niet te geloven, dacht Nathalie terwijl ze naar Richard keek die met zijn handen stond te wapperen om te benadrukken dat hij voor zijn plezier in de wind ging lopen. Alsof ze in dit land nog niet genoeg wind om hun oren kregen, zochten de idioten het in hun vrije tijd op. Hoe harder het waaide hoe beter. Dit was een van die momenten waarop Nathalie wist dat ze te lang uit Nederland weg was, dat ze dit land en haar bevolking niet meer kon volgen, en door de ogen van een buitenlander naar de Nederlanders keek. Ze spoorden niet. Het waren vermomde zeevogels, met vliezen tussen hun tenen en een verentooi die ze onder hun kleding verborgen. Daar wilde ze helemaal niet bij horen. Sinds het project van start was gegaan om te vieren dat Henry Hudson vierhonderd jaar geleden bij Manhattan voet aan wal zette, had ze meer dan haar portie aan Nederlanders gekregen.

'U bent daar vast weleens geweest, op onze eilanden?' Holman keek haar aan met een verrukte uitdrukking op zijn gezicht.

'Ja, natuurlijk. Meneer Holman, kunnen we misschien...'

'Het is echt de moeite waard hoor, om daar wat dagen vrij voor te nemen. Kunt u even lekker bijkomen, want u zult het wel druk hebben met het Hudson-jaar en alles wat daarbij komt kijken. De natuur is prachtig en het is er doodstil.'

Ja, zulke plekken zijn er in Amerika niet. 'Ik weet er alles van. Zullen we?' Ze wees naar de deur die toegang gaf tot het depot. Richard trok zijn pasje door de gleuf en hield de deur voor haar open.

Het depot was helder verlicht. Sommige tl-lampen flikkerden tussen de betonnen plafondbalken. Op de achtergrond klonk het gezoem van de klimaatbeheersing. De ideale luchtomstandigheid voelde onnatuurlijk aan.

Weer zette Richard de pas erin. Voor een van de kisten, vlak bij de metalen schuifdeur die naar buiten leidde, stond hij stil. 'Dit is 'm.'

'Zit het hierin?'

'Ja, wat is daar mis mee?'

'Ik had gedacht dat het in een kluis zou liggen.'

'Mevrouw Kremer, dit is het depot. Dit hier staat klaar voor transport.' Richard legde zijn hand op de kist en wreef over het hout. 'Wij, en u natuurlijk, vinden haar uniek, en dat is ze ook. Voor ons begrijpt u? Criminelen kunnen wel iets beters scoren dan een oud stuk papier. Ze kunnen haar aan de straatstenen niet kwijt.'

'Dat is natuurlijk waar, maar wat extra beveiliging had ik eigenlijk wel verwacht. Ik kan me niet voorstellen dat de verzekering dit erg waardeert.'

'Verzekering, bwah. Overigens, tussen ons gezegd en gezwegen, het is niet verzekerd.'

'Wat?'

Richard legde zijn vinger op zijn lippen terwijl hij genoot van haar geschokte gezichtsuitdrukking. 'Niet verder vertellen.' Deze grap werkte altijd. 'We liepen wat achter met de premie en de verzekering werd opgezegd.' Hij knikte. 'Tijdelijk hoor, een intern foutje. We hebben al een nieuwe geregeld.'

Nathalie sloeg haar armen over elkaar. 'Ik mag toch hopen dat het wordt opgelost voordat het naar Amerika verscheept wordt?'

'Ja, natuurlijk, anders zou ze hier niet mogen vertrekken. Haar verzekering is haar instapkaart. Vanaf morgen is het in orde.' Hij kon het niet laten daaraan toe te voegen: 'Als het goed is,' en stak zijn vinger in de lucht. 'Vrees niet, mevrouw Kremer. Ik zie aan uw gezicht dat u zich zorgen maakt. Nergens voor nodig. We hebben hier alles onder controle. Het depot is uitstekend beveiligd. Er staat een alarm op en we hebben beveiligingscamera's. Kijkt u maar.' Hij stak zijn arm omhoog en maakte een lassogebaar. Nathalie keek omhoog en zag inderdaad camera's hangen. 'Ze wordt dag en nacht bewaakt, tenminste als die jongens geen televisie zitten te kijken natuurlijk.' Hij lachte kort. 'Enfin, niemand weet dat ze hier gewoon voor het grijpen ligt. Kom, ik zal haar even pakken. Dan kunt u ook verder met uw werk.'

Met zijn voet trok hij het opstapje dat naast de kist stond naar zich toe, stapte erop en duwde met een kreun het deksel omhoog. 'Kom maar bij papa,' zei hij zacht en reikte naar binnen. 'Kijk. Hier is ze.'

Met een blij gezicht hield hij een doos in zijn handen. Die was ongeveer tien centimeter diep en even groot als een krant op tabloidformaat. Hij was in wit plastic gewikkeld en met bruine tape dichtgeplakt. Langzaam liep hij ermee naar een tafel en schoof de doos er voorzichtig op. Hij greep naar de sleutelbos die met een ketting aan zijn broekband vastzat en opende het piepkleine zakmesje. Secuur sneed hij het tape door, vouwde het plastic opzij en tilde het deksel op.

De brief was bedekt met een dikke beschermlaag van donkergrijs schuim. Links onderin was een knalblauw klimaatmetertje in het schuim gestoken. Voorzichtig haalde Richard de schuimlaag ervan af.

'Mooi, niet?'

'Hm. Wanneer wordt het precies vervoerd?'

'De transporteurs komen haar overmorgen halen.'

'Ik wil het graag van dichtbij bekijken.'

'Vooruit dan maar.' Hij leunde iets naar haar toe en zei: 'Echt alleen omdat u het bent, mevrouw Kremer.'

Ze boog zich eroverheen. Ze was geen expert, maar zo op het eerste gezicht zag het er prima uit. De lichtbruine kleur van de inkt en het papier, het formaat, de stempel van het Algemeen Rijksarchief 's-Gravenhage . Voor nu was dit voldoende.

'Heel goed,' mompelde ze terwijl ze de twijfel uit haar stem probeerde te halen. 'Ik neem aan dat u het hebt gecontroleerd.'

'Jazeker, ze is het. Honderd procent.'

'Volgens alle regels?'

'Alles wordt hier in het archief ter plekke gecontroleerd op echtheid voordat het op transport gaat, en als het geretourneerd wordt natuurlijk. Bij elk document zijn er altijd een aantal specifieke zaken die we nalopen. Niet het geheel, maar een klein kenmerk, iets wat door een vervalser wellicht over het hoofd wordt gezien, zoals het watermerk van een bankbiljet. Per document bepalen wij hier intern wat het watermerk zal zijn. Uiteraard is dat zeer vertrouwelijk. Het kan gaan om een minuscule vochtplek in het papier. Of een net iets lichter uitgevallen letter, of een leesteken dat nauwelijks meer zichtbaar is. Dat soort kenmerken. Die zijn allemaal allang doorgegeven aan het South Street Seaport Museum, volgens afspraak. De directeur heeft maanden geleden al van ons een lijst ontvangen waarop per document de kenmerken vermeld staan. Ook die van de Schagenbrief.'

Nathalie tuitte haar lippen en keek naar het document dat voor haar lag. Nog steeds vond ze het onvoorstelbaar hoe het in al zijn nietigheid zo veelzeggend kon zijn. En dat het belangrijkste deel van het document uit één zinnetje bestond, een kort zinnetje dat zo'n vierhonderd jaar geleden haast gedachteloos was opgeschreven. Omdat het een simpel feit was. Zeker vermeldenswaardig, maar echt geen wereldnieuws. Dat was nu wel anders.

'Mevrouw Kremer? Belooft u me één ding?'

'Wat?'

'Breng haar heelhuids terug.' Hij stak zijn vinger op en bewoog die langzaam heen en weer. 'Niet stiekem houden, hè, deze eigendomsakte. Ze is van ons, niet van die Amerikanen.'

'Denkt u nou werkelijk dat de Amerikanen dit willen houden? Ze willen helemaal niets weten van de geschiedenis van Manhattan, tenminste, niet de Hollandse versie.'

'Gaat het niet goed met het project? Weinig bezoekers?'

Nathalie Kremer keek Richard Holman aan en bedacht voor de zoveelste keer in haar leven dat ze moest afleren mensen te onderschatten. Ze was blijkbaar een open boek. 'Nee, dat is het punt niet. Enfin, ik hoef u verder helemaal niet uit te leggen hoe de Amerikanen hun geschiedenis zien, daar zult u wel van op de hoogte zijn. Goed, stopt u de brief maar terug.'

'Alles is dus in orde?'

'Wat mij betreft wel.'

'Mooi, dan kunnen we ons nu weer met belangrijker zaken gaan bezighouden.'

'Meneer Holman, even iets anders.'

'Hm?' zei Richard terwijl hij de doos teruglegde.

'Vergeet niet dat het dankzij de Nederlandse regering is dat u zich hiermee bezig kunt houden, met dit lamlendige baantje. Vergeet ook niet dat u slechts een ambtenaar bent, in dienst van, net als ik. Maar wat u vooral goed moet onthouden, is dat u, na één woord van mijn kant, op straat kunt komen te staan. Ik mag dan ook ambtenaar zijn, maar van een iets ander kaliber dan u bent. Dus als ik u was, zou ik me maar een beetje gedeisd houden. U kunt wel denken dat u volledig beschermd wordt, dat u van alles kunt zeggen en denken en dat er niemand is die u iets kan maken, maar ik zal u één ding zeggen: niets is minder waar. Een teken van werkweigering zal niet worden gewaardeerd, dat kan ik u verzekeren. Het is maar een gedachte, maar wel een waarvan ik hoop dat u die ter harte zult nemen. Bij onze volgende ontmoeting verwacht ik van uw kant niet alleen meer coöperatie maar ook minder minachting jegens mijn werk. Ik waardeer wat u doet, en wil dat graag wederzijds zien.'

'Maar ik...'

'Zullen we gaan?'

PROJECT NIEUW-AMSTERDAM

Donald Christies log

Een beeld eenmaal in het hoofd gefixeerd, is er moeilijk uit te krijgen. De geest vraagt dan om een omslag in het denken die hij slechts moeizaam toelaat. De skyline van New York zat zo stevig in mijn hersenen verankerd, dat het elke wijziging binnen zijn belijning wegdrukte. Daarom kostte het mij veel tijd de gaten in zijn silhouet na die vreselijke dag daadwerkelijk te erkennen, en deze te kunnen bezien als feit in plaats van fictie. Inmiddels weet ik niet beter.

Als beelden niet of nauwelijks beschikbaar zijn, moeten de teksten die over een landschap verhalen met passie zijn opgesteld. Zo heeft het me nooit veel moeite gekost me een voorstelling te maken van hetgeen Henry Hudson moet hebben gezien toen hij de baai van Manhattan binnenvoer. Dat is overigens niet dankzij Hudson zelf, die waarschijnlijk van al het moois niets heeft opgemerkt, geobsedeerd als hij was door zijn zoektocht naar een korte vaarroute richting het oosten. Ik betwijfel ook of Hudson wel poëtisch genoeg was aangelegd om die beschrijvende taak op zich te nemen. Daar was hij volgens mij de persoon niet naar. Gelukkig liet hij de verslaglegging van de eerste aanblik van Manhattan over aan zijn eerste stuurman, Robert Juet. Uit wat deze in zijn dagboek heeft opgetekend, weten wij wat Hudson en de bemanning van zijn schip Halve Maen *zagen toen ze de baai binnenvoeren. Wat ze toen nog niet hadden kunnen bevroeden, was hoe belangrijk die baai zou worden, en het eiland dat erin lag.*

Robert Juet was vervuld van het natuurschoon en beschreef de omgeving in lyrische bewoordingen. Het was een mooie dag, helder en warm, zo schreef hij. De zachte noordwestelijke bries rook zoet en kruidig. Juet omschrijft een frisgroene kustlijn met metershoge kliffen die boven hen uittorenden. Ik zie ze als prehistorische wolkenkrabberformaties, wellicht een voorbode van hoe het eiland er meer dan vierhonderd jaar later uit zou zien. Alsof de natuur toen al voorschreef hoe het eiland moest worden ingericht en opgebouwd.

Het eiland bestond uit gemengde oerwouden met eeuwenoude eiken, huizenhoge kastanjes en dennenbomen die tot de hemel leken te reiken. Het was het territorium van beren, wolven, herten, hazen, vossen, wilde katten, eekhoorns, konijnen en bevers. Meer dan 230 vogelsoorten bevolkten het eiland, waaronder uiteraard de wilde kalkoen. Minstens tachtig vissoorten zwommen in rivieren en beekjes en vruchten lagen voor het oprapen. Het was het land van melk en honing. Ik weet dat veel van dit soort teksten naar het thuisfront Amsterdam werden verzonden om daar potentiële kolonisten te enthousiasmeren. Als men die pamfletten nu leest, denkt men dat het pure propaganda is. Maar er was geen woord van gelogen.

Bijna dagelijks wordt in New York, in de stad die voornamelijk uit steen bestaat, iets teruggevonden wat doet terugdenken aan de tijd dat zij nog ongerept was. De natuur heeft het bewijs achtergelaten in de vorm van fossielen, bodemlagen en boomringen. Ook zien we, als we er goed op letten, nog steeds iets terug van het heuvelachtige landschap van toen. Daarom noemden de indianen het eiland Mannahatta, het eiland van de vele heuvels. Dat is de bekendste theorie over de naamgeving, maar er zijn vele anderen. Zo zou Manhattan een afgeleide zijn van het indiaanse woord manahachtanienk. Dat betekent plaats van algemene bedwelming. Anderen zeggen dat Manhattan afstamt van het woord manahatouh. Vrij vertaald: de plek waar hout wordt gevonden. Weer anderen beweren dat het komt van het Indiaanse woord menatay, dat eiland betekent.

Het was voor mij, voor het hele project, belangrijk dat ik me deze voorstelling eigen maakte, het op mijn netvlies kreeg, mij erin kon verplaatsen. Letterlijk bijna. Ik was me ervan bewust dat ik pas dan al het geschrevene over het eiland en zijn bewoners naar waarde kon bezien en beoordelen.

Wat mij blijft verbazen, is dat de Nederlanders er niet zo mee zitten dat ze Manhattan ooit aan de Engelsen hebben afgestaan. Zo doen ze het in elk geval voorkomen. Hoe ze er echt over denken is moeilijk te

achterhalen. Ik heb namelijk gemerkt dat het een typisch Nederland-
se karaktereigenschap is om een beslissing, eenmaal genomen, altijd
goed te praten, hoe verkeerd die ook uitpakt. De Nederlander houdt
er sowieso niet van om terug te kijken. Stel een willekeurige Neder-
lander de vraag waar zijn voorouders vandaan komen, en hij zal
antwoorden: 'O, dat weet ik eigenlijk niet precies, wat Frans bloed
geloof ik.' Deze attitude, die op een Amerikaan zeer vreemd over-
komt, heeft in mijn ogen te maken met het feit dat het bloed van de
Nederlander vermengd is met dat van tientallen rassen en nationali-
teiten. Vaak zo divers, dat het nauwelijks in kaart te brengen valt.
Het maakt de Nederlander niets uit. Die is gewoon wie hij is. Take it
or leave it. En dat maakt dit volk in mijn ogen uniek op de wereld.
Waar ze ook uniek in zijn, is hun nationalisme. De man van hun
koningin heeft het ooit als volgt geformuleerd: 'Nederlanders zijn
enorm nationalistisch in hun niet nationalistisch zijn.' Beter had ik
het niet kunnen verwoorden.

5

Kes legde de stapel boeken op tafel en trok haar jas uit. Haar feiten-kennis van Manhattan reikte niet veel verder dan de tv-serie *Sex and the City* en een reisgids die ze anderhalf jaar geleden op het vliegveld had aangeschaft en onderweg naar New York had zitten doorbladeren. Aangezien Robert toen het belangrijkst was wat Manhattan haar te bieden had, ging haar aandacht voornamelijk uit naar hem en naar het hoofdstuk 'Eten en drinken'. Het hoofd-stuk 'Geschiedenis' had ze nooit ingekeken. Wat ze van de relatie tussen Manhattan en Nederland wist, was dat de Hollanders het eiland in de zeventiende eeuw in bezit hadden genomen en later weer waren kwijtgeraakt aan de Engelsen. Hoe dat precies was ge-gaan, daar had ze geen idee van.

Ze wist dat als ze Donald Christie voor zich wilde winnen, ze iets van het onderwerp af moest weten, in elk geval meer dan het mini-male dat ze nu op kon dreunen. Die man was al zo lang met dit werk bezig dat het project hoogstwaarschijnlijk ondertussen zijn kind geworden was. En Kes wist onderhand dat als je ouders ergens mee wilt paaien, je dan overdadig veel interesse in hun kinderen moet tonen.

Kes trok de stapel boeken naar zich toe, scande de hoofdstukin-delingen en las de inleidingen en conclusies. Nadat ze haar keuze had gemaakt, liep ze ermee naar de balie. Als ze zich ergens niet kon concentreren dan was het wel in de geforceerde stilte van een bibliotheek.

Ze stak haar sleutel in het slot en duwde tegelijkertijd met haar hele gewicht tegen de deur. Eenmaal binnen viel die met een klap achter haar dicht. Het licht in de hal ging automatisch aan.

Het kantoorpand stamde uit de jaren dertig. Alles was in donker hout uitgevoerd. De lambrisering, het visgraatparket en de vier manshoge houten engelen die in de hoeken van de hal waren geplaatst en stoïcijns op haar neerkeken. Ze bukte zich om de stapel post op te rapen en liep de trap op. Haar voetstappen werden gedempt door een versleten loper van Perzisch tapijt dat met koperen roedes op zijn plek werd gehouden.

Nadat het pand tien maanden had leeggestaan, had de gefortuneerde familie, die vanuit het gebouw decennialang een keten van snoepwinkels had gerund, uit angst voor krakers besloten een bureau in te schakelen dat gespecialiseerd was in leegstandbeheer. De eerste verdieping was het enige deel van het pand dat Kes en haar vier antikraakmedebewoners mochten gebruiken. De andere etages waren verboden terrein. Ze deelden met z'n vijven de twee doucheruimtes die ooit voor de medewerkers bestemd waren en hadden per persoon twee wc's tot hun beschikking.

Terwijl ze door de gang liep, liet ze voor elke deur de bestemde post op de grond vallen. Haar kamer lag helemaal aan het einde van de gang; een balzaal van tweehonderdvijftig vierkante meter waar ze honderdzestig euro huur per maand voor betaalde.

Ze dumpte haar loodzware tas op de tafel die als een klein eiland midden in de ruimte stond en stak een sigaret op. Terwijl ze met haar billen op de tafelrand leunde inhaleerde ze diep en beet op haar duimnagel. Dat verhaal over het archief kon haar nog niet echt boeien. En dan die Christie, waarschijnlijk een doodsaaie wereldvreemde archivaris die zijn leven sleet op zijn kamer, gebogen over zijn zeventiende-eeuwse teksten. Wat dat betreft had Bart gelijk. Geschiedenis was niet haar ding. 'Als je met je gezicht naar het verleden staat, sta je met je rug naar de toekomst,' had haar therapeut tegen haar gezegd. Een cliché en een dooddoener vanjewelste maar er was geen speld tussen te krijgen.

Ze was nog maar net bezig om in het verleden te duiken en ze verveelde zich nu al te pletter. Deze klus was veel te voorspelbaar. Een beetje research, wat vragen stellen, stuk uitwerken, de boel wat opblazen, terugkoppelen, steggelen over de inhoud, compromissen sluiten, uiteindelijk haar zin doordrijven, fotootje erbij en klaar.

De keren dat ze genoot van wat ze deed, waren opdrachten waarbij ze echt iets uit moest zoeken. Het naar boven halen van informatie die onder het tafelkleed was geschoven, het echte speurderswerk was wat ze wilde, dat was haar specialiteit. En sinds deze regering aan de macht was, kon ze wat dat betreft haar lol op. Daarom wilde ze dolgraag als freelancer aan de slag, maar ze had zich voorgenomen eerst haar sporen te verdienen waardoor ze haar netwerk kon uitbreiden. Dat nam niet weg dat ze onder pseudoniem regelmatig stukken aan kranten verkocht, iets waar Bart Bonnier niet van op de hoogte was. Straks was ze vrij en kon ze haar gang gaan. Die tijd was bijna aangebroken.

Met een nijdig gebaar drukte ze haar sigaret uit. Wat haar met Steven was overkomen zou haar nooit meer gebeuren. Ze kon zichzelf wel voor haar kop slaan. Dat ze ooit verraden zou worden, op wat voor manier dan ook, lag voor de hand. Ze wachtte er al op vanaf dag een dat ze de redactie binnenkwam en met haar collega's kennismaakte. Het verraad zou van binnenuit komen. Daar was ze altijd van overtuigd geweest. Maar het kwam van buiten, van een hufter die zich als de eerste de beste schlemiel voordeed, die zich profileerde als een dom blondje dat niets anders kon dan stukjes overtikken die hij op sites van buitenlandse kranten vond. Hij vertaalde ze en schoof net zo lang met alinea's tot van het oorspronkelijke artikel niets meer over was. Niets herkenbaars in elk geval. Steven was niet de eerste idioot met wie ze naar bed was geweest. Wel was hij de eerste die ze gigantisch had onderschat. Die stommiteit zou ze nooit meer begaan.

Ze pakte haar laptop en ging ermee op bed zitten. Anderhalf uur later had ze alles wat ze op internet over Manhattan en Donald Christies project had gevonden in een vragenlijst verwerkt. Ook had ze een globaal beeld over hoe de kolonisatie van Manhattan tot stand was gekomen. Met een tevreden gevoel sloot ze haar computer af en schoof hem opzij. Ze ging liggen, legde haar handen op haar buik en staarde naar de brandwerende platen boven haar hoofd. In feite kon ze het hele artikel nu al in elkaar zetten, zonder die Donald Christie ooit gesproken te hebben. Dat zou een stunt zijn. En aangezien die man er helemaal geen zin in had, kon ze zelfs met hem onder een hoedje spelen. Misschien zou ze dit morgen aan hem voorleggen. Wie weet ging hij er wel voor, konden ze met z'n tweeën het hele zootje in de maling nemen.

Ze keek opzij. 'Jij zou dat nooit zo doen, hè?' fluisterde ze naar de foto van Robert op het nachtkastje. Ze wilde dat hij zou bewegen, iets terug zou zeggen, net als de ingelijste foto's in Harry Potterfilms. Toen ze die foto van hem nam, hadden ze geen idee dat hij nog maar een paar weken te leven had. Hij lachte haar toe vanaf de boot, met de wind in zijn haar en het Vrijheidsbeeld als een perfect geplaatst decorstuk op de achtergrond.

Ze draaide zich op haar zij en vroeg zich af wat ze zou hebben gedaan als ze het wel had geweten. Zouden ze hun laatste dagen samen anders hebben doorgebracht? De eerste twee dagen waren ze hun hotelkamer niet uit geweest. De derde dag hadden ze zichzelf gedwongen om een wandeling te maken. Na een laat ontbijt in de vorm van een lunch in Central Park, waren ze weer teruggekeerd naar het hotel. 's Avonds belden ze roomservice en bestelden hamburgers die ze wegspoelden met champagne. Dag vier hadden ze het Vrijheidsbeeld beklommen. Robert had *Crown Tickets* gereserveerd, zodat ze tot in de kroon van het Vrijheidsbeeld mochten komen, een klim van 354 treden. De beveiliging was zo zwaar dat het leek alsof de Amerikaanse president je *in person* boven stond op te wachten. Eenmaal boven, bezweet en buiten adem, was het allemaal meer dan de moeite waard geweest. Met een half oor hadden ze naar de gids geluisterd terwijl ze over de baai uitkeken. Het uitzicht was adembenemend. Ze had zich nog nooit zo gelukkig gevoeld. Twee weken later had het gevoel van gelukzaligheid plaatsgemaakt voor wanhoop. De liefde van haar leven was dood, overleden aan een hartaanval tijdens zijn vlucht naar Amsterdam, op weg naar haar.

Maandenlang spookte de vraag door haar hoofd of het iets zou hebben uitgemaakt als zij er niet op had aangedrongen dat hij deze vlucht had moeten nemen, en niet die van een dag later zoals hij van plan was geweest. Dan had hij die hartstilstand misschien wel gekregen, maar in New York ergens, misschien op straat, of in het hotel. Dan hadden ze hem naar een ziekenhuis kunnen brengen, hem kunnen revalideren. Nu was het *sudden death*. Toen de stewardess hem had geprobeerd wakker te maken voor het ontbijt, bleek hij al een paar uur dood te zijn.

Ze nam een kussen in haar armen en drukte haar gezicht erin. De pijn was allesoverheersend. Waarom hield het niet op? Het nam niet af door het medeleven vanuit haar omgeving, het nam juist toe. Ze kon er niet meer tegen. De weeïge blikken, de klopjes op haar hand, de kaartjes, telefoontjes en mails. Allemaal zo goed bedoeld, zo afschuwelijk goed bedoeld.

Na Roberts overlijden bleken haar vrienden, kennissen en familieleden zich in twee groepen in te delen. Ze was er nog niet achter welke reactie ze het ergst vond. De eerste groep deed al snel alsof er niets aan de hand was. Het leven ging door. Dood is dood. De tweede groep was altijd op zoek, zat in haar te porren, probeerde een bodem bij haar te bereiken waar volgens hen van alles in zat dat naar boven moest komen. Ze werd er moedeloos van. Graven was bij haar zinloos. Om de betonnen plaat te doorbreken waar ze op zouden stuiten, moesten ze tien ton springstof ontsteken. Of je moest Robert Vermeer heten. Beiden waren onwaarschijnlijk. Aan springstof was moeilijk te komen, en Robert was al een jaar dood. Dus hield ze haar bodem in stand, net zo lang tot die door betonrot uit elkaar zou vallen.

Nog altijd merkte ze dat er mensen in haar omgeving waren die op eieren liepen zodra ze haar tegenkwamen. Diep in haar hart wist ze dat zij die eieren daar had neergelegd. Maar ze kon nog steeds niet de energie opbrengen ze op te rapen. Ze had besloten dat het haar probleem niet was. Ze zochten het maar uit.

Het was ook allemaal te mooi geweest om waar te zijn. Ze had hem ontmoet toen ze met een van haar privéprojecten bezig was, de artikelen die ze onder pseudoniem aan andere kranten sleet. Robert was het restaurant, waar ze met hem voor de lunch had afgesproken, binnen komen lopen met een air alsof de hele tent van hem was. Ze rees half op uit haar stoel en met elke stap waarmee hij haar naderde, groeide het gevoel dat ze het wist. Dit was hem. Aan de vertwijfelde uitdrukking op zijn gezicht en de manier waarop hij zijn tempo inhield en haar verbaasd aankeek, was te zien dat ook hem een bepaald gevoel bekroop.

Langzaam was ze overeind gekomen.

'Hallo.'

'Hallo. Ben jij Kes van Buren? Heb ik met jou een afspraak voor dat interview?'

Ze kon geen woord uitbrengen, stond daar als een puber die een meet-and-greet met haar idool heeft. Hij keek haar onderzoekend aan. 'Hebben wij elkaar weleens eerder ontmoet?'

'Nee, volgens mij niet.'

'Vreemd.'

Ze kreeg het bloedheet. Dit was niet normaal. Zoiets had ze nog nooit meegemaakt. Ze had niet verwacht dat zij in staat zou zijn tot een reactie die zo lichamelijk was, dat ze geen adem meer kon halen, dat ze zich nauwelijks kon bewegen. Hij ging tegenover haar zitten en zei: 'Ik zie dat je een plek hebt uitgekozen met rugdekking en vluchtroute?'

Weer knikte ze.

'Dat hebben we dan gemeen.'

Ze bleken meer gemeen te hebben. Twee weken later was ze bij hem ingetrokken.

6

Donald Christie zat achter zijn bureau en staarde voor zich uit. De afspraak met Olaf van Hoorn was hem niet in zijn koude kleren gaan zitten. Dat kwam niet zozeer door Olaf maar door zijn eigen plannen die constant door zijn hoofd speelden. Hij werd misselijk van zichzelf, van zijn eigen gedachten en afwegingen.

Toen hij na het gesprek met Olaf het hotel was uitgelopen, had hij het gevoel dat hij zeeziek was, alsof zijn benen hem niet konden dragen. Hij besloot terug te gaan en was in de hal gaan zitten. De conciërge had hem bezorgd aangekeken en hem een glas water gebracht. Hij had het niet aangeroerd. Ze hadden zelfs voorgesteld hem naar huis te brengen, maar dat aanbod had hij afgewimpeld. Terwijl hij daar zat, in een zitje in de hoek van de immense hal, had hij in de verte Olaf gehaast de hal zien oversteken. Een halfuur later stond Donald buiten. Hij had gedacht dat de frisse lucht hem goed zou doen, maar toen hij begon te lopen, rook hij alleen de smerige geur van uitlaatgassen en het stinkende water van de rivier. Zijn lieflijke, energieke, maffe Amsterdam was veranderd in een stinkende hel zonder uitweg.

Elke ochtend trok hij de deur van zijn huurappartement achter zich dicht en liep naar zijn kantoor. Hij genoot altijd van zijn wandeling. De grachten, de eeuwenoude gevels, de mensen. Hij begreep het niet. Zijn aanwezigheid in deze prachtige stad die hij zo goed kende, beter nog dan haar eigen inwoners, moest hem juist energie geven, moest hem het gevoel geven dat zijn werk zinvol was, en noodzakelijk. Zeker nu. Maar voor wie deed hij het eigenlijk? Het zou de Nederlanders een zorg zijn. Ja, ze vonden het interessant, maar wat moesten ze met de informatie die Elsa en hij boven tafel haalden? Het was oud nieuws, meer niet. En de Amerikanen? Die hadden al eeuwen geleden hun eigen geschiedenis gefabriceerd, een waar ze liever niet van afweken, zeker niet nu ze zich toch al afvroegen hoe ze de gigantische omslag moesten verwerken van machtigste land ter wereld naar een met een enorme werkloosheid en torenhoge schulden, een land dat in een paar jaar een natie was geworden die door niemand meer serieus werd genomen, verworden tot het lachertje van de wereld. Zelfs hij werd er, hier in Amsterdam, op aangesproken. Soms heel direct, zoals de Nederlanders dat konden doen, maar vaak op een andere manier. Zodra hij zijn mond opendeed, werden hem schampere blikken toegeworpen en keken ze hem vol medelijden aan. Dat was nog het allerergste. Alsof ze wilden zeggen: wat sneu, wat vreselijk voor die man dat hij daar vandaan komt. Donald bedacht ter plekke dat hun manier van denken eigenlijk verdomd veel leek op hun landschap; klein, plat en met weinig diepgang, in elk geval minder dan ze zelf dachten.

Nadat Olaf van Hoorn contact met hem had opgenomen en hem had verteld over zijn stamboom en welke informatie hij in Utah had weten te achterhalen, wist Donald meteen dat dit het puzzelstukje was dat hij nog miste. Het werd hem aangereikt door een man die geen idee had van de waarde van zijn informatie.

Donald was er altijd van overtuigd geweest dat hij de ontbrekende pagina in zijn archief zou terugvinden. Hij herinnerde het zich als de dag van gisteren. Het was 4 oktober 1978, een koude en grijze dag in New York. Mist hing zwaar voor de ramen van zijn krappe werkkamer op de zolder van de bibliotheek. Die ochtend was hij bezig geweest met een verslag dat de aankomst beschreef van de allereerste kolonisten die in het voorjaar van 1624 met het schip *Eendracht* waren gearriveerd. De zes Waalse gezinnen die voet aan wal zetten, waren allemaal protestanten die, op de vlucht voor de Spanjaarden, in Amsterdam terecht waren gekomen en vandaar naar Amerika waren gegaan.

Tevreden over het eindresultaat had Donald zichzelf een makkelijke tekst beloofd en hij had voor een document gekozen dat in de achttiende eeuw door een van zijn voorgangers al was vertaald en dat slechts uit een aantal zinnen bestond. Hij legde de vertaling en het originele document naast elkaar en ging aan de slag. Nadat hij de eerste regel had gelezen, wist hij dat dit geen volledig document was omdat die regel halverwege een zin begon. Toch besloot hij het af te maken. Toen hij klaar was, kon zijn ogen niet geloven.

De inhoud van de tekst was zo ridicuul, dat hij in eerste instantie dacht dat het om een grap ging en zich afvroeg of tussen zijn stukken een vervalsing terecht was gekomen. De volgende dag bracht hij door met het controleren van het bewuste document op authenticiteit. Om zeker van zijn zaak te zijn, vloog hij met het document naar Nederland voor een second opinion van een collega die bij het Nationaal Archief werkte. Een paar dagen later wist hij dat het klopte, het was een origineel stuk. Niet lang daarna kreeg hij vanuit Nederland een telefoontje. Het was een bericht waar hij vier jaar op had zitten wachten. Zijn Nederlandse collega had de vondst van het document gemeld bij het ministerie van Onderwijs, Cultuur en Wetenschap. De minister werd ingelicht en zo was het balletje gaan rollen. Vanaf dat moment kreeg Donald maandelijks een fiks bedrag op een speciaal daarvoor geopende rekening gestort. Het geld was niet bestemd voor privédoeleinden, maar voor een specifieke opdracht: Donald moest de eerste pagina van het document zien te achterhalen. Zodra hij het in zijn bezit had, moest hij de Nederlandse regering hiervan op de hoogte stellen en vervolgens het volledige document, zonder tussenkomst van derden, aan haar overdragen. Hem werd op het hart gedrukt dat het vertrouwelijk was, dat niemand hier iets van hoefde te weten. Hij hield zich aan zijn woord.

Toen Olaf hem de vertaling liet zien, die op een A4'tje met een typemachine was uitgewerkt, kreeg die vreemde pagina die hij meer dan dertig jaar geleden had gevonden, eindelijk een plek in de geschiedenis. Want het stuk dat Olaf hem had voorgelegd, was de vertaling van de eerste pagina van het testament waarvan hij de tweede pagina in handen had.

In al die jaren was het nooit bij Donald opgekomen dat de eerste pagina niet in zijn archief zou zitten. Hij was ervan overtuigd geweest dat hij die ooit tegen zou komen. Maar de jaren verstreken en hij was niets tegengekomen wat er ook maar in de verste verte op leek.

Donald stond op van achter zijn bureau, pakte zijn beker en liep naar de wc. Hij vulde zijn beker met water en nam een paar slokken. Die Olaf had gedacht hem voor zijn karretje te kunnen spannen, maar Donald had een troef in handen die hij bijna kon uitspelen. Een troef die veel geld waard was. En geld was het gebrek waar

Donald mee te kampen had en waardoor er een zweer in zijn maag groeide die hij nog niet voelde, maar dat zou niet lang meer duren. Want in een relatief korte periode waren er twee dingen gebeurd die Donalds zorgvuldig opgebouwde wereld op zijn grondvesten deden schudden en hem veel leed bezorgden. Het leed van Donald was op geen enkele manier onbaatzuchtig te noemen. Het ging om hem. Het ging altijd om hem. Dat was hem niet eens echt te verwijten, hij wist gewoon niet beter.

Donald Christie was tweeënzestig jaar oud. In 1966 had hij zich als eerste student ooit ingeschreven voor de studie Nederlandse taal en geschiedenis op Berkeley University. Iedereen verklaarde hem voor gek. Dat was logisch, want wat moest je ermee? Die taal werd maar door zo'n twintig miljoen mensen ter wereld gesproken, van wie het merendeel leefde in een land zo klein dat hun huizen aan elkaar vastgeklonken waren, geformeerd als soldaten, in rijen naast en achter elkaar, volkomen symmetrisch, omdat ze anders niet binnen de landsgrenzen pasten. De resterende groep die de Nederlandse taal machtig was, woonde op een aantal eilanden in de Caribische Zee en in een land aan de noordoostkust van Zuid-Amerika.

De grote liefde die Donald Christie voor Nederland koesterde, kwam voor iedereen uit de lucht vallen, behalve voor hemzelf. Waar sommige Amerikanen er prat op gingen dat hun voorouders met de *Mayflower* waren gearriveerd, het schip met Engelse kolonisten die bekendstonden als *the founding fathers*, wisten de kronieken van de Christie-familie te melden dat zij zich mochten rekenen tot een van de eerste kolonisten die het eiland Mannahattan bevolkten.

Ze waren met iets meer dan honderd man geweest, de Engelse separatisten die de *Mayflower* hadden aangemeerd om het land te ontvluchten waar ze werden onderdrukt omdat hun religieuze overtuigingen niet strookten met die van de anglicaanse kerk. Een groot aantal passagiers van de *Mayflower* was vanuit Leiden naar Plymouth gekomen om de overtocht te maken. Die groep was twaalf jaar eerder vanuit Engeland naar Nederland gevlucht om te ontkomen aan vervolging. Ze waren op zoek naar een land waar ze hun religie in vrijheid konden belijden. Hun doel was Manhattan, maar door een storm werden ze weggedreven en kwamen noordelijker, bij Cape Cod, aan wal.

Voor de meeste Amerikanen vormen de *Mayflower* en haar opvarenden het symbool van de vrijheid van religie en de vrijheid van meningsuiting, de vrijheid van het individu om te mogen zijn wie je bent. Een kleine groep dacht er anders over, onder wie Donald Christie. Zij waren van mening dat het de Hollanders waren die de liberale denkwijze van vrijheid van godsdienst naar Amerika hadden gebracht. Het waren zeker niet de Engelse puriteinen geweest met hun extremistisch religieuze ideologie. Ook deze conclusie was volgens sommigen discutabel, maar Donald klampte zich aan dit beeld vast als een ijsbeer aan een afgedreven ijsschots.

Omdat Donald van de eerste allochtone inwoners van New York afstamde, zag hij zichzelf als de personificatie van die stad. In grote lijnen klopte dat ook. Donald was omvangrijk en breidde zich jaarlijks uit, hij was luidruchtig en druk, ongeduldig en nergens bang voor. Ook was hij in het blije bezit van meerdere gezichten die hij liet zien naargelang het hem uitkwam. Dat had hij van zijn moeder geërfd die het dankzij die karaktereigenschap voor elkaar had gekregen om, zonder over enige intellectuele bagage te beschikken, door te stoten tot de hoogste sociale kringen van New York. Ze trouwde met Adam Christie, partner bij een goedlopend advocatenkantoor. Adam Christie was altijd zo met zichzelf bezig, dat pas na tien jaar huwelijk de schellen van zijn ogen vielen en het tot hem doordrong dat zijn vrouw slechts in één ding slim was: het verbergen van het feit dat ze zo dom was als het achtereind van een varken. Adam Christie hield het voor gezien en kocht een appartement in Manhattan voor zijn vrouw en zijn vier zoons, van wie Donald de jongste was. Hij vulde de bankrekening van zijn exvrouw met een zodanig bedrag dat hij hoopte dat ze nooit meer een andere man lastig zou vallen met haar stompzinnige gezwets, en vertrok naar Texas om alleen maar iets van zich te laten horen als het ging om de opleiding van de jongens.

Donald had op de duurste scholen gezeten en was als historicus summa cum laude afgestudeerd op het Nederland van de zeventiende eeuw. Dit tot groot afgrijzen van zijn vader, die een opleiding voor zijn jongens nastreefde waarmee ze enige status zouden verwerven, en tot stomme verbazing van zijn moeder die zich afvroeg hoe je in hemelsnaam een hele studie kon wijden aan het plaatsje Holland in de staat Michigan.

Als zijn ouders iets meer interesse in hem getoond hadden, zouden ze niet zo verbaasd zijn. Dan zouden ze erbij zijn geweest toen Donalds grootvader hem het verhaal vertelde van *Halve Maen*, het schip waarmee Hudson bij Manhattan arriveerde. Ze zouden hebben gezien dat bladzijde 213 van de wereldatlas die onder Donalds bed lag aan slijtage onderhevig was. Met pen had hij de contouren van Nederland keer op keer omlijnd, zo vaak, dat het land haast uit de atlas viel. Hij hield van de vorm, van de heldere kustlijnen, van de kleine stippeneilandjes bovenin die de ronding van het noordelijke deel van het land zo mooi volgden en weer keurig aansloten op haar rechterbovengrens. Ook zouden ze hebben geweten van het schrift waarin hij een lijst met van oorsprong Nederlandse woorden en plaatsnamen had opgeschreven. Naast *cookie* stond koekje, achter *coleslaw* had hij koolsla genoteerd, achter *boss* het woordje baas, en bij *dollar* daalder. Bij de plaatsnamen *Brooklyn* afkomstig van Breukelen, *Harlem* van Haarlem en *Flushing* van Vlissingen. Maar dat was veertig jaar geleden, toen Donalds interesse nog in de kinderschoenen stond.

Nog steeds waren weinig Amerikanen op de hoogte van de invloed die de Hollanders hadden uitgeoefend op de stad, laat staan dat ze wisten dat die invloed in de loop der tijd over de grenzen van het eiland Manhattan heen merkbaar was geworden en zich breed over het huidige Amerika had verspreid. Dit was geen geheim, maar de Amerikanen hadden ervoor gekozen hun eigen geschiedenis te fabriceren, een die hen beter uitkwam. Daar stonden ze overigens niet alleen in. Elk zichzelf respecterend land maakte zich schuldig aan geschiedvervalsing. Dat gold ook voor de Nederlanders, die het verlies van Manhattan aan de Engelsen liever lieten voor wat het was: een blamage van de bovenste plank.

Donald verdacht de Nederlanders ervan dat ze zich eeuwenlang, zelfs nu nog, voor hun kop sloegen, al lieten ze daar niets van merken. Hij was ervan overtuigd dat in de besloten gesprekken die de diverse Nederlandse premiers en ministers van Buitenlandse Zaken met de opeenvolgende Amerikaanse presidenten voerden, Manhattan altijd, al was het zijdelings, als onderwerp aan de orde kwam. Die gesprekken weerkaatsten op de muren van de Oval Office en zouden nooit de oren van de media bereiken. Dat was maar goed ook, want de hoogstwaarschijnlijk gekscherende manier waarop 'de kwestie Manhattan' in die bilaterale onderonsjes door iedere Amerikaanse president weer te berde werd gebracht, was voor de Nederlanders hemeltergend.

Als er iemand was die exact wist hoe het in elkaar zat, de komst van de kolonisten, de invloed van de Hollanders en de uiteindelijke overgave aan de Engelsen, dan was dat Donald Christie. Niemand kon om hem heen als het ging om de ontwikkeling van Manhattan. Hij was degene naar wie ze toekwamen voor informatie, degene die alles over de historie van New York wist te vertellen. Als hij het niet wist, achterhaalde hij het wel.

En die kennis wreekte zich. Juist nu het hem na jaren van onderzoek steeds minder moeite kostte de teksten te interpreteren en er eindelijk vaart in zijn project zat, kreeg hij het voor zijn kiezen. Niet één, maar twee keer.

PROJECT NIEUW-AMSTERDAM

Donald Christies log

Iets voelt niet goed. Er zit iets in mij wat ik niet kan omschrijven, een bepaalde onrust lijkt het wel, onzekerheid. Dat heb ik niet eerder gehad. Ik heb het gevoel dat er iets aan zit te komen, dat mijn project iets zal worden aangedaan. Zou het weer zover zijn? Dat ik mensen voor de zoveelste keer in mijn leven moet overtuigen van het belang van mijn werk? Voor de zoveelste keer? Tot nu toe is het me altijd gelukt, en was ik er ook altijd van verzekerd dat het goed zou komen. Dit voelt anders.

De onzekerheid die nu aan mij knaagt is fnuikend. Ik ga twijfelen. Aan alles. Aan elk woord dat ik vertaal, aan elke interpretatie die ik op de teksten toepas. Dit is een slecht teken. Ik ben dit niet van mezelf gewend. Als ik weer het gevecht voor mijn voortbestaan aan moet gaan, weet ik niet of ik het nog kan opbrengen. De budgetverantwoording is nog tot daar aan toe, maar dat het belang van mijn werk elke keer ter discussie staat, raakt mij. Natuurlijk, zonder geld geen project. Maar wat zou het mooi zijn als dat eens anders zou zijn, als het zwaard dat nu al meer dan dertig jaar boven mijn hoofd hangt, op miraculeuze wijze zou verdwijnen, plotseling zou oplossen in het niets. Ik heb daar weleens mijn gedachten over laten gaan, maar dat waren tot nu toe niet meer dan de kinderlijke fantasieën van een oude man. Maar ik heb een beslissing genomen. Als de situatie er deze keer hopeloos uitziet, neem ik het heft in handen. Dan ga ik gebruikmaken van een van de weinige voordelen die het ouder worden biedt: je hebt steeds minder te verliezen.

Wat dat aangaat voel ik me soms net zo naïef als de kolonisten die in Holland werden geworven om naar de Nieuwe Wereld te komen. Natuurlijk, deze mensen wisten dat het aanpoten zou zijn, net als ik. Maar ze wisten niet alles. Ze wisten niet dat ze, zodra ze voet aan wal zetten, over een groot gebied verspreid zouden worden. Dat was voor de West-Indische Compagnie namelijk de manier om heel Nieuw-Nederland te consolideren en als hun eigendom te markeren.

Ik stel me voor hoe de kolonisten zich hebben gevoeld. Waarschijnlijk net zo bang, onzeker en alleen als ik mij nu voel. Het grote verschil tussen die pioniers en mijzelf is dat het op jezelf aangewezen zijn, het moeten overleven, hun iets heeft gebracht. Het gaf hun de kracht hun dromen te realiseren. Bij mij ligt dat anders. Doordat ik op mezelf aangewezen ben en moet overleven, voel ik me alleen maar zwakker en angstiger.

7

Donalds eerste deceptie was van twee jaar geleden. De nieuwe premier had de zitting van zijn zetel ternauwernood aangeraakt toen Donald een bericht van zijn contactpersoon op het ministerie ontving dat de Nederlandse regering geen cent meer zou bijdragen aan zijn project. Per direct. Hij kon hoog of laag springen, maar ze hielden voet bij stuk. Ze beweerden dat het te maken had met de stevige bezuinigingen die in de culturele sector moesten worden doorgevoerd. Donald wist dat er meer aan de hand was, maar kon daar niets over zeggen.

Drie maanden geleden kwam deceptie nummer twee toen hij nog in New York zat en John Henley, sinds jaar en dag voorzitter van het Project Nieuw-Amsterdam, aan de telefoon kreeg. Donald wist meteen dat er een probleem was met zijn tweede geldstroom: de giften van hun donateurs.

'Donald, vind je het goed als ik even langskom?'

Nee, dat vind ik helemaal niet goed, want ik hoor aan je stem dat je slecht nieuws voor mij hebt, en dat je niet door de telefoon zegt wat er aan de hand is omdat je bang bent dat ik mezelf iets aan zal doen. Dat was wat Donald had willen antwoorden, maar hij zei: 'Prima. Wanneer wil je komen?'

'Zodra het je uitkomt.'

Nu wist Donald zeker dat er iets gruwelijk mis was. Henley was een drukbezet man, zeker in deze weken die leidden naar de opmaat van de viering van het Hudson-jaar. En Henley liet het nu aan hem over wanneer de afspraak zou zijn? Het zweet brak hem uit.

'Straks? Zeg, om een uur of twee?'

'Even kijken,' mompelde Henley en Donald hoorde hem wat toetsen inslaan. 'Zullen we daar halfdrie van maken?'

'Ook goed. Zie ik je dan.'

'Tot dan.'

Langzaam had Donald de telefoon neergelegd. Elsa had hem bezorgd aangekeken. 'Wat is er? Je ziet lijkbleek. Voel je je wel goed?'

'Dat was John Henley. Hij wil langskomen.'

'Wat een eer.'

'O ja, vind je? Dit betekent niet veel goeds, Elsa, neem dat maar van mij aan.'

Elsa wist ondertussen dat als ze alle beren die Donald op zijn weg zag ook tegenkwam, ze er onderhand Yellowstone National Park mee kon vullen. 'Hoezo niet veel goeds?'

'Gewoon, zoals hij klonk.'

'Kom, Don. Hier, je koffie, drink op voordat die koud wordt.'

Hij nam zijn beker met twee handen aan en wreef er zachtjes met zijn duimen over terwijl hij naar zijn muismat staarde die Elsa een paar jaar geleden voor hem had gekocht in een souvenirwinkel. De vlag van zijn geliefde New York stond erop: drie verticale banen in blauw, wit en oranje, de kleuren van de Nederlandse Republiek in de zeventiende eeuw. In de witte baan, gecentreerd op het stadswapen, stonden twee molenwieken die herinnerden aan de Nederlanders in de stad. Tussen de bovenste en onderste waren bevers getekend die symbool stonden voor de West-Indische Compagnie. Links en rechts van de molenwieken stonden twee graantonnen. Bovenin werd het wapen gekroond door een adelaar, het symbool van New York. Links ervan stond een Europeaan en rechts een indiaan: de kolonisten en de oorspronkelijke bevolking van het eiland. Helemaal onderin stond het jaartal 1625, volgens het stadsbestuur het stichtingsjaar van de stad Nieuw-Amsterdam door de Hollanders.

'Don, zit toch niet meteen zo te doemdenken. Waar ben je bang voor?'

'Kom op, Elsa. Wat denk je?' Hij blies op zijn koffie en nam een voorzichtige slok.

'Geld? Bedoel je dat? De financiën waren toch rond? Ik dacht dat het allang geregeld was.'

'Dat is ook zo. Voor de komende vijf jaar schijnt er budget te zijn, dat is tenminste wat ik heb begrepen. Daarom snap ik niet wat hij hier komt doen. Er is iets gebeurd, ik voel het aan mijn water.'

'Wacht nou maar rustig af. Je zult zien dat er niets aan de hand is. Misschien wil hij weten hoe we vorderen, of gewoon, komt hij voor de gezelligheid even langs.' Met een geruststellend klopje op zijn schouder ging ze naast hem zitten.

'Voor de gezelligheid? Denk je dat nou werkelijk? Kijk eens om je heen. Dit is niet echt een gezellige omgeving, of wel soms?'

Voor het eerst sinds jaren bekeek Elsa hun werkplek door de ogen van een bezoeker. Hun kamer op de zolder van de New York State Library was krap. De ruimte die ze jaren geleden toebedeeld hadden gekregen, was niet meegegroeid met de successen die ze met hun vertalingen boekten. Dat had er hoogstwaarschijnlijk mee te maken dat hun succes niet in geld uit te drukken was, maar in resultaat. Op de ruit naast de deur hing sinds jaar en dag een papiertje aan een vergeeld stukje plakband. DONALD CHRISTIE stond erop.

Overal lagen stapels boeken, dikke ordners en mappen die van kleur waren verschoten en met een touwtje bijeen werden gehouden. Het werkblad tegen de muur was eigenlijk net te krap voor twee werkplekken. Daarboven hingen planken die doorzakten onder het gewicht van de massa's papier. Onder het werkblad stonden zoveel dozen, dat ze elke keer als ze gingen zitten hun voeten ertussen moesten wurmen. De muren waren behangen met reproducties van zeventiende-eeuwse landkaarten die Donald daar in de loop der jaren had opgehangen. De meeste gaven het kustgebied van de kolonie Nieuw-Nederland weer. Sommige toonden details van de stad Nieuw-Amsterdam. Daartussen hingen kopieen van vertaalde documenten aan punaises. Op het stuk muur tussen de twee hoge dichtgelaste ramen die met stoffige luxaflex waren afgesloten, hingen twee posters van de skyline van New York. De bovenste gaf het aanzicht weer van de stad voordat de aanslag was geweest. De poster eronder was er een die maanden na de aanslag in de winkels verkrijgbaar was. Waar ooit de Twin Towers hadden gestaan, had Donald met pen een wolkenkrabber getekend. Elsa wist dat Donald dit had gedaan omdat hij het niet kon aanzien, dat gapende gat in de skyline dat hem constant herinnerde aan die vreselijke dag waarop zijn geliefde stad diep in het hart werd getroffen.

Jarenlang had Elsa zich zes dagen per week in de bureaustoel naast Donald gewurmd. Elke dag zat hij er al als zij binnenkwam. Nu pas viel het haar op hoe dicht ze eigenlijk op elkaar zaten, met hun bovenarmen aan elkaar vastgeklonken als een Siamese twee-ling. Alleen waren zij niet door een groeifout met elkaar verbon-den, maar door woorden, zinnen, namen en gebeurtenissen van meer dan vierhonderd jaar geleden.

'Je weet toch hoe vaak zoiets gebeurt tegenwoordig?' zei Donald. 'Dat een project van de ene op de andere dag wordt stilgelegd.'

'Ze weten toch hoe het gaat, dat we steeds meer vorderingen ma-ken?'

'Denk je nou echt dat ze die voortgangsrapportages lezen die ik elk kwartaal moet inleveren?'

'Don. Jij bent de organisatie. Ze bestaat dankzij jou.'

Donald gromde even. 'En dankzij de donateurs.'

'Natuurlijk, maar zonder jou waren er helemaal geen donateurs geweest. Dat is een kip-of-eiverhaal. Bovendien staat er nu genoeg geld op de rekening om jaren mee vooruit te kunnen, toch?'

Donald trok zijn schouders op. 'Als het goed is wel. Je weet dat ik van de manier waarop wij gefinancierd worden afstand heb geno-men. Henley is degene die precies weet hoe de situatie ervoor staat. Hij beheert het geld.'

'Beheren is in ons geval nogal een groot woord, vind je niet? Het staat gewoon op de bank, met een mooie vaste rente.'

Meewarig keek hij naar haar. 'Elsa, je moet er nodig eens uit. Je hebt veel te lang op deze kamer gezeten. Ik merk aan je dat je geen idee hebt hoe het er in de wereld voor staat. We zitten allemaal in hetzelfde schuitje. En ik zal je zeggen, dat bootje is hartstikke lek.'

Ze schonk hem een scheve glimlach. 'Zolang we daar allemaal last van hebben Don, is er in feite niets aan de hand. Dan gaan we gezamenlijk ten onder.'

John Henley was langsgekomen. Alleen al zijn aanwezigheid in het kleine kantoor had de veilige cocon waarin Donald Christie tot nu toe had geleefd, langzaam opengereten. Donald had er spijt van dat hij Elsa weg had gestuurd, want hij had zich nog nooit zo alleen gevoeld als die bewuste middag. Zodra Henley begon te praten, scheurde Donalds cocon open, steeds verder en verder, tot hij zich voelde als een vlinder die te vroeg uit zijn veilige schulp was ge-haald en nu met vochtige vleugels weerloos fladderend aan de bui-tenwereld was overgeleverd.

Zoals Donald al verwachtte, had John Henley wat bevreemd om

zich heen gekeken. De man was jaren geleden een keer langs geweest, maar kon zich dat blijkbaar niet meer herinneren. Donald zag dat Henley de neiging moest onderdrukken de zitting van de stoel af te vegen voordat hij plaatsnam.

'En? Hoe gaat het?' vroeg Henley. 'Het project? Loop je een beetje op schema?'

'Tja, wat is op schema.' Donald gebaarde de ruimte in. 'Je weet als geen ander hoe lang we er al mee bezig zijn.'

'Zeker, al een hele tijd.'

'Vind je het te langzaam gaan? Als dat het is, dan kunnen we...'

'Nee, nee, helemaal niet. Het moet gewoon goed zijn, ik begrijp dat daar tijd overheen gaat. Dat is het punt niet. Waar het om gaat, tja... wat ik je kom vertellen, is dat wij de afgelopen periode een aantal grote geldschieters hebben verloren.'

'Verloren?'

'Ja, dat wil zeggen, ze hebben zich afgemeld. Ze hebben ons laten weten dat ze het door de economische malaise niet meer kunnen opbrengen ons te financieren.'

'Je gaat me toch niet vertellen dat ze niets meer willen bijdragen?'

'Donald, het spijt me. Jij weet ook hoe het er overal aan toe is, en je zult begrijpen, van hun kant gezien dan, dat een project als dit hun op geen enkele manier rendement oplevert. Dat is het probleem. *What's in it for me*, Donald, dat is wat ze zich bij elke financiering tegenwoordig afvragen.'

'Geen rendement? Geen geld bedoel je. Nee, natuurlijk is het niet in geld uit te drukken. Maar rendement zat. Ik heb nou niet echt stilgezeten. Mijn boek komt uit, driekwart van het archief is al vertaald, en verder hebben we alle...'

Henley leunde naar voren, legde zijn ellebogen op zijn knieën en zei zacht: 'Donald, je weet precies wat ik bedoel. Ze hebben het gevoel dat ze hun geld beter kunnen besteden. Ik zal je eerlijk zeggen, van sommigen weet ik dat ze het geld dat ze anders aan ons zouden geven nu zelf heel goed kunnen gebruiken. Wat zou jij in hun plaats doen? Zorgen voor brood op de plank, of geld stoppen in een project waar geen droog brood mee te verdienen valt?'

'Je stelt deze vraag precies aan de verkeerde persoon, John.'

Henley zuchtte. 'Sorry, ik weet het. Onderweg hiernaartoe heb ik na zitten denken over hoe ik dit moest brengen. Denk maar niet dat het voor mij makkelijk is je dit te vertellen.'

'Ga je jouw werkzaamheden nu vergelijken met die van mij? Heb je wel nieuwe donateurs benaderd of dacht je: hier laten we het bij? Waarom heb je mij niets laten weten? Waarom hoor ik dit nu pas? Ik weet zeker dat ik ze had kunnen overhalen bij ons te blijven. John, je toont wel erg veel begrip voor de afhakers. Ik begin eraan te twijfelen of je wel voor ons hebt gevochten.'

'Dat is onder de gordel. Waar zie je mij voor aan? Waarom denk je dat ik mij ooit aan dit project heb verbonden? Waarom zou ik mij voor honderd procent voor iets inzetten wat mij gestolen kan worden? Het is iets waar ik een heilig geloof in heb. Als er iemand is die het belang ervan inziet, ben ik dat wel. Geloof het of niet, maar het gaat me echt aan mijn hart je dit te moeten zeggen. Het spijt me heel erg. We hebben het budget van alle kanten bekeken.' Hij viel even stil. Toen zei hij zacht: 'We moeten ermee stoppen.'

Donald stond met een rood hoofd op. 'Stoppen? Wacht eens even. Dit kan niet kloppen. Er moet een oplossing zijn. We moeten iets... Wacht. Om hoeveel mensen gaat het precies?'

Henley keek hem met een vermoeide blik in zijn ogen aan. 'Rond de dertig partijen. Dat is het aantal dat jaarlijks een substantieel bedrag aan ons overmaakt. Het restant bestaat uit een honderdtal kleinschalige schenkingen. Waar het ons natuurlijk om gaat, zijn de grote jongens. Dat zijn degenen die zorgen voor de continuïteit.'

'Natuurlijk.'

'Donald, het ziet er slecht uit. Van deze dertig partijen hebben er achtentwintig laten weten dat zij er het komende jaar van afzien.'

'Wat? Maar dat is... dan blijft er haast niets over.'

Henley knikte.

'En anderen? Heb je daar naar gezocht?'

'We hebben ons gek gelobbyd. Vanwege het Hudson-jaar en alle publiciteit eromheen, gingen we ervan uit dat er wel wat los zou komen. Maar helaas mocht het niet zo zijn.'

'Jullie zijn dus nonchalant geweest.'

'Pardon?'

'Ja, jullie hebben het aan zien komen, maar hebben gedacht dat er zat andere donateurs zouden zijn. Jullie waren te laat.' Woedend keek Donald hem aan. 'Wat maakt het ook uit? Voor jou en de commissieleden is dit alleen maar een prestigebaantje, iets moois voor op je cv, voor straks, als jullie met pensioen zijn en jullie ons opnieuw lastig gaan vallen door in allerlei commissies te gaan zitten. Dat is het tóch? Maar voor mij, voor mij is dit...' Langzaam liet Donald zich op de stoel zakken. 'Dit is alles wat ik heb,' fluisterde hij. 'Begrijp je me, John? Meer heb ik niet. Dit is mijn leven.'

Weer knikte Henley.

'Hoe lang heb ik nog?'

'We kunnen het hoogstens nog vier maanden uitzingen, dan is het op.'

Donald zei niets.

'Donald, ik snap helemaal dat jij je ellendig voelt, maar nu doe je alsof je op *death row* zit. Kom op, je moet het niet overdrijven. Ik begrijp de schok, maar het is niet anders. Ik ga alles op alles zetten om iets voor je te zoeken, bij een universiteit misschien, zoiets? Een of andere leerstoel? Lijkt je dat wat? Het tij kan keren, hoor. Wie weet trekt de economie snel aan en kun je volgend jaar gewoon weer beginnen waar je bent geëindigd.'

'Ik zit ook op death row, John. Dat is het hem nou juist.' Donald hief zijn handen op. 'Kijk om je heen, dit is waar ik voor leef, waar ik alles voor heb opgegeven.'

John Henley hoefde niet om zich heen te kijken. Hij had het allang gezien en zuchtte inwendig. Naast zijn werk voor het Project Nieuw-Amsterdam was hij jarenlang in verschillende hoedanigheden betrokken bij de wereld van kunst en cultuur. Hij was begonnen als ambtenaar bij de Dienst Stadsontwikkeling van New York City, maar hij had op een gegeven moment de overstap gemaakt naar deze sector. Zijn keuze was voortgekomen uit een grote liefde voor alles waar een creatief proces aan ten grondslag lag. Hij hield van de makers, van hun manier van denken, van hun obsessie voor hun vak. Maar die obsessie had een keerzijde. Hun grote ego's, hun slachtofferrol, hun afhankelijkheid van financiëringen, maakten hen tot een verwend stelletje dat vaak hun hand ophield omdat ze, als ze moesten werken, geen tijd hadden om zichzelf te ontplooien zoals ze dat zelf omschreven. Er zat wat in, maar je kon het ook overdrijven.

Henley had Donald Christie anders ingeschat, ook omdat de man een wetenschapper was. Maar nu bleek Donald Christie uit hetzelfde hout gesneden.

'O ja?' vroeg Henley. 'Alles opgegeven? Wat dan bijvoorbeeld?'

'Wat dan?' Donald schreeuwde het uit. 'Een normaal leven, met een gezin, een vaste baan en een hypotheek. Normale dingen John, normale dingen, net zoals jij die hebt.'

'Hou toch op. Dus al die fantastische zaken die je noemt heb jij opgegeven? Hoe bedoel je? Opgeven? Ik ken je langer dan vandaag. Jij hebt helemaal niets opgegeven. Je hebt hiervoor gekozen, Donald, zo simpel ligt het. Dus doe nou niet alsof je ooit een heel ander leven voor ogen hebt gehad. Mijn god zeg, alsof iemand je hiertoe heeft gedwongen. Niemand heeft je gevraagd je hele leven aan dit project te wijden. Helemaal niemand. Daar ben je zelf bij geweest.'

Donald wist niet wat hij moest zeggen, dus zei hij niks.

Nadat John Henley was vertrokken, bleef Donald op zijn kamer zitten. Een paar uur later stond hij op en struikelde over de lege cognacfles die naast zijn stoel stond. John had gelijk. Hij was er zelf bij geweest. Zijn idee, zijn initiatief, zijn project, zijn keuze. Helemaal waar. Het was van hem, en dat betekende dat niemand het van hem af zou pakken, niemand.

Na een misgreep pakte hij het sigarenkistje van tafel en zakte met een kreun terug in zijn stoel. Hij haalde het luciferdoosje eruit, hield het vlak bij zijn oor en schudde.

De vlam leek groter dan die was in de donkere kamer. 'Hoe eenvoudig,' had hij gemompeld. 'Met één beweging. Alles weg. Woesh. Nog een brand voor dit verdoemde archief en weg is het. Eindelijk. Helemaal weg.' Hij lachte hard, keek omhoog en hief zijn vuist op. 'Dat is toch wat je wilt? Dat het archief verdwijnt? Zal ik dat dan maar doen, zijn we in één klap overal van af. Hier, kijk maar hoe snel. Kijk maar.'

Donald streek nog een lucifer aan en hield de vlam onder de stapel papier die het meest dichtbij lag. De hoek kleurde even blauw en doofde toen uit. Hij zakte terug in zijn stoel. Zelfs dat kon hij niet. Langzaam schudde hij zijn hoofd. Zijn project was mislukt, hij was mislukt. Alles ging fout. Het was ook allemaal te mooi om waar te zijn. Niemand in zijn omgeving, op Elsa na dan, wist zijn werk op zijn merites te waarderen. Want zij werkten allemaal om te overleven. Hij niet. Hij leefde om te kunnen werken. Jarenlang had hij met enig dedain naar het werkvolk gekeken. Daar begon hij zich nu voor te schamen. Over een paar maanden zat hij in precies dezelfde situatie als al die mensen die hij zijn leven lang minachtend had gadegeslagen.

Na het gesprek met John Henley gingen er weken voorbij zonder dat Donald iets kon bedenken om zichzelf aan deze benarde positie te ontworstelen. Zijn financiële situatie werd met de dag nijpender. Zolang het Hudson-jaar werd gevierd, was er niets aan de hand. De organisatie zou wel uitkijken om het naar buiten te brengen. Maar daarna zou de ellende beginnen. Op het moment dat hij zich bedacht dat hij twee keuzes had – zelfmoord plegen of een oplossing bedenken – kwam Olaf van Hoorn op zijn pad. Na hun eerste contact koos Donald voor het laatste. Zelfmoord plegen kon altijd nog.

8

Aan de andere kant van de oceaan, in zijn riante appartement op Fifth Avenue, duwde Stedman Cruiser de pedalen van zijn crosstrainer naar beneden. Het fitnessapparaat werkte als een blaasbalg op zijn gemoed. Met elke stap laaide zijn woede op. Zweet liep in stralen langs zijn gezicht en gleed in de handdoek die om zijn nek lag.

De televisie in zijn fitnessruimte was afgestemd op CNN. Het geluid stond zacht, een vaag gemurmel op de achtergrond. Stedman Cruiser hoefde het ook niet te horen, want hij wist haast woordelijk wat er werd geblaat door de schapen die het nieuws presenteerden. Onder in het beeld gleden de beursnoteringen in een streamer voorbij. Zonder uitzondering wezen de pijlen achter de beursgenoteerde ondernemingen knalrood naar beneden.

Inmiddels was het herhaling op herhaling. De opgetrommelde deskundigen gaven allemaal hun eigen visie op wat er gebeurd was. De koersen waren in een paar dagen tijd dramatisch gedaald, en ze wisten allemaal de aanleiding met een stelligheid te verkondigen die zo ongeloofwaardig was, dat Stedman zich afvroeg of er wel iemand was die wist hoe het precies in elkaar zat. Maar economie was nou eenmaal geen wetenschap, had in Stedmans ogen alleen met gedragspsychologie te maken. Daar was alles naar terug te herleiden. Naar hebzucht, angst, paniek, massahysterie en kuddegedrag. In die volgorde. Met een harde pieptoon gaf zijn crosstrainer het einde van het fitnessprogramma aan. Hij drukte op *repeat*.

Op zijn vijfenvijftigste draaide Stedman Cruiser zijn hand niet meer om voor een vastgoedproject waar miljarden in omgingen. Tegenslagen waren er altijd, dat was *part of the deal*. De uitzondering op die regel was zijn allereerste project geweest; de ontwikkeling van een bescheiden kavel van zo'n vijfhonderd vierkante meter in het westelijke deel van Manhattan. Hij was toen tweeëntwintig jaar oud en had zijn hele kapitaal, wat niet veel was, erin gestopt. Toen het compacte woningcomplex opgeleverd werd en de appartementen tot zijn grote vreugde en stomme verbazing al werden verkocht voordat ze goed en wel te koop stonden, groeide met Stedmans bankrekening ook zijn ego. Ze gingen gelijk op, en waren in al die jaren gestegen tot ongekende hoogten, nog hoger dan de wolkenkrabbers die hij tegenwoordig uit de grond stampte.

Met zijn eerste vastgoedproject had Stedman Cruiser eindelijk iets gepresteerd om over naar huis te schrijven, maar dat deed hij niet. Waar anderen een behaald succes graag met hun familie delen, vormde het voor Stedman juist de aanleiding voor eens en voor altijd met zijn verleden te breken en zijn basis te laten voor wat die in zijn ogen was: een vlonder die er van een afstand prima uitzag, maar als je erop stond door en door verrot bleek. Hier vergiste Stedman zich in, maar aangezien hij zichzelf dit vanaf zijn puberteit had wijsgemaakt, was het werkelijkheid geworden. Zijn achtergrond was er bovendien niet een om je voor te schamen. Zijn vader en moeder runden een doe-het-zelfzaak in Danville, een kleine stad in Kentucky. Ze hadden veel aan hun hoofd, en er waren tijden dat ze de eindjes maar moeilijk aan elkaar konden knopen. Binnen hun mogelijkheden waren het liefhebbende ouders, die er alles aan deden het hun drie kinderen, van wie Stedman de middelste was, naar hun zin te maken. Helaas sloeg deze liefde bij Stedman niet aan. Voor hem was het nooit genoeg. Dat gold voor alles.

Nadat hij de middelbare school had doorlopen, wilde Stedman naar de universiteit. Omdat hij nergens in uitblonk, niet in schoolprestaties noch in sport, kon hij een beurs op zijn buik schrijven. De kleine kerkgemeenschap waar het gezin Cruiser deel van uitmaakte, liet dit niet op zich zitten. Het geld voor zijn opleiding werd Stedman, tot zijn grote schande, door de plaatselijke kerk geschonken. Met de hand op zijn hart had Stedman, ten overstaan van de hele goegemeente, moeten beloven dat hij, zodra hij het kon opbrengen, bij zou dragen aan de financiering van een nieuw kerkgebouw. Stedman was deze belofte, ondanks de veelvuldige smeekbedes die hem nog steeds, zelfs na al die jaren, achtervolgden, niet nagekomen. Dit tot groot verdriet en schaamte van zijn ouders, die vanaf die tijd elke zondag plichtmatig de collectezak vulden met elke cent die ze overhadden.

De kans was dus klein dat iemand Stedman Cruiser ooit zou beschuldigen van filantropie. Ook bij zijn huidige projectontwikkeling, waar hij zich als een pitbull in had vastgebeten, was het zijn intentie geweest voor zichzelf veel geld te verdienen, ook al heette het kavel *Ground Zero*. Maar er was een kink in de kabel gekomen, want tot zijn eigen stomme verbazing raakte Stedman er emotioneel bij betrokken. Stedman had zich namelijk in meer dingen vergist dan in zijn familiesituatie. Zijn andere grove miscalculatie was dat hij zich niet had kunnen indenken dat geld verdienen met een project dat zoveel tragiek oprakelde, eigenlijk ondoenlijk was, zelfs voor iemand als Stedman Cruiser. In het begin dan.

De twee vliegtuigen hadden niet alleen Stedmans twee torens doorboord, maar ook gaten geslagen in de harten van de New Yorkers die zielsveel van hun stad hielden. Stedman had zich laten meesleuren, liet zich raken door de collectieve rouw waar de stad in ondergedompeld was. Het was de eerste groepsrouw waar hij zijn neus niet voor optrok, waar hij willens en wetens deel van uit wilde maken. Hij wilde helpen, wilde zijn steentje bijdragen op de enige manier die hij kon en die hij echt begreep: bouwen. In dit geval herbouwen.

De aanslag maakte een patriottisme bij Stedman los waarvan hij niet wist dat hij het in zich had. Manhattan zat, voor hem volkomen onverwacht, diep in zijn ziel verzonken. Voor veel Amerikanen was deze plaats, waar ooit beren en wolven hadden gelopen, waar bossen hadden gestaan en beken hadden gestroomd, de bakermat van Amerika, de moederschoot waar de rest van het land uit voortgekomen was. Nu moeder gewond was geraakt bij een laffe gewelddadige actie, hadden de Amerikanen het gevoel dat dit het einde van de Verenigde Staten zoals zij die kenden zou kunnen betekenen. De moeder was beschoten, de kinderen waren aangeslagen. Ze vroegen zich af of het ooit nog goed zou komen.

De eerste dagen na de aanslag was Stedman overmand door een intens gevoel van verdriet en deelde hij de angst en verslagenheid met die duizenden mensen die hun naasten hadden verloren en met die miljoenen anderen die iets anders waren kwijtgeraakt: het vertrouwen dat het land waarin zij woonden er voor altijd voor hen zou zijn en dat ze hier veilig waren, op prettige afstand van de rest van de wereld die hen toch niet zag zitten en tot wie het maar niet wilde doordringen dat zij hun allerbelangrijkste bezit aan Amerika te danken hadden; hun vrijheid.

Nog weken na elf september veegden de omwonenden van het World Trade Center dagelijks het stof van hun vensterbank. Het was stof des doods en het leek niet te willen wijken, alsof die moleculaire korrels wanhoopskreten waren van degenen die omgekomen waren en elk wit stofdeeltje een schreeuw was om aandacht en erkenning, om herinnering. Keer op keer werden de slachtoffers met een stofdoek weggeveegd, en keer op keer daalden ze met eenzelfde volharding weer neer in de kantoren en appartementen van de levenden. De overledenen wilden onuitwisbaar zijn, voor altijd in het collectieve geheugen worden opgeslagen.

Naarmate de tijd verstreek, leken ze het op te geven, werd de terugkerende stoflaag zo dun tot ze haast onzichtbaar was, en met een laatste veeg verdwenen ze voorgoed. Zo leek het. Maar de doden hadden gewacht tot er iets anders voor in de plaats kwam, iets tastbaars. En dat kwam er. Dankzij Stedman Cruiser. Want op de plek waar de vliegtuigen het symbool van het westerse kapitalisme hadden doorboord, zou een toren herrijzen dat als vrijheidssymbool zou dienen. En uiteraard als nieuw symbool van het westerse kapitalisme, al werd dat er niet bij verteld. *The Freedom Tower*, zo zou hij gaan heten. Maar wat voor de een vrijheid betekent, is voor de ander een blok aan het been. Zoals de toren voor Stedman Cruiser was.

In het voorbereidingsjaar van het immense project, de periode van ontwerpen, haalbaarheidsanalyses en vergunningen, stonden de neuzen van iedereen die bij het bouwproject Ground Zero betrokken was nog dezelfde kant op, gestuurd door hun gezamenlijke emotie. Het was allemaal net gebeurd. Natuurlijk moest er een nieuwe toren verrijzen. Natuurlijk moest die The Freedom Tower gaan heten. Dat kon niet anders. En dat zouden ze samen, in een eensgezindheid die zijn weerga niet kende, voor elkaar gaan krijgen.

De eerste ontwerpen blonken uit in saaiheid. Het was alsof de aanslag niet alleen de torens had vernietigd, maar ook de doodslag had betekend voor de creativiteit van de architecten die hun plannen hadden ingediend. Alsof ze bang waren de nieuwe toren te veel te laten opvallen, alsof het ontwerp de wolkenkrabber van een eventuele tweede aanslag kon vrijwaren. Ook ontbrak het de ontwerpen, volgens de in allerijl aangestelde commissieleden, aan enige vorm van symboliek. Uiteindelijk werd besloten af te zien van de beperking van in de lijst geselecteerde architecten. Iedere architect ter wereld mocht een ontwerp indienen.

De commissie had er een dagtaak aan en boog zich over de plannen. Na rijp beraad, bestaande uit eindeloze en oeverloze discussies waarbij het gevoel van saamhorigheid met de dag vervaagde, werd een ontwerp gekozen dat bestond uit een half vrijstaande asymmetrische toren van glas en glinsterend metaal, in lijn met het Vrijheidsbeeld. In architectentaal zouden die twee markante punten elkaar op deze wijze versterken. Daarbinnen kwamen hangende botanische tuinen die het leven moesten symboliseren. De wolkenkrabber zou 541 meter hoog worden. Binnen het imperiale systeem dat in Amerika wordt gehanteerd, staat 541 meter gelijk aan 1776 voet. Dit was niet zomaar gekozen. 1776 is het geboortejaar van de Verenigde Staten, het jaar waarin het Amerikaanse Congres de Onafhankelijkheidsverklaring accepteerde en het land onafhankelijk van de Engelsen werd.

Vanaf het moment van verschijnen was het ontwerp omstreden. Niet veilig genoeg, niet symbolisch genoeg, niet sober genoeg. Toch was het niet de Amerikaanse overheid die de uiteindelijke beslissingsbevoegdheid had. Vlak voor de aanslagen plaatsvonden, had de eigenaar van het Twin Towers grondgebied, de New York Port Authority, het kavel voor een periode van 99 jaar in erfpacht gegeven aan een particuliere projectontwikkelaar: Stedman Cruiser. En Stedman Cruiser was een zakenman. *Form follows function* ging voor zijn panden zeker op. Maar *form follows finance* kwam als eerste aan bod. Het moest rendabel blijven want hij moest zijn meters kunnen verhuren. Aan hangende botanische tuinen had hij een broertje dood. Die konden dan wel het leven symboliseren, maar dergelijke onzin nam alleen maar ruimte in beslag, meters en meters aan onverhuurbare ruimte.

Als projectontwikkelaar had Stedman een grote vinger in de pap en hij besloot een hoofdarchitect aan te stellen die het gekozen ontwerp eens goed onder de loep zou nemen. Een hevige strijd barstte los tussen de architect van The Freedom Tower en degene die door Stedman was aangetrokken. De aanpassingen werden door Stedman doorgedrukt, want hij was uiteindelijk degene die het moest bouwen en financieren. Het aangepaste ontwerp was niet te vergelijken met het eerdere. Aan de bovenkant kreeg The Freedom Tower de vorm van een spirale piramide. Het onderste rechte deel besloeg negenenzestig verdiepingen en het bovenste stuk bestond nu uit een traliewerk van stalen balken en kabels. Daarbinnen stonden enorme windturbines die in een deel van de energiebehoefte van de huurders zouden voorzien. Stedman had niet helemaal zijn zin gekregen. Wat hem betreft zat er nog steeds te veel lucht in. Maar hij moest nou eenmaal concessies doen. Bovendien was uit een haalbaarheidsstudie gebleken dat dit ontwerp voor hem rendabel zou zijn. Hij kon er dus mee leven.

Toch was deze versie geen lange levensduur beschoren, want plots werd het New Yorkse politieapparaat wakker en kwam met een lange lijst veiligheidseisen op de proppen. Zo vond de politie het gevaar voor autobomaanslagen vanaf de straat die grensde aan het terrein zo groot, dat ze de eis stelde de toren verder naar achteren te plaatsen. Dit was voor Stedman slecht nieuws, want het hield in dat er voor zijn toren minder grondoppervlak beschikbaar zou komen dan was afgesproken. Ook vonden de autoriteiten de hoogte van de toren onveilig. Hoe symbolisch ook, 1776 voet zou die niet worden.

Uiteindelijk werd het ontwerp zodanig aangepast dat er van de allereerste ideeën helemaal niets meer overbleef. Er zou een bunkerachtige kubus worden gebouwd van twintig verdiepingen. Daarop zou wederom een, ditmaal symmetrische, piramide verrijzen, afgetopt met een mast die wel tot 1776 voet zou reiken, maar niet door een vliegtuig getroffen kon worden. Stedman was hier niet blij mee. Hij had grote moeite met het accepteren van de piramidevorm door het geringe aantal vierkante meters van de bovenste verdiepingen, de ruimtes die steevast het meest opbrachten. Hoe hoger je zat, hoe dichter bij God, hoe machtiger je was. En daar hadden bedrijven veel geld voor over.

De meest verhitte discussie die vervolgens oplaaide, ging over de naamgeving. The Freedom Tower was door de gouverneur van New York bedacht. In de periode vlak na de aanslag was iedereen vol lof over deze naam. Maar toen de emoties wat waren weggezakt, werd Stedman een van de grootste voorstanders van een naamswijziging. Hij was ervan overtuigd dat de naam een ramp zou betekenen, deze keer commercieel gezien. Als het The Freedom Tower zou blijven, zo beweerde hij, zou hij voor de toren geen huurder kunnen strikken. Geduldig legde hij het keer op keer uit, maar de gemeente, die hier een grote vinger in de pap had, bleef bij haar standpunt. Nadat het ontwerp en de naam bekend waren gemaakt en de run op zijn nog te bouwen kantoren inderdaad uitbleef, had hij onderzoek laten verrichten. Daaruit kwam precies naar voren wat Stedman al had gedacht: potentiële huurders waren bang dat juist die naam een herhaling van een terroristische aanslag zou bewerkstellingen. Precies wat Stedman had voorspeld. The Freedom Tower zou agressie kunnen uitlokken. Als de terroristen eerst het symbool van het kapitalisme hadden vernietigd, zou het slopen van het vrijheidssymbool helemaal koren op hun molen zijn. Daarom haakten huurders af.

Toen Stedman, met de uitkomst van dit onderzoek als argument, voorstelde de naam te veranderen in het eenvoudige One World Trade Center, het adres van de toren, brak de hel los. In het begin werd hij behandeld alsof hij eigenhandig in de cockpit van een van de vliegtuigen had gezeten. 'Nu mogen we het woord vrijheid niet eens meer gebruiken,' riepen sommigen. Stedman had zelfs dreigmails ontvangen waarin stond dat, als hij de naam The Freedom Tower niet in ere zou houden, ze hem eigenhandig van een van zijn wolkenkrabbers zouden afsodemieteren. Ondertussen was de opleverdatum van het project verschoven van 2011 naar 2016. Maar het ergste twistpunt was helemaal niet in de openbaarheid gekomen. Zelfs Stedman wist het pas sinds kort.

De reden waarom Stedman Cruiser zo kwaad op zijn crosstrainer stond, had niet alleen te maken met het geld dat hij op de beurs kwijt was geraakt. Hij was vaker bijna failliet geweest. Het ging om iets anders. Nadat alle ellende over de ontwikkeling van de Twin Towers voorbij was, bleek er nog een probleem de kop op te steken. Het kwam uit een heel andere hoek en had niets met One World Trade Center te maken, maar alles met zijn andere Ground Zero-project, de herbouw van World Trade Center Number 4, de wolkenkrabber die aan de oostkant van de Twin Towers had gestaan en ook tijdens de aanslag met de grond gelijk was gemaakt.

Net toen hij dacht alle hobbels te hebben genomen, bleek dat hij zich had vergist. De vergissing kwam in de vorm van een dame van middelbare leeftijd die hem iets vertelde waardoor de grond onder zijn voeten wegviel en hij een tijd in het luchtledige bleef hangen.

Voor het eerst in zijn leven begon hij sterk aan zichzelf te twijfelen. Dit was nieuw. Bij al zijn projecten calculeerde hij altijd alle problemen in die er maar in te calculeren vielen. Hij ging er prat op dat hij nooit voor verrassingen kwam te staan. In zijn ogen was alles maakbaar en te beïnvloeden. Tot nu, en dat stoorde hem mateloos. Want na zeven eindeloze en frustrerende jaren van juridische procedures, ruziënde en gedumpte architecten, strubbelingen met het stadsbestuur en gesteggel met tientallen andere organisaties die zich ertegenaan bemoeiden, leek Stedman Cruisers project eindelijk van de grond te komen. En nu gebeurde dit.

Bij de tweede pieptoon stapte hij van zijn crosstrainer. In de badkamer onderwierp hij zijn lichaam aan het wekelijkse onderzoek. Elke moedervlek en oneffenheid werd gecheckt. Nadat hij zichzelf ervan verzekerd had dat er geen plekken bij waren gekomen, bekeek hij zichzelf. Zijn lichaam was in orde. Nu de rest nog. Hij leunde naar voren en legde een vingertop op de wenkbrauw die ongecontroleerd op en neer bewoog.

'Mister Cruiser?'

Via de spiegel keek Stedman naar zijn butler die in de deuropening stond.

'Ja?'

'Sir, meneer Olson belde net, of u hem met spoed terug wilt bellen.'

Stedman knikte. Hij wist wat Nick Olson, zijn rechterhand, hem wilde vertellen, maar hij wist zelf donders goed dat hij in een paar dagen tijd een groot deel van zijn vermogen op de beurs was kwijtgeraakt. De spanning die hij voelde, had niet alleen met dat geld te maken. Hij maakte zich zorgen, grote zorgen.

PROJECT NIEUW-AMSTERDAM

Donald Christies log

Ik moet de laatste dagen steeds vaker aan haar denken. Dan stel ik me voor dat ik langs het huis van Stuyvesant loop en daar even blijf staan om naar zijn kinderen te kijken die in de tuin aan het spelen zijn. Zij zit in een stoel op de veranda. Haar handen rusten in haar schoot. Peinzend kijkt ze uit over de tuin en straalt een eenzaamheid uit die alleen aan weduwen is voorbehouden. Maar haar man, Peter Stuyvesant, leeft nog.

De eeuwenoude bomen in de tuin werpen schaduwen zo diep, dat daaronder geen leven mogelijk is. Wat zou ze denken? Zou ze zich daarmee vergelijken? Haar man een immense boom en zij in de schaduw ervan, een schaduw waarin ze ternauwernood kan overleven? Of zou ze het geaccepteerd hebben? Als ik dan verder loop en de boerderij achter mij laat, kijkt ze mij na en voel ik haar vragende ogen in mijn rug branden. Alsof ze bij mij een antwoord zoekt. Misschien heeft ze gelijk, misschien heb ik het antwoord wel. Alleen zie ik het nog niet.

Elsa en ik spreken vaak over haar, over de vrouw met die overbezorgde blik in haar ogen. Haar naam is Judith Bayard. Dan stellen wij ons hun ontmoeting voor, in het huis van Samuel Bayard, haar broer en de zwager van Stuyvesant. Peter Stuyvesant logeerde in Breda bij hen om te herstellen van zijn beenamputatie, het gevolg van een wond die hij had opgelopen tijdens zijn aanval op het Spaanse fort op Sint Maarten. Judith was toen 35 jaar oud en ongetrouwd. Ze trouwden en een jaar later reisden zij af naar Nieuw-Nederland, waar hun eerste kind gedoopt werd.

Elsa en ik begrijpen de bezorgdheid in haar blik. Wij denken dat zij toen al aan het nadenken was over de beslissing die zij jaren later, na de dood van haar man, zou moeten nemen. Elsa en ik hebben ons over haar ontfermd. Niet alleen over haar, maar ook over haar nalatenschap.

9

Hij staat op de binnenplaats van het West-Indisch Huis in Amsterdam; een onooglijk mannetje op een zuil in het midden van een ronde vijverbak. Met zijn rechterhand in zijn zij en zijn linkerhand flauwtjes uitgestrekt, de vingers halfopen, staat hij er wat slapjes bij. Zijn gezicht is naar links afgewend, zijn arrogante blik op oneindig. Hij heeft iets verwijfds over zich, dat nog eens wordt benadrukt doordat hij op de binnenkant van zijn rechtervoet leunt, zijn knie licht gebogen. De onderkant van zijn linkerbeen, dat een stuk hout moet voorstellen, staat stevig op de sokkel.

De barsten in zijn gedenksteen op de begraafplaats van Saint Mark's Church op Manhattan staan symbool voor het aantal keer dat Peter Stuyvesant zich in zijn graf heeft omgedraaid bij het zien van dat beeld. Hij was de man die er volgens velen prat op ging dat zonder zijn toezicht de Nederlandse kolonie op Manhattan zou zijn verworden tot een gebied zonder enig gezag, waar smokkelaars, criminelen, hoeren en hoerenlopers de dienst zouden hebben uitgemaakt.

Eigenlijk kon niemand Peter Stuyvesant luchten of zien, op zijn vrouw na. Aangezien Stuyvesant zichzelf ook niet mocht, kon het hem niets schelen. Hij liet alle haat langs zich afglijden, liet het niet tot zijn dikke pokdalige huid doordringen. Maar zijn verwijfde beeltenis op een klein binnenplein, als bronzen lilliputter gespeend van elk gezag, zou hem tot in het diepst van zijn ziel hebben gekrenkt. Hij zou hebben gevonden dat hij dat niet verdiend had. Daar had hij gelijk in.

Waar Stuyvesant wel gecharmeerd van zou zijn, was dat de beeldhouwer hem vanaf zijn sokkel kwaad naar de ramen van de Compagniezaal liet kijken. Het was daar waar de bewindhebbers van de wic, die het pand toen huurden, Stuyvesants verzoek voor extra schepen en manschappen om Nieuw-Amsterdam tegen de Engelsen te verdedigen afwezen. De wic vond de kosten niet tegen de baten opwegen, iets waar ze nu hoogstwaarschijnlijk heel anders over zouden denken. Waar Stuyvesant ook gecharmeerd van zou zijn, was de vrouw die nu aan zijn voeten zat.

Kes van Buren zat op de rand van de vijver en keek op haar horloge. Zuchtend constateerde ze dat ze een kwartier te vroeg was. Ze blies een haarlok uit haar ogen, zette haar handen achter zich en leunde achterover, haar gezicht speurend naar warmte in de waterige zon.

Haar woede was weggeëbd, maar ze was nog steeds nijdig. Hoe durfden ze haar zo aan te vallen. 'Hypocriete eikels,' mompelde ze terwijl ze haar zonnebril uit haar haren trok en hem opzette. Ze was zich er bewust van dat ze een enorme blunder had gemaakt en dat ze dankbaar moest zijn dat ze nog voor de krant mocht werken. Toen Bart haar had gevraagd wat ze in zijn plaats zou doen als een van haar medewerkers haar zoiets zou hebben geflikt, had ze gelogen. Als ze hem was geweest zou hij haar helemaal geen tweede kans hebben gegeven, maar haar op staande voet hebben ontslagen, zonder pardon. Dat hij dat niet deed, was omdat zij op dit moment de beste onderzoeksjournalist was die er in Nederland rondliep. Dat wist ze. Ze hoefde haar vinger maar op te steken en de kranten zouden in de rij staan. Maar ze had haar carrière zorgvuldig uitgestippeld. Een tijd werken voor de beste krant van Nederland, voor iemand als Bart Bonnier, stond in haar planning. En als er iets in haar planning stond, gebeurde het ook.

Plotseling schalde haar naam over het binnenplein. Ze keek om zich heen.

'Hier, hallo, hier, kijk naar boven.' De man hing uit het raam van de tweede verdieping en wenkte haar. 'Meneer Christie?' riep ze en schoof haar zonnebril omhoog.

'Boven, tweede verdieping, derde deur rechts.'

Voordat ze kon antwoorden trok hij zijn hoofd terug en sloot het raam. Kes slingerde haar tas over haar schouder en liep naar binnen.

Op de drempel van de kamer bleef ze staan. De gordijnen waren dichtgetrokken en de ruimte was gehuld in een duister licht. Het rook er muf, naar stof en ongewassen haren. Donald Christie zat achter twee computerschermen, met zijn rug naar haar toegekeerd. Met een plof liet ze haar tas op de vloer vallen. Donald reageerde niet en bleef op zijn toetsenbord slaan. Ze deed een paar stappen zijn kant op.

'Meneer Christie?'

Zonder om te kijken stak hij zijn hand omhoog en typte door. Ze bleef achter hem staan en keek naar zijn computers. Op de rechtermonitor stond een bestand open. Het zag eruit als een woordenboek. Links van de monitor waarachter hij zat te werken, stond een hoge metalen staander met twee perspex platen waar een stuk okergeel papier tussen geklemd zat. Het was zwaar beschadigd. De randen waren gerafeld en zwartgeblakerd. Daarnaast stond een vergrootglas op een zwenkarm, gericht op een deel van de bladzijde. Kes schraapte op een overdreven manier haar keel. Weer stak hij zijn hand op en zei: 'Een moment, ik ben zo bij u.'

Op het moment dat Kes besloot hem nog een minuut te geven voordat ze rechtsomkeert zou maken, liet Donald zijn handen aan weerzijde van het toetsenbord rusten, hief langzaam zijn hoofd op en keek recht voor zich uit, naar de gesloten gordijnen. Toen draaide hij zijn stoel naar haar toe. Terwijl hij zijn ogen half dichtkneep en zijn neus zo ver optrok dat zijn boventanden zichtbaar waren, keek hij haar aan.

'Mevrouw Van Buren?' vroeg hij terwijl hij een vinger in zijn oor stak en aan de binnenkant van zijn oorschelp krabde.

Met een geforceerde glimlach keek Kes op hem neer. Ze deed een stap naar achteren om hem uit zijn stoel te lokken en stak haar hand uit. 'Kes.'

Met een kreun kwam hij omhoog en nam haar zonder enige gêne van top tot teen op. Toen pakte hij haar uitgestoken hand en schudde die. Door zijn brillenglazen, die in een montuur staken dat boven zijn neusbrug met een pleister bij elkaar werd gehouden, keek hij haar zo indringend aan dat ze er onrustig van werd.

Kes vond dat hij er beroerd uitzag. Er lag een grauwe waas over zijn huid en hij had wallen onder zijn ogen. Dit is geen blije man, dacht ze. Ook dat nog.

Ze wees naar zijn gezicht. 'Uw bril?' Kes probeerde haar lachen in te houden toen hij scheel keek en met zijn wijsvinger de pleister aanraakte. 'Ja. Ben ik op gaan zitten.' Hij keek haar aan en liet zijn ogen weer over haar heen glijden. 'Dus ze hebben jou gestuurd.'

Ze knikte.

Hij wreef over zijn baard. 'Vertel.'

'Wat?'

'Waarom ben jij uitverkoren? Ben je uniek? De beste in je soort?'

'Nou, uitverkoren zou ik het niet direct willen noemen, meneer Christie. En uniek ben ik in zoverre dat er niemand anders op de redactie was die deze klus wilde hebben. Of ik de beste in mijn soort ben? Dat kan ik met een volmondig ja beantwoorden.' Ze kon zichzelf wel voor d'r kop slaan, maar de man vroeg erom. Hij was ronduit onbeschoft.

'Waarom wilde jij het wel doen? Deze "klus" zoals je dat noemt?'

'Ik wilde niet, ik moest. Ze dreigden met ontslag op staande voet als ik niet bij u langs zou gaan.'

'Ha, zoiets had ik al gedacht.'

'Meneer Christie, u zult begrijpen dat het een haast onmogelijke opgave is een artikel over iemand te schrijven die heeft aangegeven geen medewerking te willen verlenen. Daar zit echt niemand op te wachten. En als het dan al lukt, is de kans vrij groot dat het artikel niet wordt zoals wij dat voor ogen hebben.'

'Dat zijn jouw woorden, niet de mijne,' zei Donald terwijl hij naar haar wees. 'Ik heb nooit gezegd dat ik geen medewerking wil verlenen, alleen dat ik geen tijd heb, en dat degene die mij gaat interviewen zich zal moeten schikken naar mijn dagindeling.' Hij wees naar zichzelf. 'Ik zal zeer zeker niet tegenwerken, maar ik kan op dit moment geen enkel oponthoud gebruiken. Ik heb nu andere prioriteiten. Bovendien, ik ga er toch echt van uit dat het een artikel wordt zoals ík dat voor ogen heb, niet zoals jullie dat voor je zien.'

'Wat voor prioriteiten zijn dat precies? Uw boek is al klaar. En aangezien u al tientallen jaren met het vertalen bezig bent, kan ik me niet voorstellen dat die paar uurtjes oponthoud die ik in totaal zal veroorzaken, zoveel uit zullen maken.'

'Jij durft wel met je brutale mond. Jij begrijpt er helemaal niets van, je hebt geen idee. Je bent een typisch product van jouw generatie.' Hij plofte in zijn stoel en schudde langzaam met zijn hoofd. 'Jullie begrijpen gewoonweg niet dat urgentie ook kan bestaan zonder deadlines. Dat is de manier waarop jij werkt, maar niet iedereen zit zo in elkaar, dat denk jij maar. Niet iedereen heeft iemand nodig die in zijn nek zit te hijgen totdat het werk opgeleverd is. Je zult ervan opkijken, maar er zijn mensen die zichzelf een deadline stellen. Dat zijn degenen die hun eigen plan trekken, hun eigen verantwoordelijkheid nemen in het leven. Zij zijn niet afhankelijk van die ene opdracht, of van een commando om tot actie over te gaan. Die bepalen dat zelf. En die unieke groep mensen, jongedame, daar behoor jij niet toe. Ik wel.'

Hij sloeg zijn armen over elkaar en keek haar aan terwijl hij probeerde haar niet te laten zien dat zijn felle reactie hem zelf nog het meest verbaasde. Het zat niet in zijn aard iemand op stang te jagen, maar zijn toch al korte lontje was geminimaliseerd tot een stompje dat maar een vonk nodig had om te ontvlammen. Daar kwam bij dat hij het niet kon laten omdat zij precies het soort journalist was dat hij had verwacht te krijgen. De manier waarop ze daar voor hem stond, zo zelfingenomen, alsof zijn kamer van haar was, alsof ze met een knip van haar vinger zijn leven kon binnenkomen en het kon overnemen. De zekerheid die ze uitstraalde, het dedain waarmee ze hem behandeld. *Ze is een piepkuiken, ze komt net kijken. Waar haalt ze in vredesnaam die pretenties vandaan?*

Als hij het aan Kes had gevraagd, had ze hem hier helderheid in kunnen verschaffen. Dan zou ze hem hebben verteld dat die zelfverzekerdheid gestoeld was op het feit dat ze wist dat ze goed was in haar werk. Ze zou hebben uitgelegd dat het niet zo moeilijk was uit te blinken in een omgeving waar iedereen er de kantjes van afliep. Ook zou ze hebben gezegd dat ze zich nooit geïntimideerd voelde, omdat daar volgens haar geen grond voor was. Ze zou zijn ingegaan op haar vechtersmentaliteit. Haar zwakkere punten zou ze ook benoemen, omdat ze wist dat mensen het kunnen benoemen daarvan een krachtige karaktereigenschap vinden. Wat ze niet zou vertellen, was dat ze zich soms afvroeg hoe lang het nog goed zou gaan. Dat ze op haar tenen liep om zich te bewijzen, tegenover iedereen en vooral tegenover zichzelf.

Maar Donald Christie vroeg haar niets en Kes was ziedend. De man had een gevoelige snaar geraakt. Aan de triomfantelijke uitdrukking op zijn gezicht was te zien dat hij zich daar bewust van was. Ze vroeg zich af of hij zich in haar had verdiept. Maar hoe dan? Via internet? Ze had zichzelf laatst nog gegoogeld, maar los van haar artikelen was er niets over haar te vinden. Ze opende haar mond om iets te zeggen. Donald hief zijn hand op.

'Nee, nee, stil, zeg niets, zwijg. Jij wordt mijn uitdaging. Als jij na een week, nee wacht, minder nog, twee dagen, ja, als jij na twee dagen nog niet geïnteresseerd bent in wat ik doe, reken ik dat mezelf aan. Ik ga je overtuigen van het belang van mijn werk. Ik ga je laten zien hoe het is om te kunnen werken vanuit je passie, en niet vanuit een verplichting. Ik zie je als een project.'

'Volgens mij hebt u uw handen al vol aan uw eigen project, meneer Christie. U kunt er rustig van uitgaan dat ik dit stuk, net als mijn andere werk, met veel passie zal schrijven, ondanks het verplichte karakter ervan.'

'Werk kan nooit je passie zijn, jongedame. Dat zie je helemaal verkeerd. Het is andersom. Je passie is hetgeen je doet omdat je niet anders kan, omdat het door elke ader in je lichaam vloeit, elke vezel raakt, elke cel vult. Ik vraag me af of dat bij jou het geval is.'

'Nou, doet u vooral niet al te veel moeite. Mijn cellen zijn al gevuld. Dit is mijn werk. Ik kom gewoon doen wat ik moet doen.'

'Doen wat je moet doen? Gewoon doen? Hoor je wat je zegt? Net noemde je het nog je passie. Je hebt natuurlijk geen idee waar ik me mee bezighoud. Hoe wil je het artikel gaan aanpakken? Ga je het allemaal zelf bedenken, straks lekker een verhaal inleveren dat kant noch wal raakt?'

'Meneer Christie, ik vind het nu wat te ver gaan. Wat wilt...'

'Werkelijk, werkelijk. Is dit nou echt nodig?'

Tegelijkertijd keerden Kes en Donald zich naar de schuifdeuren die de kamer en suite in tweeën splitste. De vrouw die ertussen stond keek naar Kes terwijl ze zei: 'Don? Ik dacht dat je besloten had geen journalist te woord te staan?'

'Klopt, maar in tegenstelling tot ons bestuur hou ik me wel aan mijn afspraak. Moet je zien wat ze hebben gestuurd.'

Langzaam schudde Elsa de Kooning haar hoofd en ze keek Kes aan. Haar ogen leken 'sorry' te zeggen.

In het geval van Elsa de Kooning was die verexcuserende blik niet exceptioneel. Zo keek ze al vanaf het moment dat ze haar ogen voor het eerst in haar leven opende. Sorry, keek ze naar de vroedvrouw. Sorry, leek ze tegen haar ouders te zeggen. Sorry dat ik jullie al deze ellende ga bezorgen nu ik er ben. Sorry dat ik besta. Vanaf die ene milliseconde dat haar vaders zaadje haar moeders eicel doorboorde, zat onzekerheid er bij Elsa de Kooning als een brandmerk in geschroeid. Maar Elsa was niet helemaal op haar achterhoofd gevallen en had tijdens haar weinig enerverende studententijd gemerkt dat die 'sorry'-blik haar geen windeieren legde. Vanaf toen had ze het 'slachtoffer zijn' tot topsport verheven. Ze verexcuseerde zich tot ze een ons woog, wat niet wegnam dat ze in de loop der jaren uitdijde tot honderddertig kilo schoon aan de haak. Sinds ze erachter was gekomen dat ze ook haar gewicht op diverse manieren in de schaal kon leggen, had ze geen enkel probleem met haar lichaamsomvang. Toch had Elsa in haar leven veel minder excuses nodig dan ze altijd dacht. Het gevolg van haar houding was dat er, zonder dat ze het zelf doorhad, stelselmatig misbruik van haar werd gemaakt. Want bij haar 'sorry'-blik hoorde ook haar onvermogen om 'nee' te kunnen zeggen. Daarom stond het in haar sterren dat haar eerste werkgever ook haar laatste zou zijn. En daarom werkte ze al meer dan twintig jaar voor Donald Christie.

'Zeg nou zelf, Elsa. Een jonge vrouw nota bene,' zei Donald.

Stomverbaasd keek Kes hem aan. Deze man leefde in de jaren vijftig. 'Wat heeft dat er nou weer mee te maken?'

'Heb jij enige interesse in jullie geschiedenis soms, in de prachtige historie van jouw fascinerende land?'

'Als ik eerlijk ben, nee, geen enkele,' zei ze uit pure recalcitrantie aangezien ze er nooit echt over had nagedacht wat ze van de Nederlandse geschiedenis vond en zich bovendien liever met het heden bezighield.

'Heb je enige interesse in mode, glossy's wellicht? Avondvullende televisieprogramma's met allerlei nonsens? Auto's? Popconcerten?'

'Klopt helemaal. Dat zijn de dingen waar ik voor leef. Ik ben er gek op.'

'Ha, dat dacht ik al.'

Elsa kuchte, liep naar Kes toe en stak haar hand uit. 'Ik ben Elsa de Kooning. Namens Donald bied ik je mijn excuses aan. Sorry, soms denk ik weleens dat hij te lang met dit project bezig is waardoor hij iets te weinig buiten komt. Hij gedraagt zich tegenover vrouwen alsof hij zelf in de zeventiende eeuw leeft. Hij is wat gedeformeerd wat dat betreft. Trek je er maar niets van aan.'

Donald keek Elsa vernietigend aan.

'Geeft niet hoor, mevrouw De Kooning, ik ben wel wat gewend.'

'Zo zie je er ook uit,' mompelde Donald.

Kes zuchtte. *Ouwe zak.* Ze sloeg haar armen over elkaar. 'Meneer Christie, ik begrijp dat u hier geen zin in hebt, maar we zullen het met elkaar moeten doen. Wat wilt u eigenlijk? Op deze voet verder- gaan? Hoe denkt u dat ik het vind om de komende dagen met u door te moeten brengen? Denkt u niet dat ik ook liever mijn kost- bare tijd ergens anders aan besteed? We zitten aan elkaar vast, en ik stel voor dat we er het beste van maken.'

'Goed idee.' Elsa keek Donald hoopvol aan. 'Don?'

'Kostbare tijd? Wat een *goddamn bullshit.* Jij noemt jouw tijd kostbaar? Ik ben degene wiens tijd kostbaar is, begrijp je? Waar haal je verdomme de arrogantie vandaan?' Hij priemde met zijn vinger in haar richting, zijn hoofd even rood als het laag uitgesne- den T-shirt dat Kes na veel overpeinzingen die ochtend had aange- trokken.

'Ik begrijp het,' zei ze zacht. Ze bukte zich en pakte haar tas. 'Dit gaat niet werken. Misschien is het beter als ik ga.'

'Don!' In Elsa's stem klonk een waarschuwing door.

Terwijl Kes naar de deur liep zei hij: 'Sorry Elsa, maar ik kan er niet over uit. Eerst zeg ik: nee, dan zeggen zij: "Je moet", dan zeg ik: oké, en moet je kijken wie ze sturen. Ze weten donders goed waar- om...'

'Zo is het genoeg geweest. Don, jij moest toch nog wat telefoon- tjes plegen? Ga dan even naar de kamer hiernaast. Terwijl wij op je wachten, kan ik Kes al het een en ander vertellen over ons werk.'

Nadat Donald met een kwaad gezicht de kamer was uitgelopen, zei Elsa: 'Het spijt me heel erg. Ik wil hem even laten afkoelen. Je moet het hem maar niet kwalijk nemen. Hij staat vreselijk onder druk, en die spanning, van dat boek, en wat iedereen ervan zal vin- den... Hij trekt wel bij. De kans is groot dat hij af en toe kortaf tegen je zal doen. Trek je daar niets van aan. Hij bedoelt het niet zo. Echt niet. Het is een goed mens.'

Kes keek naar het knikkende gezicht van Elsa de Kooning, wier zwaar opgemaakte ogen om begrip leken te vragen. Een klontertje felblauwe mascara had zich uit haar wimpers losgemaakt en was onder haar rechteroog blijven plakken. Haar oranje lippenstift was in exact dezelfde tint als de trui die ze droeg en waar Kes drie keer in zou passen. Ze voelde de druk van Elsa's hand op haar schouder. Te zwaar en te warm.

'Ik begrijp het, mevrouw De Kooning, geen probleem. Maar ik heb ook mijn grenzen. Ik hoop dat u dat begrijpt. Het moet wel werkbaar zijn. Als hij dit echt niet wil, dan kunnen we het beter afblazen.'

Elsa knikte. 'Laat dat maar aan mij over. Goed, zal ik je eerst wat vertellen over ons werk? Dan kun je daarna met Donald overleggen hoe jullie de komende dagen gaan invullen.'

'Heel graag.' Kes trok een blocnote uit haar tas en ging zitten.

10

'Hoe ging het?'

'Wat bedoel je?' Werner keek naar Andries Klaassen die in de deuropening van zijn kamer stond en vroeg zich af hoeveel van die donkerblauwe pakken hij in de kast had hangen en hoe vaak Andries onder de zonnebank lag. Werner hoopte te vaak, dat de man een vorm van huidkanker zou oplopen die zijn gladde gezicht zodanig zou aantasten dat hij die eeuwige arrogante grijns op zijn smoel niet meer kon trekken.

Werner vertrouwde Andries Klaassen voor geen cent. Het was altijd al een klier van een vent geweest, maar vanaf het moment dat Klaassen door de premier was aangesteld als hoofd van de AIVD, stelde hij zich op als een etterbak die ervan genoot mensen te laten merken dat zijn macht met de dag groter werd. Iets wat ook zo was.

Vanaf de dag dat ze met elkaar moesten samenwerken, ging het mis. Meerdere malen had Werner aan Andries laten weten dat hij op de hoogte wilde worden gebracht van alle lopende zaken, en even zo vaak bleek dat Andries hem als laatste inlichtte en hem zelfs regelmatig passeerde door direct met de premier contact op te nemen. Hierdoor had Werner het vaak met de premier aan de stok gekregen, precies wat Andries voor ogen had. Van onderling vertrouwen was dus geen sprake.

Werner kende Andries Klaassen van vroeger, ze hadden op verschillende afdelingen bij Algemene Zaken gewerkt. Daar hadden ze elkaar nog kunnen ontwijken. Sinds Andries de grote baas van de AIVD was, waren ze tot elkaar veroordeeld. Werner had al gemerkt dat de premier zijn beslissingen steeds vaker liet afhangen van de mening van Andries Klaassen en dat Andries steeds meer macht kreeg binnen de kleine kring van vertrouwelingen waar ook Werner toe behoorde. Werner voelde dat Andries hem eruit wilde werken, dat hij zat te wachten tot het juiste moment zich aandiende en, als een spiedende reiger die doodstil naast een vijver stond, plotseling genadeloos zou toeslaan. Dat genoegen zou Werner hem nooit gunnen, wat er ook gebeurde.

Andries kneep zijn ogen tot spleetjes en zei: 'Je begrijpt me best.'

Werner trok zijn schouders op. 'Hij wil een nieuwe denktank, iets met schrijvers en acteurs, weet ik veel.'

'Dus daar ben je nu mee bezig?'

'Andries, wat kom je eigenlijk doen?'

Andries ging tegenover hem zitten, kruiste zijn benen en vouwde zijn handen onder zijn kin.

'Ik heb geruchten gehoord.'

'Wat voor geruchten?'

'Over jou. Nou niet alleen over jou, over een aantal personen die hier rondlopen, onder wie jij.'

Werner leunde achterover en vouwde zijn handen achter zijn hoofd. 'Nou, vertel het maar. Hebben we hier een orgie gehad met z'n allen? Hebben jullie iets op mijn computer gevonden dat niet koosjer is? Wacht, nou weet ik het. Je hebt mij betrapt toen ik me als vrouw verkleed aan sm-spelletjes heb onderworpen. O nee, dat kan niet natuurlijk, dat soort dingen zijn alleen voorbehouden aan het hoofd van een geheime dienst geloof ik.'

'Wat kun je toch grappig uit de hoek komen.'

'Dank je.'

'Het is erger.'

'Wat kan er erger zijn dan dat?'

'Nou, verraad om maar eens iets te noemen.'

'Verraad? Beticht je mij van verraad? Jezus, Andries, je zegt het alsof we deel uitmaken van de hofhouding van een middeleeuwse koning. Straks laat je me nog in een kerker smijten na een vreselijke martelpartij waarin ik alles beken.'

'Lul er maar overheen, Werner. Volgens mij weet je precies waar ik het over heb. Het achterhouden van informatie? Ben ik nu wat duidelijker?'

'Niet direct, nee. Bovendien, het achterhouden van informatie laat ik veel liever aan jou over. Daar ben jij veel beter in. *Cut the crap*, Andries, en zeg nou maar gewoon wat je wilt zeggen.'

'Ik vraag me af wat jij weet van De Oranje-dossiers.'

'Oranje dossiers?'

'Nee, niet oranje dossiers, De Oranje-dossiers.' Andries keek hem met opgetrokken wenkbrauwen aan. 'Nooit van gehoord?

Werner schudde zijn hoofd. 'Vertel, wat zijn dat?'

Andries zuchtte. 'Je kent de traditie toch van de wekelijkse gesprekken tussen onze premier en de koningin?'

'Ja?'

'Zoals de traditie betaamt, weet niemand iets van de inhoud van die gesprekken. Dat is iets tussen hen en dat blijft het ook. Nu, de onderwerpen die daar aan bod komen, worden bijgehouden in dossiers.'

'Ah, zo worden die dossiers dus genoemd.'

'Precies. Naast de lopende zaken wordt elke week een van die dossiers behandeld. Om ervoor te zorgen dat ze allemaal aan bod komen, zijn ze genummerd. Toen de premier merkte dat de volgorde niet klopte, beweerde de koningin dat het waarschijnlijk een fout was van degene die ze ooit genummerd heeft.'

'Hoe weet jij dat? Ik dacht dat de afspraak was dat niets wat daar wordt besproken naar buiten komt?'

'Waarom zou hij zich aan die afspraak moeten houden? Ze zit op die troon omdat ze geboren is, nergens anders om. Ze heeft toch niets meer te zeggen. Allemaal poppenkast. Maar goed, laten we het daar nu niet over hebben. Zij beweert dat het haar nooit eerder is opgevallen. Je weet hoe perfectionistisch ze is, dus het is een raar verhaal.'

'Uit de manier waarop je dat zegt, durf ik op te maken dat je Hare Majesteit niet gelooft.'

'Ik geloof haar inderdaad niet. De premier gelooft er ook geen moer van.'

'Andries toch. Beschuldig je haar ervan informatie achter te houden? Da's niet zo mooi. Over verraad gesproken. Dat is nogal wat, wat je daar zegt.'

'Je kunt er wel cynisch over doen, maar ik vertrouw haar niet. Aangezien jij een van haar lievelingetjes bent, geldt dat ook voor jou. Als zij een dossier voor onze premier achterhoudt, er een onderwerp is dat zij niet met hem bespreekt en met alle vorige premiers wel, lijkt het me duidelijk wie hier de verrader is.'

'Waarom denk je dat ik daar iets van weet, van dat verdwenen dossier?' Werner leunde voorover: 'Andries, laten we het beestje bij de naam noemen. Je wilt mij hier weg hebben en je zult er alles aan doen om dat voor elkaar te krijgen. Eigenlijk begrijp ik niet zo goed waarom. Ik doe wat ik moet doen, en doe daarbij ook nog eens mijn stinkende best. Wie heb je voor ogen Andries, voor mijn functie? Nou? Een van je vriendjes van het ministerie? Wat hebben ze je beloofd? Een jacht? Een vakantiehuis in Toscane?'

'Je denkt toch niet dat ik daar gevoelig voor ben?'

Daar had hij een punt, dacht Werner. Andries had geen auto, woonde in een klein appartement, in een chique buurt weliswaar, maar toch. De man was niet voor niets aangesteld als hoofd van de AIVD. Geld interesseerde hem geen moer, macht des te meer. 'Andries, ik heb echt geen idee waar je het over hebt.'

Andries stond op. 'Ik merk het al, aan jou heb ik niets. Zodra je hier iets over hoort, laat het me weten.' Hij leunde met zijn handen op Werners bureau en boog zich iets naar hem toe. 'Ik wil er graag van blijven uitgaan dat je loyaliteit van hetzelfde niveau is als toen je deze functie aannam. Ik neem aan dat je erover hebt nagedacht voordat je hiermee begon. Vergeet niet waarom je dat toen hebt gedaan, Werner. Het is geen makkelijke man om voor te werken, dat weten we hier allemaal, maar hij staat ergens voor waar wij achter staan. Zo is het toch?'

Werner knikte. 'Natuurlijk, anders zou ik hier niet zitten.'

'Natuurlijk niet.' Met die woorden draaide Andries zich om en beende de kamer uit.

Werner staarde naar de dichte deur en vroeg zich af hoe lang Andries al op de hoogte was van zijn twijfels. Misschien wel langer dan hij zelf.

11

Elsa perste zich in de bureaustoel. Het metalen stoelframe verdween haast in de zijkant van haar kolossale bovenbenen. Ze legde haar handen in haar schoot. 'Ik neem aan dat je ervan op de hoogte bent dat het bestuur van ons project ons met klem heeft verzocht aan het verzoek van jouw krant gehoor te geven? Het gaat ze om de publiciteit natuurlijk.'

Het viel Kes op dat Elsa's toon veel minder argeloos was dan daarnet. En minder hoog. Alsof het twee verschillende mensen waren. Tegen Donald sprak ze alsof hij een kind was, nu was dat totaal anders.

'Dat heb ik begrepen. Ik kan me daar eerlijk gezegd wel iets bij voorstellen. Publiciteit is tenslotte nooit weg en Manhattan is een actueel onderwerp. Ik begrijp niet waarom meneer Christie er zo moeilijk over doet.'

Elsa begon met haar vingers te friemelen. 'Omdat het allemaal nogal zinloos is.'

'Hoezo, zinloos?'

'Je moet iets begrijpen. Dit is Donalds levenswerk. Als het verdwijnt, als onze geldkraan voorgoed wordt dichtgedraaid, houdt het op.'

'Wat? Wordt het project stilgelegd?'

'Nog niet, maar dat zal niet lang meer duren. Het geld is op.'

'Dus daarom dringt het bestuur zo op jullie medewerking aan. Ze zijn zeker op zoek naar nieuwe donateurs. Is Donald van plan er de brui aan te geven?'

Elsa lachte kort. 'Donald en er de brui aan geven? No way. Hij zal er nooit mee stoppen, nooit. Het zou zijn dood betekenen.'

'Is dat niet wat overdreven?'

Met een trieste blik in haar ogen keek ze voor zich uit. 'Was dat maar zo. Kes, geloof mij maar.'

'Komt dit onverwacht?'

Elsa schudde langzaam haar hoofd. 'We hadden het natuurlijk kunnen verwachten, maar niet dat het zo erg zou zijn. Toen de crisis in Amerika en hier in alle hevigheid losbarstte, hadden mensen wel iets anders aan hun hoofd dan geld stoppen in iets waar geen winst uit voortkwam. Dat is nu nog steeds zo.'

'Naar mijn weten haalt niemand momenteel ergens winst uit.'

'Emotie speelt een grote rol als het om geld gaat. Gevoelsmatig vinden ze ons project weggegooid geld, terwijl ze van de kapitalen die ze op de beurs kwijtraken natuurlijk helemaal niets terugzien. Geen geld, geen product, geen prestige, helemaal niets. Wij leveren in elk geval nog iets op. Iets tastbaars. Misschien hadden we het aan moeten zien komen.' Ze zuchtte. 'Aan het begin van de crisis was er al even sprake van dat ons project zou worden stilgelegd. Het bestuur drukte ons toen op het hart dat het, als het zover zou komen, slechts een tijdelijke stopzetting zou betreffen. Het was een periode om op adem te komen, beweerden ze, om alles op een rij te zetten. Maar tijdelijk is een relatief begrip. In onze situatie betekent dat al snel een paar jaar. Donald is natuurlijk de jongste niet meer. Dus de kans zat erin dat we het nooit af zouden kunnen maken, in elk geval niet zelf, maar dat we dit project ooit aan anderen moesten overdragen, omdat we het zelf niet meer zouden kunnen volbrengen.' Elsa sloot haar ogen en schudde langzaam haar hoofd. Toen ze opkeek zag Kes een blik in haar ogen die onwaarschijnlijk fel was. Het gaf haar mooie, gladde vollemaansgezicht iets afstotelijks. 'Zie je het voor je? Ons levenswerk overdragen aan een stelletje dat net komt kijken?'

'Dat zou natuurlijk vervelend zijn, maar u weet net zo goed als ik dat de wereld zo in elkaar zit. Het overkomt iedereen. Op een gegeven moment ben je gewoon te oud voor je werk, moet je plaatsmaken voor de jongere generatie. Zo hoort het in mijn ogen ook te gaan.'

'Ja, jij hebt makkelijk praten. Wacht maar tot het bij jou zover is.' Met een zucht veegde ze haar haren achter haar oren. 'Ik snap wat je bedoelt, maar dat is het 'm nou juist. Voor wat wij doen kun je niet oud genoeg zijn. Het is niet zomaar het woordelijk vertalen van een stuk tekst. Wij moeten de tekst ook nog interpreteren. Je moet als vertaler tot in de details op de hoogte zijn van de situatie waar de schrijver van het document zich in bevond, iemand die eeuwen geleden zijn gedachten aan het papier heeft toevertrouwd, in een omgeving waar niemand meer iets van weet en bovendien in een land duizenden zeemijlen hiervandaan. Een land dat de eigen geschiedenis heeft verloochend en nog steeds doet alsof er nooit Hollanders zijn geweest. Omdat het ze niet goed uitkwam. Dat is het moeilijkst van alles. Wil je het echt kunnen snappen, dan moet je precies weten hoe het er in die periode in Manhattan en in Nederland aan toe ging. Sterker nog, je moet het niet alleen weten, je moet het voelen, je moet je er een voorstelling van kunnen maken.'

'En dat kunt u.'

Ze glimlachte. 'Donald is er beter in dan ik natuurlijk. Maar na twintig jaar kan ik het ook. Dat mag ook wel.'

'Ja, ik heb begrepen dat hij hier in 1974 mee is begonnen?'

'Officieel vier jaar later. De eerste vier jaar had hij een vaste aanstelling in de New York State Library in Albany. In 1978 was er voldoende geld opgehaald zodat Donald zich honderd procent op dit archief kon richten.'

'Het is niet mijn bedoeling uw werk te bagatelliseren, maar u bent er wel al heel erg lang mee bezig.'

'Door alle ellende die de documenten hebben meegemaakt, zijn vele niet volledig. Dat houdt in dat we van sommige stukken moeten gissen naar de inhoud van de zinsdelen. Soms zijn de documenten zo zwaar beschadigd, dat ze in feite onleesbaar zijn.'

'Jullie gokken wat er staat?'

'Je moet gissen niet al te letterlijk opvatten. Voordat we besluiten dat een document klaar is, gaat daar een uitgebreid onderzoek aan vooraf zodat we ons bij voorbaat een redelijk goed beeld van de inhoud kunnen vormen.'

'Een redelijk beeld. Dus honderd procent zeker weten jullie het dan niet.'

'Bij sommige stukken is die zekerheid inderdaad niet te geven.'

'Dat is toch niet te doen?'

Elsa glimlachte. 'Het maakt het er niet makkelijker op, nee.' Ze keek op toen de deur openging. 'Ah, Don. Je bent er weer. Ben je zover?'

Hij bromde iets onverstaanbaars en wenkte Kes.

'Ga maar gauw,' fluisterde Elsa.

Kes perste haar lippen op elkaar om het niet uit te schreeuwen.

Hoe durfde ze haar als een kind te behandelen. Wat een week. Wat een kutzooi. Ze rukte haar tas van de grond en stampte de kamer uit, Elsa verbaasd achterlatend.

Donald keek haar chagrijnig aan. Kes vond dat hij er nog beroerder uitzag dan daarnet. Wat er ook allemaal aan de hand was, ze was hier gekomen om een artikel te schrijven en dat zou ze doen ook. Ze had het helemaal gehad. 'Meneer Christie, ik hoop dat we kunnen beginnen aan datgene waar ik voor gekomen ben? Ik zou het echt heel erg op prijs stellen als u...'

'Je. Zeg maar Donald.'

'Het zou fijn zijn als je nu wat aandacht aan mij zou willen besteden.'

'Ik geloof niet dat je daar een tekort aan hebt.'

'Wat jij gelooft interesseert me niet echt.' Er viel een stilte. 'Sorry, zo bedoelde ik het niet, ik... ik had echt niet verwacht dat je me met open armen zou ontvangen, maar... Ik wil gewoon heel graag beginnen.'

Hij keek haar aan en schudde langzaam met zijn hoofd. 'Nee, ik ben degene die excuses moet aanbieden. Het spijt me, ik zit niet helemaal lekker in mijn vel de laatste tijd. Kom, ga zitten.'

'Is het iets... heeft het te maken met het geld?'

'Wat weet jij daarvan?'

'Elsa heeft mij net verteld dat je je zorgen maakt of het project wel afgerond kan worden.'

Donald liep rood aan. 'Ja, dat klopt. Het staat een beetje op losse schroeven allemaal. Elsa had je dat niet mogen vertellen. Ik hoop dat je er discreet mee om zult gaan.' Hij was woedend op Elsa. Nu had ze het aan deze journaliste verteld, een journaliste nota bene. Hoe haalde ze het in haar hoofd. 'Elsa en ik hadden afgesproken niets over het gesprek met John Henley te zeggen. Dat had John mij op het hart gedrukt.'

'John Henley?'

'Onze voorzitter.'

'Ah. Ik snap het al. Hij is waarschijnlijk bang dat als dit bekend wordt nog meer partijen afhaken.'

'En nieuwe donateurs kunnen we dan helemaal op onze buik schrijven. Ik kan dus rekenen op je discretie?'

'Helemaal.'

'Gelukkig. Nou, zeg het maar,' zei Donald. Hij wees naar de lees-tafel in het midden van de kamer. Toen ze zaten vroeg hij: 'Waar wil je beginnen? Het eiland, Henry Hudson, de kolonisten?'

'Hudson. Hij heeft het eiland ontdekt toch? Waarom hebben we dat eigenlijk aan een Engelsman overgelaten? Konden we het zelf niet?'

'Hudson was inderdaad een Engelsman, maar bij jullie in dienst, bij de Verenigde Oost-Indische Compagnie. Jullie konden dat zeker zelf. Jullie hadden genoeg kennis en materieel in huis om de expe-ditie zelf te ondernemen, maar jullie wisten dat als jullie deze klus aan Henry Hudson zouden overlaten, hij tot het gaatje zou gaan. Echt, tot het gaatje. Kijk, Hudson was een fenomeen in die tijd, een man die bijna obsessief was in zijn gedrevenheid nieuwe vaarroutes te ontdekken. Het was zijn lust en zijn leven. Zijn gedrevenheid maakte hem uitermate betaalbaar, en die combinatie maakte hem voor jullie zuinige Hollanders natuurlijk een perfecte opdracht-nemer.'

'Cliché.'

'Clichés zijn altijd waar.'

'En die goedkope geobsedeerde Henry kreeg van ons dus de op-dracht op zoek te gaan naar een stuk land waar wij een kolonie konden stichten?'

'Totaal niet. Zijn opdracht luidde als volgt: Henry, ga op zoek naar een kortere vaarroute naar de Oost. Dat was jullie belangrijk-ste handelspartner, nou ja, handelspartner, eerder een deel van de wereld dat toen door jullie werd leeggeroofd.'

'Hm.'

'Hollanders voeren toen altijd via een zuidelijke route naar Chi-na, een route die eindeloos duurde en zeer gevaarlijk was. Voordat de kostbare handelswaar de haven van Amsterdam bereikte, gin-gen er maanden voorbij. De heren van de voc vonden dat allemaal veel te lang duren. Er moest een kortere route gevonden worden. En snel ook, want er waren meer kapers op de kust die het mono-polie op een dergelijke vaarroute wilden hebben. Op dat moment was er maar één persoon van wie ze zeker wisten dat hij er vaart achter zou zetten. Henry Hudson.'

'En die koerste meteen richting westen voor een kortere route naar het oosten? Die logica ontgaat mij.'

'Hij ging ook niet meteen naar het westen, dat was helemaal niet de bedoeling. Het was hem zelfs strikt verboden die kant uit te varen, want ze kenden hem maar al te goed, stronteigenwijs als hij was. Nee, hij moest de route via het noorden vinden, om Rusland heen. Die instructie kreeg hij mee. Onder geen beding mocht hij een andere passage of route ontdekken dan de noordelijke. Bovendien, via het noorden was volgens iedereen, waaronder de VOC, de meest logische weg. Hudson deed keurig wat er van hem werd verlangd, maar tijdens die expeditie nam Hudson de beslissing om de geruchten die toen gingen voor waar aan te nemen.'

'En die luidden?'

'Dat er dwars door Amerika, dwars door de Nieuwe Wereld, een rivier liep die het land doormidden sneed. Volgde je die rivier, dan kwam je uiteindelijk bij China uit. Hudson geloofde heilig in die verhalen.' Donald liet zijn stem iets zakken. 'Stel je voor. Hij keert zijn kleine schip *Halve Maen* en vaart tegen zijn opdracht in precies de andere kant op, naar het westen. Deze reis verloopt wel voorspoedig en al snel is hij op de plaats van bestemming. Langzaam vaart hij langs de kust. Het is niet meteen raak. Hij probeert verschillende baaien uit. Elke keer opnieuw is het een tegenvaller. Soms eindigt de riviermonding in een smal riviertje waardoor ze niet meer verder kunnen, soms is de rivier breed maar ondiep en loopt *Halve Maen* vast. Dan vaart Henry de rivier op die uiteindelijk naar hem vernoemd is: de Hudson. Hoe verder hij komt, hoe meer hoop hij krijgt. Zou dit hem zijn? Is dit de korte route naar de Oost? Zou de rivier helemaal doorlopen naar de zee? Zou hij breed en diep genoeg zijn?' Aangezien Donald even stil bleef en haar vragend aankeek, gaf Kes antwoord.

'Nee?'

'Dat was een retorische vraag. Enfin. Nee, dus. Hij kwam ver, maar uiteindelijk moest hij keren voordat zijn schip vast zou komen te zitten.'

Kes bladerde door haar aantekeningen. 'Waar ik wel benieuwd naar ben, is hoe het komt dat wij in de Amerikaanse geschiedenisboekjes zo'n marginale rol spelen. Een Amerikaan die zijn afkomst verloochent is haast hetzelfde als een Amsterdammer die voor Feyenoord is. Die mensen zijn schaars. Ik begrijp het niet. Heb jij daar een theorie over?'

'Daar heb je gelijk in, al is de term "afkomst" in dezen een groot woord, maar ik snap wat je bedoelt. Amerikanen houden liever het beeld vast van een groep Engelse pelgrims die hier aankwam. Waarom? Het past nou eenmaal beter binnen hun plaatje, een plaatje dat trouwens pas in de tweede helft van de negentiende eeuw vorm aannam. De pelgrims waren mensen die een sober en hardwerkend boerenleven leidden, christenen bovendien. Dat deze strenggelovigen hun hele omgeving terroriseerden omdat ze hun religie aan iedereen wilden opdringen, deed en doet voor hen niet ter zake. Alles beter dan de genen te delen met een groep ongeschoolde Hollanders, en laten we de Walen trouwens niet vergeten. De mythe is dat de eerste kolonisten die daar voet aan wal zetten, onbehouwen lieden waren die jaagden op alles wat poten, vleugels en vinnen had. Hoerenlopers waren het bovendien, zonder christelijke waarden en normen. Zodra de stad zich gevormd had, bewogen ze zich stomdronken door de straten van Nieuw-Amsterdam waar vechtpartijen aan de orde van de dag waren. Tuig van de richel.'

'Was het zo erg?'

'Dat viel allemaal wel mee. Het waren mensen die daar wat geld wilden verdienen en dan weer terug. Het was geen makkelijke beslissing om te nemen. Je moest echt behoorlijk wanhopig zijn om Holland te verlaten, want de mensen hadden het hier over het algemeen erg goed. Zelfs voor de allerarmsten was, relatief gezien uiteraard, het een en ander goed geregeld.'

'Welke worst werd hun voorgehouden?'

'Ah, ja, de worst. De worst was landeigendom. De eerste groep kolonisten ging daar naartoe met het vooruitzicht op een stuk grond. In ruil daarvoor moesten ze er wel minstens zes jaar blijven.'

'Dus je kreeg gratis en voor niks een stuk land waar je je huis kon bouwen en dat je naar eigen believen kon bewerken? Klinkt als een mooi aanbod.'

'Tot op zekere hoogte was dat natuurlijk zo. Maar vergeet niet dat daar echt niets was. Helemaal niks, nada, niente. Er was voor die mensen niets geregeld. Zodra ze daar in de wildernis werden gedumpt en van de schrik bekomen waren, groeven ze een vierkant gat in de grond en legden er takken en bladeren overheen. Als dieren woonden ze daar, diep in de grond, tot ze hun huis hadden gebouwd, boven op dat gat dat later de kelder werd. Zie je het voor je?'

'Dat lijkt me afzien.'

'Het was inderdaad een keihard bestaan, eenzaam bovendien. Maar degenen die het daar redden, de echte diehards, die konden wel tegen een stootje. Het is mede dankzij hun inzet en inspanningen dat Amerika is geworden tot het land dat het is. Ook hun mentaliteit is nooit verloren gegaan. Dan heb ik het niet alleen over de Nederlandse kolonie, maar ook over de Zweedse, de Engelse en de Franse bijvoorbeeld.'

'Die zaten daar ook allemaal?'

'Jazeker. En aangezien het gras van de buurman altijd groener is, zal het je niet verbazen dat ze altijd op elkaars land zaten te azen.'

'En de Engelsen wilden dat stuk van ons.'

'En kregen het ook, maar daar komen we later nog wel over te spreken. Wat er nog bij komt is dat de eerste historici die zich op de geschiedenis van Amerika stortten het feit dat Hollanders ooit het bestuur van Manhattan hadden gevormd niet echt belangrijk vonden.'

'Die historici waren waarschijnlijk van Engelse afkomst.'

'Natuurlijk.'

'Vandaar.'

Donald Christie keek naar de jonge vrouw die tegenover hem zat. Hij had haar onderschat. Dat was niet helemaal zijn schuld, vond hij. Moest ze zich maar naar haar herseninhoud kleden. Dat shirtje, die laarzen. Het was allemaal op het randje, bijna ordinair. Het was haar gezicht waardoor ze die rand net niet overschreed. Dat was van een klassieke schoonheid. Donald maakte een mentale notitie dat hij er de komende tijd rekening mee moest houden dat ze niet op haar achterhoofd was gevallen. Ze was slim, en hij begon zich op zijn gemak te voelen. Dat was gevaarlijk. Hij moest alert blijven en in de gaten houden dat hij zijn mond niet voorbijpraatte.

12

Nick Olsons aanwezigheid bleef in een walm van aftershave bij Stedmans bureau hangen. Terwijl ze de afspraken van die dag hadden doorgenomen, voelde Stedman aan zijn water dat Nick al aan het nadenken was over zijn volgende baan. Als een rat was Nick het zinkende schip aan het verlaten.

Stedman was er niet rouwig om. Olson was nu een jaar bij hem in dienst en hij deed zijn werk uitstekend. Niets werd over het hoofd gezien, niets werd aan het toeval overgelaten, niets ontging hem. Precies wat Stedman nodig had. Maar de laatste tijd begon Stedman zich te ergeren aan Nicks bemoeizucht die hem net een tandje te ver ging. Hij waardeerde het enorm dat Nick uit zichzelf allerlei werkzaamheden had verricht die jaren waren blijven liggen omdat de prioriteit er simpelweg niet lag. Zo had hij onlangs het hele projectarchief van Cruiser Real Estate op orde gebracht en had aan de hand daarvan een database aangelegd van alle projectontwikkelingen en iedereen waar Stedman ooit contact mee had gehad. Nick was een geconcentreerde werker, maar tijdens hun bespreking van daarnet merkte Stedman dat Nick zijn gedachten er niet meer helemaal bij had. Hij wist dat het tijd was afscheid te nemen van Olson voordat die zelf op dat idee zou komen. Want niemand nam ontslag bij Stedman Cruiser.

Stedman keerde zich van het raam en plofte in zijn stoel. De geur van leer steeg op, bereikte zijn neus en wakkerde zijn gedachten over die cruciale ontmoeting aan. Het was een avond die hij het liefst wilde vergeten.

Bij de garderobe van het Metropolitan Museum had hij achter haar gestaan. Op het moment dat ze haar bonnetje in haar tas wilde stoppen, liet ze dat uit haar handen vallen. Hij had de tas opgeraapt en ving een vleug op van nieuw leer. Pas toen had hij haar aangekeken.

'Dank u wel,' zei ze, 'dat is erg vriendelijk van u.' Met een glimlach had ze haar tas aangepakt.

Het sponsordiner was ter ere van de opening van een expositie over Frank Lloyd Wright. Toen ze een uur later aan tafel gingen, bleek zij naast hem geplaatst te zijn. De vrouw stelde zich aan hem voor als Margaret Hendricks. Ze was het type bibliothecaresse, en dan niet van het soort dat na verwijdering van bril en haarspeld veranderde in een femme fatale. Hij schatte haar rond de vijftig.

Ze was een perfecte gesprekspartner. Stedman was op zijn gemak en voelde zich gevleid door haar interesse in hem. Vrijuit gaf hij antwoord op haar vragen. Toen ze hem vroeg waar hij oorspronkelijk vandaan kwam, keek hij daar niet van op. Waarom zou hij ook? Dat was een doodnormale *conversation piece*. Toen hij haar vertelde dat hij dat niet precies wist, en ze daar over door bleef vragen, bedacht hij dat al die aandacht toch ergens toe moest leiden. Daarin zat zijn ego hem nooit in de weg. Hij kende mensen goed genoeg om te weten dat ze vaak gesprekonderwerpen aansneden waarmee ze aandacht voor zichzelf vroegen. Dan hoopten ze dat je hen dezelfde vraag zou stellen waardoor ze hun verhaal kwijt konden. Toen hij niet meteen antwoord gaf, zei ze: 'Míjn voorouders komen uit Nederland.' Ze keek er triomfantelijk bij.

'Zo, zo.'

'Ja, uit Amsterdam. Prachtige stad. Bent u daar weleens geweest?'

Stedman had niet de intentie deze vrouw te vertellen dat hij niet alleen geen idee had waar zijn voorouders vandaan kwamen, maar dat het hem totaal niet boeide, en dat hij vanwege zijn vliegangst nooit in Europa was geweest en overzeese besprekingen aan zijn medewerkers overliet. Hij slikte zijn hap door, herinnerde zich iets wat hij ooit over Amsterdam had gelezen en zei: 'Onbegrijpelijk hoe ze dat voor elkaar hebben gekregen om die huizen daar zo te bouwen, op palen nota bene, met al dat water.'

'Ongelooflijk inderdaad. Wat een volk. Sowieso vreemde snuiters, vindt u niet? Dat ze dat durven, zo onder dat zeeniveau te wonen. Alsof het de gewoonste zaak van de wereld is. Zou u daar willen wonen? Mij niet gezien. Brr, doodeng lijkt me dat, zo'n zee die elk moment kan binnenkomen. Nee, laat mij maar hier zitten, toch?'

Stedman had net een stuk vlees in zijn mond gestopt en knikte al kauwend terwijl ze doorsprak.

'Vindt u het ook zo onvoorstelbaar dat deze plek, hier, waar we nu zitten, in hun handen is geweest? Dat zij zich als eersten hier hebben gevestigd. Elke keer als ik daaraan denk, ben ik gewoon een beetje trots. U niet?'

Stedman knikte. 'Daar staat me inderdaad vaag iets van bij.'

Ze nam een slok wijn. 'De Amerikanen denken haast allemaal dat het de Engelsen waren, die fout maakt bijna iedereen. Maar nee, het waren de Nederlanders. Mijn voorvaderen.' Ze knikte enthousiast. 'Ik moet zeggen dat ik erg blij ben dat ik vanavond naast u ben geplaatst. U moest eens weten hoeveel moeite me dit heeft gekost.'

Stedman keek haar verbaasd aan.

Ze begon te giechelen. 'O, nee, u begrijpt me verkeerd, ik bedoel het niet persoonlijk. Moeite om hiervoor uitgenodigd te worden, dat is wat ik wilde zeggen. Het is voor het eerst sinds jaren dat er weer iemand van ons bij is.' Ze knikte hem bemoedigend toe, dus hij kon niet anders dan vragen: 'Ons?'

'Ja, onze familie. Jarenlang waren wij een belangrijke geldschieter van het museum. Tot mijn vader bankroet ging. In een keer was alles weg. Foetsie.' Ze keek om zich heen en boog zich samenzweerderig voorover. 'Dat is waar het hen hier om draait, weet u, geld. Daarom zijn wij uitgenodigd, echt niet omdat we zo aardig zijn. Ja, dat is het enige wat telt. Geld. Dus ga ik ervan uit dat u niet onbemiddeld bent, dat u hier heel wat in de melk te brokkelen heeft. Hebt u daardoor ook invloed op het beleid van het museum? Of over wie er wordt aangenomen bijvoorbeeld?' Ze knikte hem weer toe, deze keer ietwat moederlijk. Stedman begon zich te ergeren. Directe vragen kon hij prima handelen. Insinuaties, daar hield hij niet van.

'Als het ze hier alleen om geld gaat,' vroeg hij vilein, 'mag ik dan vragen wat u hier doet?'

Ze verstarde een moment en keek hem bedachtzaam aan. 'Sommigen denken dat geld en aanzien altijd samengaan. Misschien bent u ook zo iemand. Wel, ik zal u uit de droom helpen. Dat is niet zo. Ik heb geen geld, wel aanzien. Door mijn afkomst, door wat mijn familie voor deze stad en voor dit museum heeft gedaan. En u?

Hoe zit dat eigenlijk bij u, meneer Cruiser? Kijken ze naar u op?'

Stedman was zo geschokt door haar sarcasme dat hij haar alleen maar sprakeloos kon aankijken. Hij had haar verkeerd ingeschat. Het kon ook zijn dat de alcohol haar parten speelde. Het was Stedman al opgevallen dat ze haar wijn achteroversloeg alsof het limonade was.

'En als ze naar u opkijken, meneer Cruiser, is het dan om uw geld, of door wat u voor anderen hebt gedaan, wat u voor de gemeenschap hebt betekend bijvoorbeeld?'

'Eerlijk gezegd vind ik dat een behoorlijk impertinente vraag. Hebt u die directheid soms van uw voorvaderen geërfd? Daar staan die Nederlanders toch om bekend?'

Ze viel direct terug in haar rol en leek geschrokken door wat ze had gezegd. 'Nee, sorry, u hebt gelijk. Het spijt me dat het zo overkomt, zo heb ik het niet bedoeld. Ik was gewoon nieuwsgierig.'

'Nou, als u het echt wilt weten. Ik ben bezig met de herbouw van een aantal panden op het WTC-complex. Ik heb daar twee herontwikkelingen lopen, The Freedom Tower en World Trade Center Number 4.'

'Werkelijk?' Even keek ze hem met een vreemde blik aan. Toen lichtte haar gezicht op en kreeg hij de reactie die hij had verwacht omdat hij die altijd kreeg als hij dit kenbaar maakte. Vol bewondering keek ze hem aan en legde haar bestek neer.

'Mijn hemel. Bent u daarbij betrokken? Wat fantastisch. Wat een prachtproject moet dat zijn om aan te werken. Dat lijkt me echt formidabel, om op zo'n manier bij te kunnen dragen aan de geschiedenis van New York, van dit hele land. En dat u dat zomaar doet. Ongelooflijk. Het bouwen van die toren moet u ontzettend veel geld kosten, toch?'

Stedman liet haar opmerking voor wat die was. Als ze echt zo gek was te denken dat de bouw van de toren een soort liefdadigheidsproject was, dan was ze nog te dom om te poepen. Ergo, het was volkomen zinloos om haar uit te leggen hoe het echt zat. Ze zou er toch niets van begrijpen. Net als de meeste mensen die hij in het wild tegenkwam, was ze niet van deze wereld, en zeker niet van die van hem.

'Dat had ik nou niet echt gedacht van iemand als u.'

Stedman trok zijn wenkbrauwen op. 'Iemand als ik?'

Iedereen in de New Yorkse vastgoedwereld, maar ook in kringen ver daarbuiten, kende zijn naam. Cruiser was puissant rijk en werd gezien als dé projectontwikkelaar van New York. Zodra er op het dichtbevolkte eiland, met haar 26.000 inwoners per vierkante kilometer, iets te ontwikkelen viel, was Cruiser er als de kippen bij. Ze konden niet om hem heen, al zouden ze willen. Overal had hij een vinger in de pap. Aannemers stonden in de rij om bij hem in een goed daglicht te komen. Dan was werk gegarandeerd. Bij de gemeente en de New York Port Authority kende hij iedereen die ook maar enige invloed had als het om vastgoed ging. Velen stonden op zijn loonlijst, zoals hij dat noemde. Eenmaal op de lijst, konden ze nooit meer terug, zaten ze de resterende tijd van hun, vaak ambtelijke, loopbaan aan hem vast. Hij zorgde ervoor dat hij er altijd van op de hoogte was als een van zijn 'werknemers' met pensioen ging of werd overgeplaatst. De vervanger werd meteen warm onthaald voor een diner bij hem thuis. Hij nodigde dan zo veel mogelijk prominente New Yorkers uit, terwijl het hem er alleen om te doen was de nieuwbakken ambtenaar voor zich te winnen. In negen van de tien gevallen lukte hem dat ook.

Stedman Cruisers frauduleuze praktijken waren binnen de vastgoedwereld een publiek geheim. Omdat iedere betrokkene er beter van werd of ooit beter van was geworden, trok niemand zijn mond open. Er was weleens onderzoek gedaan, maar ze waren niet verder gekomen dan hem betrappen op een minimale fraude bij een kleinschalige ontwikkeling. Het onderzoeksteam wist niet dat hij er zelf voor had gezorgd dat dit specifieke project onder de aandacht kwam bij het Openbaar Ministerie. Hij vertrouwde de ambtenaar die hem erbij had geholpen niet langer. De man had zich onlangs aangesloten bij de Newborn Christians en Stedman was bang dat hij daar ter plekke al zijn zonden zou opbiechten, waaronder het aannemen van twintigduizend dollar om de bouwvergunning voor Stedman te regelen. Hij had deze malversatie zelf laten lekken, en was er met een kleine boete van afgekomen.

'Ja, ik bedoel dan van iemand die in de vastgoedbranche zit,' zei ze. 'Dat is niet bepaald een sector die bekendstaat om zijn gulle giften en ook een die niet gespeend is van criminele handelingen. Dat is toch zo? Als je hier grond bezit, krijg je er volgens mij vanzelf mee te maken.' Ze zuchtte diep.

Stedman was blij dat ze van onderwerp was veranderd. Hij nam een slok wijn, veegde zijn mondhoeken af en zei: 'Bent u momenteel in iets verwikkeld? Kan ik u misschien ergens bij helpen?' Het zou niet de eerste keer zijn dat hij zijn hulp aanbood en langs die weg een juweeltje van een project in handen kreeg. Je kon nooit weten.

Met een kleine glimlach schudde ze haar hoofd. 'Nee, dank u wel, dat is erg vriendelijk aangeboden, maar dit is een familiekwestie.'

'U maakt me nu wel heel erg nieuwsgierig,' zei Stedman en schonk haar wijnglas vol.

Ze leunde opzij en legde haar hand op die van hem. Haar lippen streken licht over zijn oorschelp. In een reflex trok hij zijn hoofd terug.

'Ik ben ook met een project bezig, net als u. Maar dat van mij is geheim,' fluisterde ze. Ze leunde achterover en keek Stedman, die quasi-ongeïnteresseerd zijn schouders ophaalde en zijn lepel in zijn toetje stak, triomfantelijk aan. De zoete massa bezorgde hem een grimas op zijn gezicht. Snel slikte hij het door en nam een slok water. Ze gaf hem een zachte por tegen zijn arm.

'Nou? Heb ik u niet nog nieuwsgieriger gemaakt?'

'Zeker wel, maar als u er niets over kwijt wilt, zal ik ook niet aandringen. Mensen zoals u en ik houden dit soort zaken nou eenmaal liever voor ons.'

Aan haar reactie merkte hij dat ze zich vereerd voelde dat hij haar zag als een gelijkgestemde, als een collega, iemand die ook in het vak zat. Dat was precies zijn bedoeling. Het werkte altijd. Hij bekeek haar profiel terwijl ze weer een grote slok wijn nam. Haar wangen waren rood en ze had vlekken in haar nek. Een haarsliertje plakte tegen de zijkant van haar gezicht en haar bovenlip was vochtig.

Ze zette haar glas op tafel. 'Nou, vooruit dan maar. Volgens mij bent u wel te vertrouwen, ik bedoel, iemand die de Twin Towers herbouwt, moet wel een goed persoon zijn.' Terwijl Stedman zich afvroeg waar ze in hemelsnaam deze gedachte vandaan haalde, zei ze: 'Ik zal het u zeggen, maar u moet mij beloven dat het onder ons blijft. Het is niet de bedoeling dat dit aan de grote klok wordt gehangen. Het is al lastig genoeg zonder publiciteit. Ik moet er niet aan denken wat er gebeurt als de media zich erop storten.'

'De media reken ik niet onder mijn grootste vrienden. Bovendien, waarom zouden ze dat doen denkt u, zich erop storten?'

'Het is een fascinerend verhaal.' Met haar wijsvinger trok ze kleine cirkels op het tafelkleed. Toen reikte ze naar het zoutvaatje, draaide het open en leegde het op de tafel. Met opgetrokken wenkbrauwen keek Stedman naar de zoutheuvel die tussen hun borden lag.

'Kijk,' zei ze. Met haar vlakke hand spreidde ze het zout uit. 'Stelt u zich eens voor dat dit een stuk land is.'

Hij knikte.

'Stel, dit is van uw ouders.' Als een illusionist gleed ze met haar hand net boven de zoutlaag. 'Na het overlijden van uw ouders wordt het land verdeeld over de kinderen. Het zijn er drie, dus in drie stukken.' Ze trok twee strepen in het zout en verdeelde het in drie gelijke driehoeken. 'Dit kind verkoopt zijn land. Dat kan dus weg,' met haar hand veegde ze het van tafel. Toen veegde ze haar handen tegen elkaar, wees naar het zout dat er nog lag en zei: 'Deze erfgenaam behoudt het land en gaat er zelf wonen. En het laatste kind verpacht het.'

Dit was geen hogere wiskunde, dacht Stedman en knikte. 'Er zijn dus nog twee stukken in volledige eigendom van de familie. Uw familie als ik het wel heb.'

'Zo denken wij er ook over. Maar was het maar zo eenvoudig.'

'Ik ken de details natuurlijk niet, maar mijn eerste indruk is dat u het recht aan uw kant hebt.' Stedman duwde zijn vinger in het bovenste deel. 'Dit is nog steeds van jullie. En wat het resterende deel betreft, verpachten is niet verkopen. De pachters hebben recht op het gebruik van de grond, niet op de grond zelf. Dat blijft dus in uw eigendom.'

'En wat als blijkt dat die pachters, na honderden jaren vruchtgebruik, het land hebben doorverkocht? Wat dan meneer Cruiser?'

'Dan zitten zij fout. Over hoeveel jaar geleden hebben het hier eigenlijk?'

'Meer dan driehonderdtachtig jaar.'

'Wow. Verjaring?'

Ze schudde haar hoofd. 'Speelt geen rol. Officieel hebben wij gewoon recht op dat land.'

'Hebben jullie bewijsstukken? Eigendomsaktes? Pachtovereenkomsten? Dat soort zaken?'

'Meneer Cruiser, u raakt de kern van het probleem. We missen het belangrijkste stuk: het document dat bewijst dat die twee stukken land nog steeds van ons zijn, dat onze familie het ooit in bezit heeft gehad. Maar daar wordt aan gewerkt.'

'Mag ik vragen waar dat stuk land ligt?'

'Dat vertel ik u liever niet.'

Stedman duwde met zijn vinger in het zout en dacht na. Toen zei hij: 'Wie is hier nu mee bezig? U doet het toch niet alleen?'

'O nee, we doen het met z'n allen. Een ver familielid van mij dat in Nederland woont, heeft het initiatief genomen en heeft in Nederland en hier in Amerika familieleden opgespoord.'

'Vanuit Nederland helemaal. Zo, zo, wat nobel van hem. Hij had die ontdekking ook voor zichzelf kunnen houden. Dan was ie misschien helemaal binnengelopen.'

'Meneer Cruiser, daar heeft hij echt het geld niet voor. Om ons gelijk te krijgen, moeten we een gerechtelijke procedure starten. Die kosten kunnen enorm oplopen, maar dat hoef ik u niet te vertellen natuurlijk.'

'Dus hij heeft u allemaal nodig om het geld voor de rechtszaak bij elkaar te krijgen.'

'Jaarlijks storten wij een bedrag in de gemeenschappelijk pot. Daar wordt de rechtszaak straks van bekostigd.'

'Over hoeveel mensen hebben we het eigenlijk?'

'Mijn familie? Dat zijn er inmiddels rond de drieduizend, verspreid over Nederland en hier. Maar niet iedereen doet mee, hoor, sommigen zijn er heel sceptisch over en vinden het weggegooid geld.'

'En die rechtszaak, wanneer gaat u daarmee beginnen, denkt u?'

'O, dat duurt nog wel een tijdje. Eerst moeten we dat document natuurlijk vinden.'

'En dat doet die Nederlander ook, neem ik aan.'

'Ja, Olaf is daar enorm mee in de weer.'

'Kost ook geld zeker?'

Er verscheen een frons tussen haar wenkbrauwen. 'Ja, hij...' Ze stopte en keek hem aan. 'Meneer Cruiser, u wilt toch niet insinueren dat er iets achter zit? Dat u denkt dat mijn eigen familie...'

'Wat? List en bedrog? Waarom niet? Als u met drieduizend personen bent, en u stort jaarlijks een bedrag op zijn rekening, een bedrag dat niet gering zal zijn, kan dat lekker oplopen.' Hij leunde achterover en zei: 'Om eerlijk te zijn vind ik het een onwaarschijnlijk verhaal. Hoeveel zou dat nou moeten kosten? Een geschil over een stukje land ergens in the middle of nowhere? Inderdaad ja, als u het mij vraagt wordt u erin geluisd.'

Ze werd nog roder dan ze al was. 'Hoe durft u dat te beweren en mijn familielid zo door het slijk te halen. U hebt geen idee wie hij is, welk stuk land het betreft, hoe groot het is, waar het ligt, wat het waard is. U weet niets. Helemaal niets.'

'Sorry, ik wilde u alleen maar waarschuwen. Misschien kan ik helpen?'

Ze pakte haar glas, goot de laatste slok naar binnen en zei met overslaande stem: 'Het spijt me, maar ik kan u niet vertellen waar het ligt. Het zou zomaar kunnen dat u ons kunt helpen, maar ik heb het beloofd.'

'Mevrouw Hendricks, u hoeft zich niet zo op te winden,' zei Stedman. 'Ik hoef het ook niet te weten. Ik wil het niet op mijn geweten hebben dat u uw belofte tegenover uw familie verbreekt. Zij betekenen natuurlijk heel veel voor u. Natuurlijk heb ik veel ervaring met dergelijke zaken, heel veel zelfs, en onnoemelijk veel contacten, maar ik kan me voorstellen dat u niet zit te wachten op mijn advies.'

De frons tussen haar wenkbrauwen sprak boekdelen. Ze keek hem aan en hij zag haar een afweging maken, kon haast letterlijk de voors en tegens van haar gezicht aflezen. 'Oké, misschien hebt u gelijk. Nu zal ik het u zeggen ook.' In zijn hoofd hoorde Stedman tromgeroffel dat steeds luider werd.

'Dat land van ons, dat kleine lapje grond in the middle of nowhere zoals u beweert, dat ligt hier.' Met haar vinger prikte ze in het zout.

Stedman keek verveeld naar het tafellaken. 'Ja, dat begrijp ik, daar hebben we het net over gehad. Ik...'

Hij zag aan hoe haar lichaam bewoog dat ze met haar voet op de grond stampte. 'Nee, nee, u begrijpt me verkeerd. Ik bedoel hier, waar we nu zitten, in Manhattan.' Haar wenkbrauwen reikten haast tot in haar haargrens en ze hield haar handen op alsof ze wilde zeggen dat het logisch was, dat het de normaalste zaak van de wereld was dat zij een stuk van Manhattan bezat, de stad waarvan de grond biljoenen waard is, de stad waar de kavels al eeuwen geleden verdeeld waren en haast niets meer in particuliere handen was. De vrouw wist niet dat ze een memorabel moment meemaakte, want het was een van de weinige keren in zijn leven dat Stedman geen woord kon uitbrengen.

'En het is trouwens helemaal geen klein lapje grond, het is best een groot stuk.' De woorden kwamen nu lallend uit haar mond, en ze wiegde langzaam heen en weer.

Hij schraapte zijn keel. 'Mevrouw Hendricks, hoe groot is het precies?'

'Exact weet ik het niet, maar het bestrijkt al snel een vierkante kilometer.'

Stedman verslikte zich in zijn eigen speeksel en begon te hoesten.

Terwijl hij daar in zijn stoel op zijn kantoor zat na te denken over zijn gesprek met Margaret Hendricks, vroeg Stedman zich af of het uiteindelijk iets zou hebben uitgemaakt als hij haar toen niet had gesproken. Vroeg of laat zou dit nieuws hem wel hebben bereikt. Toch kon hij het nog steeds niet verkroppen dat hij er op deze manier achter was gekomen, en niet zelf. Want hij was ervan overtuigd dat als hij eerder had in kunnen grijpen, hij alles onder controle had gekregen en het naar zichzelf had toe kunnen trekken. Op wat voor manier dan ook. En nu was die controle ver te zoeken. Heel ver.

13

'Donald?'

'Sorry. Waar waren we gebleven?'

Kes tikte met haar pen tegen haar tanden. 'Bij de kolonisten, maar ik wil graag iets meer weten over het archief. Ik heb gelezen dat het allerlei rampen heeft overleefd, dat het een wonder genoemd mag worden dat er nog iets van overgebleven is.'

Donald knikte en boog zich naar Kes. 'Ze zeggen dat Peter Stuyvesant het heeft vervloekt,' fluisterde hij.

'Luistert hij soms mee?' vroeg Kes geamuseerd.

'Heb je hem niet zien staan?'

Kes vroeg zich af in welk gekkenhuis ze nu weer was beland en zei: 'Nee, waar dan?' terwijl ze op een overdreven manier om zich heen keek.

'Buiten,' wees Donald.

Kes stond op en liep naar het raam. 'O, moet dat Peter Stuyvesant voorstellen? Ze wees naar het beeld op de binnenplaats. 'Dat gekke mannetje daar op die sokkel? Hij ziet er niet echt indrukwekkend uit.'

Donald kwam naast haar staan en sloeg zijn armen over elkaar. 'Zeg het maar niet te hard. Hij is nog steeds woedend.'

'Zo kijkt hij inderdaad. Op wie?'

Donald haalde haar schouders op. 'Op wie niet, kun je beter vragen. Op iedereen die hem ervan weerhield dat hij zijn geliefde kolonie kon behouden. Hij komt er in de annalen niet al te best van af.'

'En daarom wil hij zeker dat het archief verdwijnt? Je gelooft toch niet echt dat hij het archief heeft vervloekt?'

Glimlachend schudde hij zijn hoofd. 'Nee, natuurlijk niet, maar dat zeggen Elsa en ik altijd tegen elkaar. Wel is het zo dat de stukken inderdaad elke ramp hebben overleefd. Het lijkt wel alsof een beschermengel eeuwenlang bezig is geweest het hele zaakje te redden uit de klauwen van de duivel. Niet alles is behouden gebleven, maar uiteindelijk toch heel wat, zeker als je weet wat het heeft moeten doormaken. Dat maakt dit archief nog unieker dan het al is.'

Kes knikte. 'Schaamt Stuyvesant zich er soms nog steeds voor dat de Engelsen Manhattan van ons hebben veroverd?' Ze keek naar Donald die nog steeds uit het raam staarde.

'Veroverd is een verkeerd gekozen term.' Hij draaide zich om. 'Ik weet precies welke voorstelling jij je daarbij maakt.' Hij spreidde zijn armen: 'Een immense zeeslag waar werd gevochten voor het landsbehoud. Honderden scheepskanonnen sloegen gaten in de muren van Fort Amsterdam. Duizenden doden vielen te betreuren, gewonden lagen te creperen op de kade. En uiteindelijk, na weken strijd, hesen de uitgeputte Hollanders, die er alles aan hadden gedaan het eiland te behouden, een vervuilde witte vlag.'

'Zoiets ja.'

'Zo is het niet gegaan. De Engelsen zijn gewoon met een squadron in de baai gaan liggen. Toen hebben de Hollanders zich overgegeven.'

'Maar waarom zo makkelijk? Hebben wij dan helemaal geen weerstand geboden?'

'Om te beginnen waren de Hollanders door de Engelsen misleid. Die hadden valse informatie verspreid. De bewindhebbers van Amsterdam trapten erin. Ze lieten Stuyvesant weten dat het squadron slechts de begeleiding van een commandant betrof die namens het bestuur de kolonies van Nieuw-Engeland zou komen inspecteren.'

'Een soort paard van Troje dus.'

'Zo kun je het noemen, maar dan geef je de Hollanders iets te veel eer, vind ik. Ik zou eerder zeggen dat ze ontzettend dom zijn geweest om dit verhaal te geloven. Stuyvesant nam er kennis van en vertrok met een gerust hart uit Manhattan, want hij moest problemen oplossen die er met Mohawks waren, een paar honderd kilometer van Manhattan vandaan. Toen hij daar aankwam, hoorde hij dat er Engelse oorlogsschepen in de baai van Manhattan lagen en dat de sfeer zeer grimmig was. Hij wist niet hoe snel hij terug moest komen. Eenmaal daar zag hij dat het klopte. Hij wist meteen dat hij voor een onmogelijke opgave stond. Op Manhattan waren maar zo'n tweehonderd man die een gevecht konden aangaan. Hier stond Stuyvesant niet alleen tegenover een aantal oorlogsschepen, maar er hadden zich ook rond de duizend Engelse manschappen op Long Island verzameld.'

'Maar hij had toch iets kunnen proberen?' zei Kes terwijl ze naar buiten wees. 'Hij is kwaad op iedereen? Dan zou hij toch kwaad moeten zijn op zichzelf als hij geen poot heeft uitgestoken om de kolonie uit handen van de Engelsen te houden?'

'Als hij dat wel had gedaan, zou hij waarschijnlijk omgevallen zijn,' mompelde Donald.

Glimlachend keken ze naar de kleine gestalte met z'n houten been.

'Daar heeft hij zeker over nagedacht, hoor, om iets te doen,' zei Donald. 'Hij had bijvoorbeeld vanaf Fort Amsterdam op die schepen kunnen schieten. Maar hij had een probleem. In die tijd was het gebruikelijk dat zodra een belegerd fort een schot loste, dit een teken was voor de vijand om te gaan roven en plunderen. Hij zag al voor zich dat dit met Manhattan zou gebeuren. En er was nog iets. De bevolking vroeg hem om bloedvergieten en plundering te voorkomen. Zij waren voorstander van een vreedzame overgave. Ook omdat bij vredesonderhandelingen de kolonie misschien weer Nederlands zou worden. Dus moest Stuyvesant de kolonie wel opgeven. Hij kon geen kant op. En hij was ook kwaad op zichzelf,' zei Donald. 'Ik bedoel, Manhattan was zijn grote liefde, het was zijn land, zijn stuk van de wereld. Het is eigenlijk heel sneu allemaal. Naar zijn idee was hij daar goed bezig, maar werd hij van alle kanten ondermijnd en tegengewerkt. Peter Stuyvesant,' zei hij en blies even uit, 'was een ingewikkelde persoonlijkheid. Eén ding is duidelijk: hij was een doorzetter en heeft op zijn manier keihard voor Manhattan gevochten. Als het aan hem had gelegen, had hij zijn leven voor dat eiland gegeven. Ik heb altijd wel wat compassie voor hem. Dat hij een autoritair karakter had was denk ik zijn grootste probleem.'

'Hij had zijn uiterlijk ook niet mee.'

'Hm, niet echt nee.'

In stilte keken ze naar de in brons gegoten figuur, vereeuwigd in al zijn woede en frustratie, op het binnenplein dat ooit het hoofdkwartier van de WIC was, een pand waarvan tegenwoordig een deel werd verhuurd voor bruiloften en partijen.

'Donald, om op het archief terug te komen, door wie is het eigenlijk samengesteld?'

'Alle secretarissen die ooit bij het bestuur van de kolonie betrokken waren hebben er hun steentje aan bijgedragen. De meest uiteenlopende correspondentie werd bewaard. Het moeten enorme boekdelen zijn geweest. In 1685 werd het hele archief door de Engelsen, van wie Manhattan toen was, op postkoetsen richting Boston gezet. Ik acht de kans zeer groot dat het gewoon op die postkoetsen werd gesmeten en er niet al te zachtzinnig mee om werd gegaan. *Good riddance,* dachten ze waarschijnlijk.'

'Wat moeten we met die zooi.'

'Zoiets ja. Drie jaar later keerde het archief terug naar New York. Hoogstwaarschijnlijk zijn ook tijdens die reis veel stukken verloren gegaan. Ze sloegen het op in Fort George, dat onder het bewind van de Nederlanders Fort Amsterdam heette. In 1741 woedde er in een deel van het fort een brand. Gelukkig werkte daar een zeer alerte secretaris die alles wat hij te pakken kon krijgen uit het raam gooide. Een deel van onze papieren waaide weg, maar het merendeel bleef behouden. Wat er van over was werd na de brand teruggebracht naar het fort. Denk maar niet dat alle ellende voorbij was. De documenten waren nog steeds niet veilig, want toen de geruchten de ronde deden dat er een opstand in de kolonie uit zou breken, werden alle stukken spoorslags aan boord van een schip gebracht dat in de haven lag. Daar zouden ze maanden liggen voordat ze weer terug naar het fort werden gebracht.'

'Die omgeving zal ze niet veel goed hebben gedaan.'

'Niet echt. Knaagdieren deden zich eraan te goed, en vocht trok diep in het kwetsbare papier.'

'En het vertaalwerk. Wanneer is daarmee begonnen?'

'O, al lang geleden. Wij zijn echt niet de eersten die zich aan deze klus hebben gewaagd. In 1818 werd er voor het eerst echt werk van gemaakt. De man die dit op zich nam, was echter halfblind en beheerste het Engels zo slecht, dat we ons gelukkig kunnen prijzen dat zijn vertaling bij een brand werd verwoest.'

'Weer een brand?'

'Ja, maar deze keer was het eerder een zegen dan een ramp. De volgende die zich aan de vertaling waagde was Van Laer, een ingenieur van Nederlandse oorsprong die het merendeel van zijn leven in Amerika had gewoond. Toen stukken in 1909 in de New York State Library in Albany werden herontdekt, begon hij met vertalen. Twee jaar later woedde er daar een brand, inderdaad ja, nog een. Onze documenten raakten zwaar beschadigd. Dat ze het hebben overleefd, hebben we te danken aan hun impopulariteit. Omdat er nooit verzoeken kwamen de documenten in te zien, waren ze ergens ver weggestopt, onder in een paar kasten. Toch gingen er delen verloren en raakten er stukken zo zwaar beschadigd dat ze weg zijn gegooid. Uiteindelijk leverde Van Laer een vertaling van vier delen af. Maar hij was zwaar getraumatiseerd door de brand die twee jaar van zijn werk had verwoest. Hij kon het niet meer aan en trok zich uiteindelijk uit het project terug. En toen, decennia later, kwam Rockefeller.'

'De vicepresident?'

'Inderdaad. Hij was degene die ervoor zorgde dat er in de jaren zeventig een bescheiden budget kwam om het Nederlandse archief te laten vertalen. Vanaf die tijd ben ik ermee bezig. Nu zijn we zelfs zover dat de twaalfduizend vellen die uiteindelijk zijn overgebleven door de Amerikaanse regering tot nationaal erfgoed zijn verklaard. Dat geldt ook voor de andere stukken die er in de loop der tijd bij zijn gekomen.'

'Dus het feit dat we die twaalfduizend vellen nog hebben berust op puur geluk?'

'Niet meer en niet minder.'

'Was er in Nederland eigenlijk nog iets te vinden over onze tijd op Manhattan? Ik neem aan dat er hier ook een archief werd bijgehouden? Bij de voc misschien, of hier, in het gebouw van de wic?'

'Het is zeer waarschijnlijk dat de bestuurders van de kolonie, zodra ze uit hun functie werden ontheven, hun hele administratie meenamen naar Nederland. Ze moesten zich vaak tegenover de wic verantwoorden voor hun doen en laten en hadden hun archief dan als ondersteuning nodig.'

'Waar zijn die stukken dan gebleven?'

'Helaas zijn de overblijfselen van het archief van de wic in 1821 door jullie overheid als oud papier verkocht.'

'Dat was het natuurlijk ook,' grinnikte Kes. Ze zag dat Donald er helemaal niet om kon lachen en zei op serieuze toon: 'Maar hoe stom kun je zijn?'

'Inderdaad, hoe stom kun je zijn. Gelukkig hebben we dit archief hier nog. Jammer genoeg begint het niet vanaf 1625, maar pas vanaf 1638, los van een klein aantal documenten. We hebben er niet veel van, maar het is beter dan niets. Wel dook er in 1910 op een veiling een bundel papier op uit een vroegere periode. Kavel nummer 1795 bestond uit vijf brieven en een paar verordeningen die bij dit archief horen. Daardoor weten we wel iets meer van de beginperiode van Nieuw-Amsterdam. Het blijkt helemaal niet zo'n ongeorganiseerde samenleving te zijn als menigeen dacht. Van Laer heeft die brieven en verordeningen vertaald en in zijn boek *Documents relating to New Netherland, 1624-1626* gepubliceerd. Daaruit komt een heel interessant beeld naar voren. Hier, ik zal het je laten zien.'

Donald liep naar zijn boekenkast en gleed met zijn vinger langs de boeken tot hij het vond. 'Uit jullie hele aanpak blijkt de ervaring die jullie eerder hadden opgedaan bij het koloniseren van overzeese deelgebieden. Zeer interessant. Konden veel landen in die tijd een voorbeeld aan nemen.'

Hij bladerde door het boek terwijl hij door bleef praten. 'Alles, maar dan ook alles, is door jullie in kaart gebracht. Plaatsen waar sprake was van akkerland, weiland, of houtgewassen, en plekken waar mineralen en dergelijke werden gevonden. Jullie deden zelfs proefboringen in de bodem. Elke waterval, elke beek en stroom, alle plekken die geschikt waren voor zaagmolens en graanmolens moesten worden aangeduid. En de rivieren niet te vergeten. Alles is aangegeven. Hun bochten, maar ook diepten, drooggevallen delen, klippen en verbredingen. De beste plaatsen voor het bouwen van forten, noem maar op. Ze moesten erop letten dat... wacht, ik zal even een stuk voorlezen, hier is het. Luister: "De beste plaatsen zijn die waar de rivier smal is, die niet vanaf hoger land beschoten kunnen worden, waar grote schepen niet al te dichtbij kunnen komen en die van grote afstand niet kunnen worden gezien vanwege omliggende bomen en bergen en waar het mogelijk is water in een gracht toe te laten, en waar geen zand ligt, maar klei en andere vaste ondergrond."' Met een blij gezicht keek hij naar haar op.

'Inderdaad behoorlijk georganiseerd.'

'Ze wisten heel goed waar ze mee bezig waren. Hier blijkt al duidelijk uit dat Nederlanders niet houden van tijdverspilling. Niets werd aan het toeval overgelaten.' Donald blikte op zijn horloge. 'Kom, laten we een broodje gaan halen.'

Tijdens de lunch vertelde Donald haar over zijn geliefde Manhattan. Over de Nederlandse invloed op de Amerikaanse grondwet, over democratie en de Hollandse traditie van het aanhoren van meningen van anderen, iets wat volgens Christie, die daarbij benadrukte dat niet iedereen er zo over dacht, de basis vormde voor de Amerikaanse democratische grondbeginselen. Uitgebreid vertelde hij hoe dat zat, waarom de Hollanders vonden dat al die meningen ertoe deden. Niet omdat de landbestuurders die inhoudelijk zo belangwekkend vonden, maar omdat de regenten uit ervaring wisten dat je met een compromis meer bereikte dan met een oorlog. Die konden jaren duren, in het geval van de Hollanders zelfs decennia.

'Het Nederlandse volk weet dat oorlog hen uiteindelijk geen stap verder brengt en dat je er alleen mankracht, eergevoel en vooral veel geld mee verliest,' zei Donald. 'Oorlog zoals bijvoorbeeld de Engelsen die kennen, of wij, is niet aan de Hollanders besteed. Ze pakken het liever anders aan. Eenzijdige oorlogsvoering, dat was eeuwen geleden hun ding. Mensen besluipen en beroven zonder dat ze enig idee hadden wat ze te wachten stond. Piraten waren het, gelegaliseerde, dat wel. Met een vergunning op zak zwierven ze de wereld rond. Niet op zoek naar een verborgen schat, maar naar de aardse rijkdommen, specerijen, hout of grondstoffen.'

'En mensen.'

'En slaven inderdaad. Die mentaliteit is trouwens niet veel veranderd. Zo is Nederland een van de grootste wapenleveranciers ter wereld. Jullie verdienen geld als water door oorlog te voeren zonder jullie handen vuil te maken. De regeringen wassen niet alleen al jaren hun handen in onschuld, het volk merkt er nagenoeg niets van. Dat vinden jullie prettig.'

'Toch is er één buit die ze over het hoofd hebben gezien.'

'De groeipotentie van het eiland Manhattan ontging hen inderdaad, maar dat had niemand kunnen voorzien.'

14

'Ah, eindelijk,' zei Stedman toen Nick Olson hem de map aanreikte. 'De informatie. En? Kan ik er iets mee?'

'Ja, ik denk dat u er wel mee uit de voeten kunt. Er zit een aantal zaken in die... nou, u zult het zelf wel lezen.'

'Mooi zo. Waar heb je dit allemaal vandaan?'

'Uit alle bronnen die voorhanden zijn.'

Stedman wist genoeg. Hij wuifde Nick de kamer uit en staarde naar de naam op het mapje. Olaf van Hoorn.

Het enige zinnige dat Stedman tijdens het galadiner nog uit Margaret Hendricks had weten te krijgen, was de naam van haar familielid uit Nederland, degene die dit allemaal had aangezwengeld. Ondanks dat ze behoorlijk aangeschoten was, had ze in eerste instantie geweigerd hem te vertellen wie de man was. 'Nee, nee, echt niet, ik zeg niks,' had ze giechelend gezegd. 'Ik ben Fort Knox.'

Ook Fort Knox was maar een berg stenen met een laag cement ertussen, dacht Stedman, dus zei hij: 'Olaf. Zo noemde u hem toch net? Uit Nederland? Wacht eens even, die ken ik volgens mij. Heet hij niet... nee, wacht, het ligt op het puntje van mijn tong. Olaf.' Hij knipte met zijn vingers. 'God, hoe heet ie nou ook al weer, geen Hendricks volgens mij, toch, of wel?'

Het ging precies zoals hij had gehoopt. 'Nee, nee.' Ze giechelde opnieuw. 'Hij heet Van Hoorn. Olaf van Hoorn. Kent u hem?'

'Ja, die ken ik wel, woont hij niet in Amsterdam?'

Ze maakte met haar hand een wegwerpgebaar. 'Nee, dan is het toch een andere. Hij heeft daar wel kantoor geloof ik, maar hij woont in Den Haag.'

'O, misschien vergis ik mij, en is het inderdaad iemand anders.'

Toen hij haar had gevraagd om welk deel van Manhattan het precies ging, zei ze dat ze daar niets over kon zeggen, dat ze een contractuele verplichting was aangegaan. 'We hebben allemaal iets moeten ondertekenen. Als ik vertel waar het ligt, kan ik naar mijn investering fluiten. Ik heb al tienduizend dollar ingelegd, en u kunt zich voorstellen dat ik daar graag iets van terugzie.'

Na het diner had hij haar gevraagd of ze nog zin had in een drankje. Hij had haar meegenomen naar een nachtclub en haar net zo lang ondervraagd tot ze het hem had verteld waar het stuk land van haar familie precies lag. Eerst voelde Stedman zich verdoofd, maar niet veel later stond hij op springen, voelde zich als een ei dat in een magnetron was gestopt. Elke seconde kon fataal zijn, kon hem uit elkaar doen spatten als de klep niet op tijd werd opengetrokken. Waarom wist hij hier niets van? Er was niets wat hem ontging op de New Yorkse vastgoedmarkt. Waarom hadden al zijn duurbetaalde adviseurs dit over het hoofd gezien?

Dezelfde avond nog, in de auto op weg naar huis, had hij Nick gebeld en hem gezegd alles over Olaf van Hoorn te zoeken wat er maar te vinden viel. 'Maar dan ook alles, zelfs hoe hij zijn reet afveegt,' had hij geroepen. Hij had opgehangen, naar het buisje met pillen gegrepen en er een paar in zijn mond gegooid. 'Gas erop,' had hij naar zijn chauffeur gegromd.

Stedman was het spuugzat. Hij was vastberaden zijn project door niets of niemand te laten tegenhouden, zeker niet door een Hollandse kaaskop op klompen die geen flauw benul had wat voor belangen er speelden.

Naast zijn eigen speurwerk had Nick een recherchebureau in Nederland in de arm genomen. Stedman vond dat dit uitstekend werk had verricht. Het enige wat niet in het rapport stond, was hoe Olaf van Hoorn zijn kont afveegde. Dat gaf niets. Zodra Stedman met hem klaar was, zou het Van Hoorn zo dun door de darmen drentelen dat ie geen wc-papier meer nodig had. Het goede nieuws was dat Olaf van Hoorn financieel aan de grond zat.

Bij het deel waarin stond dat Olaf een vliegticket naar Salt Lake City had geboekt, zette Stedman een vraagteken. Hier zat nog een hiaat in de informatie. Stedman wist waarom Van Hoorn in Utah was geweest, maar niet of hij iets gevonden had en zo ja, wat.

Het was algemeen bekend dat de mormonen over de grootste collectie genealogische gegevens ter wereld beschikten. Al honderd jaar waren ze bezig met het verzamelen van stamboomgegevens.

Dat deed de Kerk van Jezus Christus van de Heiligen der Laatste Dagen in Salt Lake City. Wereldwijd haalden zij informatie uit burgerlijke standen. Volgens de mormoonse leer kunnen gezinnen in het hiernamaals namelijk met elkaar herenigd worden als ze dit in het aardse leven vastleggen. Maar het gaat nog een stap verder. De mormonen beweren dat lang geleden overleden familieleden alsnog lid van de kerk kunnen worden zodat de hele familie in het hiernamaals samen kan komen. Maar zij kunnen pas worden ingezegend als bekend is wie ze zijn. Met stamboomonderzoek kun je daar achter komen.

Nick moest naar Utah. Hij moest uitzoeken met wie Olaf daar gesproken had en wat hij daar precies had gevonden. Natuurlijk kon Margaret Hendricks onder druk worden gezet. Ondertussen wist hij ook alles van haar. Maar dat was optie twee. Als ze de informatie langs een andere weg zouden kunnen achterhalen, zou dat beter zijn. Zo min mogelijk mensen moesten weten wat er voor hem speelde.

Stedman pakte de telefoon en vertelde Nick wat hij wilde weten. 'Dus vlieg naar Salt Lake City, nu meteen.'

☆☆☆

Olaf wreef over de plek op zijn onderarm waar zijn zenuwen in de vorm van eczeem naar buiten kwamen. De rode vlek werd steeds groter. Dat was niet vreemd, want het zag er allemaal niet best uit. En dat terwijl het allemaal zo goed van start was gegaan.

Vanaf het moment dat Olaf ermee begon, had er een flow in gezeten die veel goeds voorspelde. Alsof alles in een bepaald ritme kwam en vervolgens keurig samenviel als bij een perfect ingerichte productielijn. Uit ervaring wist hij dat zoiets essentieel was. Nu zat er weer een flow in, alleen ging het ritme de verkeerde kant op.

Het was allemaal begonnen op een avond dat hij lusteloos langs de tv-zenders zat te zappen en was blijven hangen bij een BBC-programma waarin bekende Britten op zoek gingen naar hun wortels. Daarna was hij uit pure verveling op internet gaan surfen om te kijken waar die van hem nou eigenlijk lagen. Al jaren gingen er geruchten in zijn familie dat de Van Hoorns nazaten waren van Peter Stuyvesant. Olaf was weleens benieuwd hoe ver hij zou komen.

Nadat de eerste aanwijzingen hem steeds naar de Verenigde Staten hadden doorverwezen, was het een obsessie geworden. Elke dag stond hij op met het gevoel dat hij een raadsel moest oplossen en dat hij er elk uur van de dag aan moest spenderen om dichter bij de waarheid te komen, dichter bij de status die hij zijn leven lang al zocht. Het was verslavend, en door zijn addictie viel het hem zwaar te accepteren dat hij op een gegeven moment vastliep. Verder terug dan 1854 kwam hij niet.

Hij wist dat hij hulp nodig had en was naar Utah afgereisd: het mekka van iedere genealoog. Eenmaal in hun hoofdkwartier had hij hulp gekregen van Anna Green, een fanatieke archiefmedewerkster. Ze liet al snel vallen dat ze geadopteerd was en dat dat hoogstwaarschijnlijk de reden was dat ze maar één doel in haar leven had: mensen helpen om hun voorouders te vinden.

Anna Green was vierentwintig jaar oud, had pikzwart haar, een spierwitte huid en een goedgevormde mond waar jammer genoeg constant een verbeten trek omheen lag. Haar hoektanden staken iets naar buiten en kwamen als ze moest lachen, wat niet vaak het geval was, tevoorschijn. Die hoektanden waren niet de enige reden dat Olaf zich had afgevraagd of ze een vampier was. Want wanneer sliep die vrouw? Zelfs midden in de nacht belde Anna hem om te melden wat de voortgang was. Na vier dagen hadden ze nog geen enkele aanwijzing waaruit bleek dat er een connectie was tussen Olaf van Hoorn en de familie Stuyvesant. Wel ontdekten ze iets anders: de naam Van Hoorn was tot ver terug te herleiden, zelfs tot aan de beginperiode van het ontstaan van de Nederlandse kolonie op Manhattan. Hoe ze het voor elkaar had gekregen, wist Olaf niet, maar Anna had een passagierslijst weten te achterhalen van een van de schepen die vanuit Amsterdam het eiland had bereikt. Ene Gerbrand van Hoorn was passagier geweest.

Olaf was verrukt door dit nieuws. Natuurlijk, het moest nog worden geverifieerd, en er moest nog veel worden uitgezocht, maar de kans was groot dat zijn voorvaderen grondleggers waren van het machtigste land ter wereld. Hij kon zijn geluk niet op. Het streelde zijn ego en hij voelde zich als herboren. Dit nieuws gaf zijn ingedutte leven weer muren, een vloer en een plafond. Al tijden was hij op zoek naar structuur, naar een richting. Dit kwam op exact het juiste moment. Het was precies wat hij nodig had.

Olaf besloot zijn verblijf in Amerika te verlengen en stortte zich op de materie met dezelfde instinctmatige intentie als een lemming die zich in een ravijn laat vallen. Een maand later was hij weer terug in Nederland. Alles bij elkaar had het hem een paar maanden aan intensief onderzoek gekost, maar het was het allemaal waard geweest. Zijn familieband met Stuyvesant bestond. Met Peter Stuyvesant welteverstaan, niet met diens vrouw.

15

Op een drafje nam Nathalie Kremer het zebrapad en stak met snelle passen het plein over. Halverwege schoot het hengsel van haar tas los. Ter hoogte van haar schenen ving ze hem nog net op, maar door de onverwachte beweging viel een groot deel van de inhoud op de grond.

Met een kreet liet ze zich op haar knieën vallen. Als eerste greep ze naar haar telefoon en stopte die in het zijvak van haar tas. Tranen sprongen in haar ogen terwijl ze haar spullen bij elkaar graaide. Ze mompelde dankwoorden naar de handen die haar spullen aangaven en wuifde handen weg die haar overeind wilden helpen. Toen ze opstond zag ze op kniehoogte twee gaten in haar panty's zitten. Een van haar knieën was geschaafd en bloedde. Ze onderdrukte een snik, veegde vloekend over haar ogen en vervolgde haar route naar de ingang van 1 Rockefeller Plaza.

Even later, tientallen meters boven het maaiveld, stapte ze de lift uit. Een walm van zweet bereikte haar neus. Ze hield haar hoofd schuin naar beneden, trok haar neusvleugels op en liep naar de wc. Daar klemde ze haar tas tussen haar voeten, trok haar jasje uit en keek in de spiegel. Ze zag dat ze vergeten was mascara op te doen, waardoor ze eruitzag alsof ze net uit bed was gestapt, terwijl haar hoofd de halve nacht geen kussen had aangeraakt. Ze draaide de kraan open, en hield de binnenkant van haar polsen onder de koude straal. Daarna leunde ze met haar handen op de wastafel en ademde diep in en uit. Toen liep ze een wc in, stroopte haar panty af en propte hem in de afvalbak.

De manier waarop Nathalie zich op dat moment gedroeg, was hoogst eigenaardig en niet bepaald kenmerkend te noemen. Ze was de eerste van de vijf kinderen die Henk en Anja Kremer in al hun onnozelheid hadden verwekt. De jarenvijftigwoning van het gezin Kremer barstte letterlijk uit zijn voegen. Zodra er geld binnenkwam werd dit niet aangewend om het huis op te knappen, maar zetten Henk en Anja het op een zuipen.

Nathalie had al snel begrepen dat als ze ooit een normaal leven wilde leiden ze zo snel mogelijk uit het huis weg moest en het dorp achter zich moest laten. Dat zij haar eigen kansen moest creëren, dat niemand anders dat voor haar zou doen, was voor haar even helder als de goedkope wodka die haar ouders achteroversloegen.

Ze was veertien jaar, zeven maanden en elf dagen oud toen ze op een avond het wandpaneel onder het slaapkamerraam van haar ouders losschroefde en het plastic zakje eruit trok. Hoe dichter bij de vijand, hoe beter, had ze gedacht nadat haar spaarpot tot drie keer toe door haar moeder geleegd was. Ze stopte de honderdtweeënzeventig gulden waar ze twee jaar voor had gespaard in haar zak, pakte haar rugzak en liep het huis uit. Bij het bord van de bebouwde kom, dat naast de bushalte stond, rochelde ze voor de laatste keer in haar leven en ze spuugde op de grond.

De bus bracht haar naar de stad waar ze linea recta naar het politiebureau liep. Aangezien ze had besloten van haar ouders te scheiden maar nog minderjarig was, gaf ze hen aan voor mishandeling en grove nalatigheid. Nathalie kwam in een opvangtehuis terecht en de wegen van de jeugdhulpverlening brachten haar uiteindelijk naar een pleeggezin in Den Haag. Hoe het met haar ouders was afgelopen wist ze niet en het liet haar ook volkomen koud.

Als modelkind slaagde ze vlak na haar achttiende verjaardag voor het vwo. De dag na haar diploma-uitreiking pakte ze haar spullen bij elkaar en vertrok naar Amsterdam waar ze kunstgeschiedenis ging studeren en cum laude afstudeerde.

Nu, tweeëntwintig jaar later, huurde ze een klein appartement in het Meat District van Manhattan, had ze een zomerhuisje in The Hamptons van dezelfde omvang en een spaarrekening met een bedrag waar ze tot aan haar dood van kon leven.

Haar doorzettingsvermogen, discipline en doelgerichtheid hadden haar gebracht tot waar ze nu was: cultureel attaché bij het consulaat-generaal van New York. Haar huidige status binnen de diplomatieke hiërarchie was niet hoog, maar binnen die van het culturele veld wel. Na tweeënhalf jaar begreep ze nog steeds niet waarom dat zo was. Het merendeel van de tijd was ze in de verste verte niet bezig met iets wat ook maar een greintje op cultuur leek, maar voornamelijk met het managen van haar kleine afdeling en het blussen van brandjes.

Dat kwam Nathalie niet goed uit. Ze wilde zichzelf op de kaart zetten. Dat had ze met zichzelf afgesproken. Hoe dan ook. De indruk die ze maakte moest onuitwisbaar zijn en ze had niet alle tijd van de wereld. De periode van drie jaar waarvoor ze was aangesteld, was zo voorbij. Haar uiteindelijke doel: een ambassadeurspost. De eerste posten die ze zou krijgen, zouden niet echt spannend zijn. Een klein onbeduidend Afrikaans land om mee te beginnen. Simpel werk. Ontwikkelingssamenwerking had totaal niet haar interesse, maar dat maakte haar niets uit want het zou de eerste zijn van een reeks ambassadeursfuncties die de opstap naar een mooie post vormden. Londen of Washington waren haar ambitie.

De hoofdmoot van haar huidige werkzaamheden bestond uit het bewaken van de planning en de organisatie van alle festiviteiten rond het Henry Hudson-herdenkingsjaar. Haar taak was alles in goede banen te leiden. Dat was ook gelukt. Tot gisteravond.

Toen ze het bericht ontving, had ze zich aan de muur moeten vastklampen omdat de schok een verlammende werking op haar had en ze door haar knieën was gezakt. Vervolgens had ze de hele nacht doelloos door haar appartement gedwaald. Om kwart over zes had ze een besluit genomen en de consul-generaal wakker gebeld met de mededeling dat ze hem met spoed moest spreken. Na lang aandringen had hij haar toegezegd zijn eerste afspraak van die ochtend te verzetten om haar te ontvangen. Het ging niet van harte.

Nathalie tilde haar arm op en keek met afgrijzen naar de donkere plek. De laatste keer dat ze had gezweet, kon ze zich niet eens meer herinneren. Ze rukte een tissue uit de houder, en veegde ermee onder haar oksels. Toen haalde ze diep adem, rechtte haar schouders en liep de wc uit.

De deur van de kamer van de consul-generaal stond open. Hij stond met zijn rug naar haar toe uit het raam te kijken. Een hand in zijn broekzak, en in de andere een kop koffie.

Tristan Geurts was pas drie maanden geleden aangesteld, maar had nu al zijn stempel op het beleid gedrukt. Alles moest tien keer zo snel geregeld worden als onder de vorige CG. Bovendien duldde Geurts geen fouten. Hij bestierde het kantoor alsof zijn leven ervan afhing. Hij kwam vriendelijk over, maar Nathalie had al snel gemerkt dat dat maar schijn was.

De laatste tijd hadden Tristan Geurts en Nathalie bijna dagelijks contact om de laatste stand van zaken over het Hudson-jaar te bespreken. Nathalie kende hem ondertussen goed genoeg om te weten dat hij zich niet snel op de kast liet jagen en voor elk probleem een oplossing had. Maar dit? Ze wist precies hoe hij zou reageren op wat ze te vertellen had, en daar werd ze niet gelukkig van.

Tristan draaide zich om. 'Ah, Nathalie. Goedemorgen.'

De moed zakte haar in haar schoenen. Tristan Geurts. Zoals altijd zag hij er van top tot teen perfect uit. Elk haartje op de juiste plek, elke plooi van zijn pak viel goed, elke spierwitte tand in zijn mond stond recht. Hij zag er uitgerust en fit uit, klaar om aan een dag te beginnen waarin hij alles onder controle had. Zo niet, dan zou hij het wel krijgen. Onder dat vriendelijke laagje zat iemand die niet tegen tegenslag kon en geen tegenspraak duldde. Als je in zijn kamp zat, was je de koning te rijk. Was hij tegen je, dan kon je het schudden.

Tot haar schrik liep Tristan op haar af en drukte haar in zijn aangeleerde Amerikaanse omhelzing kort tegen zich aan. In die ene seconde dat ze haar gezicht tegen zijn borstkas liet leunen, hoopte Nathalie dat hij haar zweetlucht niet zou ruiken en hoopte ze tegelijkertijd dat ze zo een tijdje zouden blijven staan. Ze zou haar tranen laten gaan, en Tristan zou haar troostend over haar haren strijken. 'Maak je geen zorgen,' zou hij dan zeggen. 'Het komt wel goed.' Vervolgens zou hij haar kin optillen en hun lippen zouden elkaar raken. Het gevoel van zijn mond tegen de hare was zo sterk, dat het door haar hele lichaam trok. Ze begon te trillen op haar benen. En dan zouden ze...

Ik ben te lang vrijgezel. Ze schudde de gedachte van zich af en keek hem aan. Met zijn een meter vijfennegentig torende hij boven haar uit. Tristan pakte haar bij haar schouders. Opeens keek hij bezorgd.

'Wat zie jij eruit. Wat is er gebeurd?'

Ze zweeg. Hij pakte haar bij haar elleboog en leidde haar naar de bank in de hoek van de kamer. Toen ze zat, hurkte hij voor haar neer en pakte haar handen.

'Goed, haal rustig adem. Wat is er aan de hand? Ben je beroofd?' Hij legde zijn vinger op haar knie. 'Gevallen?'

'De Schagenbrief?' Haar stem sloeg over waardoor hetgeen ze zei onbedoeld een vraag werd.

'Ja, wat is daarmee? Die arriveert hier binnenkort, toch?' Hij bevestigde zijn woorden met wat korte knikken.

'Ik... eh... hij is weg.' Nathalie zette zich inwendig schrap, nu zou het komen.

Tristans begripvolle blik verdween als sneeuw voor de zon. Hij kneep zijn ogen tot spleetjes, stond op en sloeg zijn armen over elkaar. 'Wat bedoel je, weg? Misschien ben ik verkeerd geïnformeerd, maar naar mijn weten ligt de Schagenbrief in Nederland klaar voor transport, samen met de andere stukken voor de expositie. Volgens mij is die zelfs al onderweg. Als het goed is heb jij daarop toegezien. Dat viel toch onder jouw verantwoordelijkheid?

'Hij is, eh, ontvreemd.'

Tristan kneep zijn ogen tot spleetjes. 'Kun je dat even herhalen?' 'Hij is ontvreemd.'

'Ontvreemd? Ontvreemd? Gestolen bedoel je zeker. Godverdegodver.' Hij liep rood aan. 'Zeg dat het niet waar is.'

Nathalie zei niets.

'Nathalie. Zeg. Me. Dat. Het. Niet. Waar. Is... Nu.'

'Dat kan ik niet.'

'Hoe kan dit gebeurd zijn? Jij zou er persoonlijk op toezien dat alles wat hier naartoe zou komen, ingepakt en wel in de kist zou liggen. Daarom ging je toch naar Amsterdam, om dat in goede banen te leiden? Dat was toch afgesproken? Of heb ik dat verkeerd?'

'Nee, dat klopt. Dat was ook mijn taak, en ik heb precies gedaan wat ik moest doen.'

'Heb je het daar ter plekke gecheckt?'

Ze knikte. 'Dat is het hem juist. Ik begrijp er niets van. Ik heb de kist open laten maken. En de doos waar de brief in zat. Hij lag erin, Tristan, ik zweer het je.' Tranen sprongen in haar ogen.

'Dus je hebt er hoogstpersoonlijk op toegezien dat hij weer terug is gelegd, dat de kist weer werd afgesloten? Hoe kan dit dan gebeurd zijn? Heb je het Nationaal Archief al gebeld?'

Ze stond op. Haar knieën voelden stijf en pijnlijk aan en ze onderdrukte een grimas. 'Nee, natuurlijk niet,' zei ze snibbig. 'Kun jij je voorstellen wat er gebeurt als dit bekend wordt, als iedereen straks weet dat die brief, een van de uniekste documenten uit onze geschiedenis, verdwenen is? Kun je je voorstellen wat er dan met mij gebeurt? En met jou?'

Tristan speelde even met de gedachte haar te zeggen dat wat er met haar zou gebeuren hem van geen kanten boeide, maar wat er met hem gebeurde des te meer. Ze moesten dat stomme stuk papier terug zien te krijgen. Het vormde de spil van de expositie over zeventiende-eeuwse documenten die hier in Manhattan zou worden gehouden. Een expositie die nota bene door de prins en prinses van Nederland geopend zou worden. Al maanden waren ze op het consulaat-generaal bezig met dat verdomde protocollaire geneuzel eromheen, met de veiligheidsvoorschriften, wie op de gastenlijst zou komen en wie niet. Het hele draaiboek was honderd keer doorgenomen en gecheckt. Alles klopte, alles liep op rolletjes. Tot nu.

'Hoe ben je erachter gekomen?'

'Ik kreeg een telefoontje. Vannacht, om kwart over vijf. Ik heb het opgenomen.'

'Ja, dat begrijp ik.'

'Nee, ik bedoel dat ik het op mijn telefoon heb opgenomen.'

Ze prees zichzelf gelukkig dat ze tijdens het gesprek de tegenwoordigheid van geest had gehad om op een gegeven moment op *record* te drukken. In de eerste week dat ze op het consulaat-generaal werkte, had ze een gesprek gehad over veiligheid en discretie in het algemeen en de maatregelen die ze kon nemen in het bijzonder. Haar was verteld dat, als ze ooit een vreemd telefoontje kreeg of een telefonisch interview had, ze deze met haar telefoon op moest nemen. Om latere misverstanden te voorkomen, had de veiligheidsmedewerker haar gezegd. Met een serieuze uitdrukking op zijn gezicht had hij eraan toegevoegd dat dit gold voor elk gesprek dat een rare wending nam.

Ze rommelde in haar tas, viste haar telefoon eruit en drukte op een paar toetsen. 'Hier.'

Tristan trok de telefoon uit haar handen en zette het toestel tegen zijn oor.

'... *de akte.*'

'*Waar heb je het over? Welke akte? Met wie spreek ik? Als je je naam niet zegt, hang ik op.*'

'De eigendomsakte van Manhattan.'

'Heb jij die? Waar is die? Ik moet hem onmiddellijk hebben.'

Het bleef stil aan de andere kant van de lijn.

'Geef godverdomme antwoord, vuile klootzak.'

'Ik heb hem hier.'

'Wat wil je?'

'Geld.'

'Hoeveel?'

'Anderhalf miljoen euro.'

'Wat? Anderhalf miljoen?'

'Ik heb het bedrag gebaseerd op wat ik nodig heb.'

'Wat je nodig hebt? Ben je wel goed bij je hoofd? Wie moet dat gaan betalen? Ik? Denk je dat ik zomaar zo'n bedrag kan ophoesten?'

'Nee, dat denk ik niet. Maar mijn eerste keus viel op jou omdat ik denk dat jij er wel iets op zult verzinnen. Wacht, ik help je op weg. Wat dacht je van het indienen van een budgetoverschrijding van het Hudson-jaar bij de Nederlandse regering?'

'Een budgetoverschrijding van anderhalf miljoen? Hoe moet ik dat verkopen?'

'Ik zal je weer op weg helpen. Laat ze weten dat het gaat om aanvullende kosten ten behoeve van de beveiliging van het prinselijk paar. Benadruk daarbij dat als je het geld niet krijgt, je niet voor de veiligheid van leden van de koninklijke familie in kunt staan. Daar zeggen ze echt geen nee tegen.'

'Dat kan niet, zo'n budgetoverschrijding, die moeten wij verantwoorden. Dat kan zomaar niet.'

'Die verantwoording lijkt mij van latere zorg. Daar verzin je wel iets op.'

'Maar dat lukt ons nooit. Die expositie is al over vijf dagen. Dan moeten we de brief hebben.'

Het bleef even stil. Toen klonk er een zachte lach.

'Expositie? Ah, natuurlijk, de expositie. Daarom moet je opschieten. Ik adviseer je om het geld alvast te gaan regelen. Ik neem nog contact op.'

Tristan wierp de telefoon naar haar toe en zei: 'Dat was het? Dat was alles?'

'Ja. Zoals je hoort kan het net zo goed een man als een vrouw zijn. Volgens mij heeft ie zo'n stemhervormingsprogramma op de telefoon gezet. Dat is zo te downloaden. Tristan, wat moeten we doen? Ik begrijp niet wanneer dit gebeurd kan zijn. Ik snap er niets van. En waarom heeft niemand van het depot daar bij het Nationaal Archief hier iets van gemerkt? Dat kan toch niet. Het kan toch niet waar zijn dat iemand, nadat ik daar ben geweest, daar naar binnen is gegaan, de brief heeft gepakt, en er vervolgens doodleuk mee naar buiten is gelopen?'

'Waarom vraag je dat allemaal aan mij? Denk je nou echt dat me het een moer interesseert hoe het is gebeurd? We hebben andere dingen aan ons hoofd. De brief moet over vijf dagen bij het South Street Seaport Museum zijn.'

'Daar weet ik echt alles van, geloof mij maar.'

'Ik zou niet zo'n grote mond opzetten als ik jou was.' Hij wees naar een dik rapport dat op zijn bureau lag. 'Zie je dat? Het draaiboek voor de opening, elke scheet die we gaan laten staat erin. We zijn er maanden mee bezig geweest.' Hij haalde diep adem. 'Ik wil dat je het controleert.'

'Het draaiboek?'

'Natuurlijk niet! Die brief. Zorg dat je er bent als het vliegtuig aankomt. Zorg er ook voor dat ze die krat openmaken en dat jij er met je neus bovenop staat. Misschien is dit een of ander blufverhaal.'

'Misschien wel ja.'

Tristan draaide zich om en sloeg met zijn vuist op tafel. 'Fuck!'

Nathalie kromp in een reflex ineen en wrong haar handen in elkaar. Zacht zei ze: 'Kunnen we zelf niet iets doen, een privédetective inhuren? Zoiets? We kunnen hier toch niet gewoon gaan zitten wachten?'

'Laat me even denken,' zei Tristan. Hij ging zitten en keek voor zich uit. Zijn hersenen draaiden op volle toeren.

Net als Pieter Schagen, degene die de naar hem vernoemde brief had geschreven, was ook Tristan Geurts aangesteld als vertegenwoordiger. Waar Tristan in dienst was van de Nederlandse overheid, was Pieter Schagen een van de afgevaardigden van de Staten-Generaal in de vergadering van de WIC. Maar waar Tristan zich ervan bewust was dat hij bij elke stap die hij zette een footprint achterliet die gevolgen voor zijn carrière zou kunnen hebben, had Pieter Schagen er geen idee van gehad hoe belangrijk de brief was die hij in 1626 had geschreven en waar zijn naam voor eeuwig aan verbonden zou blijven.

Tristan kon de inhoud van de Schagenbrief, het document dat gezien werd als de officiële geboorteakte van New York, ondertussen dromen. Als vertegenwoordiger van de Nederlandse regering in het bestuur van de compagnie, was het Pieter Schagens taak geweest verslag te doen van het laatste nieuws uit de kolonie. Naast een opsomming van de vracht van het schip *Wapen van Amsterdam*, dat vanuit Nieuw-Amsterdam in de haven van Amsterdam was gearriveerd, maakte de man in dit waardevolle document melding van het welzijn van de kolonisten. Het ging goed met de mannen, schreef hij, en met de vrouwen ook, want ze hadden gebaard. De tweede generatie kolonisten kwam er dus aan, en dat was goed nieuws.

Pieter Schagen zou verbaasd hebben gereageerd als hij zou hebben geweten dat het iedereen ging om die ene korte zin van zijn beknopte brief, die zin die hij haast klakkeloos had opgeschreven. Het ging over de aankoop door de kolonisten van het eiland Manhattan. Hoogstwaarschijnlijk had hij op het laatste moment bedacht dat het wel noemenswaardig was. Hij schreef dat 'ze het van de wilden hebben gekocht, voor de waarde van zestig gulden'. Met 'ze' bedoelde hij de van oorsprong Waalse Peter Minuit die bij de wic in dienst was getreden en directeur van Nieuw-Nederland was. Met die waarde van zestig gulden doelde hij vermoedelijk op producten als ketels, wapens, kralen en textiel met een gezamenlijke waarde van zo'n zestig gulden.

Dat van die aankoop klopte niet helemaal. De Hollanders waren in de veronderstelling dat ze het eiland van de indianen hadden gekocht in ruil voor goederen ter waarde van zestig gulden. Maar de indianen hadden andere ideeën over landbezit. Zij kenden geen handel in grond. De indianen dachten dat ze met deze onderhandeling het land aan de Hollanders in bruikleen gaven, een soort pacht, en dat de Hollanders hen op hun beurt zouden beschermen als ze door een vijandelijke stam werden belaagd. De Hollanders dachten daar anders over en lapten deze overeenkomst aan hun laars. Vanaf het moment dat de goederen aan de indianen waren overhandigd, beschouwden ze het eiland als hun eigendom.

Terwijl hij over het eiland uitkeek dat ooit Hollands grondbezit was geweest, dacht Tristan na. Nathalie had gelijk. Het was goed dat niemand hiervan wist. Het probleem was alleen dat hij, nu hij het wist, met de gebakken peren zat. Jarenlang had hij op deze baan zitten azen. Hij had hem uiteindelijk gekregen door zich er in extreme mate op te focussen, door zijn ellebogen te gebruiken en zich in te likken bij iedereen die ook maar zijdelings betrokken was bij het vervullen van deze vacature. Zijn calculerende gedrag maakte geen enkel gevoel van schaamte bij hem los. Het was ondertussen een tweede natuur.

Zodra Tristan Geurts ergens binnenstapte, stokte elk gesprek en keek iedereen zijn kant op. Onzichtbare draden leken hen aan te trekken. Het moment was voorbij voordat iemand het doorhad. Hij was groot, toch was het niet zijn gestalte maar zijn persoonlijkheid die de ruimte vulde.

Al op jeugdige leeftijd had Tristan gemerkt dat hij dingen voor elkaar kreeg en met zaken wegkwam, waar dat anderen niet lukte. Bij vrouwen al helemaal. Zijn vier zussen droegen hem op handen, zijn moeder adoreerde hem, en zijn vader keek lijdzaam toe. Toen Tristan besloot na zijn studie de diplomatieke dienst in te gaan, was zijn vader, Paul Geurts, verheugd. De man had nooit geweten dat zijn zoon diplomaat wilde worden. Dat was niet echt verbazingwekkend, want er waren wel meer dingen die hij niet wist als het zijn zoon betrof. Zo was het hem volslagen onbekend dat zijn zoon jarenlang het speeltje was geweest van een Italiaanse barones die getrouwd was met een formule 1-coureur die meer in zijn auto zat dan in zijn vrouw.

Doordat hij in een vrouwenbolwerk was opgegroeid, wist Tristan dat iedere vrouw begeerd wilde worden. Of ze nu jong was of oud, gebonden of vrijgezel, moeder of kindloos. Aangezien er veel vrouwen op het pad liepen dat leidde naar zijn droombaan, had hij volop van deze, hem met de paplepel ingegoten, vaardigheid gebruikgemaakt. Eenmaal op dreef, was het lang niet altijd bij een flirt gebleven. Waar de meeste mannen het al snel doorhebben dat een vrouw hun extra aandacht geeft omdat zij hogerop wil komen, zat deze gedachtegang bij vrouwen nog steeds niet in hun systeem. Tristan verwachtte ook niet dat dit ooit zou gebeuren.

'Tristan, wat moeten we doen?'

Hij keek Nathalie aan. Ze irriteerde hem mateloos en hij bedacht zich dat hij haar eigenlijk helemaal niet mocht. Het was dat hij wel moest, maar op vrijwillige basis zou hij het nog geen uur met haar uithouden. Ze was een neuroot.

Hij had het liever niet geweten, had het prettiger gevonden als Nathalie het in haar eentje had opgelost. Nu hij het wist was het ook zijn probleem. Ze had een hete aardappel in zijn handen gelegd, en die zou hij haar nu teruggeven.

Tristan wees naar haar. 'Twee dingen. Nee, wacht, drie dingen. Een: jij zorgt dat die brief terugkomt voordat de expo opengaat, voordat ik het koninklijk huis hier op de stoep heb staan en hun godvergeten hofhouding me alle hoeken van de kamer gaat laten zien. Ten tweede: dat protocollaire draaiboek wordt tot op de letter nauwkeurig opgevolgd en blijft gehandhaafd. Daar ga jij in hoogsteigen persoon voor zorgen. Dus als er staat: 17.00 uur opening, dan gebeurt dat ook. En last but zeker not least: je houdt je mond hierover. Zodra ik merk dat dit op straat ligt, zorg ik er persoonlijk voor dat je wordt verbannen. Derde ambassadesecretaris in Ouagadougou? Lijkt je dat wat? Luister, vanaf nu verwacht ik driemaal per dag een telefoontje van je. Aangezien jouw mobiel aan je oor vastgenaaid zit, lijkt me dat geen al te grote opgave. Als er iets is wat ik niet hoef te horen, hoef je me ook niet te bellen.'

'Tristan, wacht even. We zitten er samen in, ik...'

'Fout. Jij zit erin, ik sta er volledig buiten. Dit gesprek heeft nooit plaatsgevonden, begrijp je me?'

'Toch zul je iets voor me moeten doen voordat dit gesprek niet heeft plaatsgevonden.'

'*Forget it*, je zoekt het maar uit. Voor zover ik weet ben jij de enige die iets moet regelen.'

'Nee, het gaat om het geld. Ik heb geld nodig om die brief terug te krijgen.'

Tristan begon te lachen. 'Geen probleem. Weet je wat, we lopen zo samen naar de kluis. Van de veertig miljoen die erin ligt, pak ik er anderhalf. Geen haan die ernaar kraait.'

'Toch moeten we het ergens vandaan halen. Het is dat of de politie inlichten. Ik zie echt geen andere oplossing. Ik ben geen detective.'

'Dan zorg je er godverdomme maar voor dat je er een wordt.'

PROJECT NIEUW-AMSTERDAM

Donald Christies log

De datum van de boekpresentatie nadert. Ik voel een gespannenheid over me heen komen als ik eraan denk. Dat heeft niets te maken met de aandacht die ik zal krijgen, maar meer met het idee dat een deel van mijn project daarmee wordt afgesloten. Het voelt alsof ik een kind moet loslaten en doet me denken aan een van die typische Nederlandse rituelen. Laatst zag ik het nog, hier in het park. Een kind op een fiets met zijwieltjes fietste voorbij. Een stuk verderop stopte ze. Haar vader pakte de fiets en schroefde die zijwieltjes ervan af. Het kind stapte met een trots gezicht op. De vader legde zijn handen op haar schouders en begon te rennen. Toen liet hij haar los. Even leek het erop alsof ze om zou vallen, maar ze hervond haar evenwicht en fietste weg. Ik zag de blik in de ogen van de vader, met zijn armen nog voor zich uitgestoken keek hij haar na. De symboliek van je kind durven loslaten ligt hier zo dik bovenop, dat het haast kitscherig overkomt. Maar het gevoel dat de ouder erbij krijgt is allesbehalve dat. Het is precies hetzelfde gevoel dat mij bekruipt, dat ik de zijwieltjes ervan af heb gehaald en mijn kind loslaat, het met een klein zetje de wijde wereld in stuur. Net als die vader vraag ik me af of het wel goed gaat komen als het niet langer op mijn bescherming kan rekenen, geen zijwieltjes meer heeft.

Ik weet dat ik me aanstel, maar ik ben nou eenmaal zeer gevoelig de laatste tijd, en merk dat ik weinig kan hebben. Nu gaan ze ook nog een journaliste op mijn dak sturen. Ene Kes van Buren van Neder-land Vandaag. Dat is wel het laatste waar ik op zit te wachten. Zo'n nieuwsgierige blaaskaak die me een paar dagen lang op mijn lip zit. Want dat is de bedoeling. Het komt ook zo vreselijk slecht uit alle-maal, dat ik uitgerekend nu iemand dag in dag uit om me heen krijg. Ik kan helemaal geen pottenkijkers gebruiken, laat staan een nieuws-gierige journaliste.

16

De pony van Anna Green leunde tot op de millimeter nauwkeurig op haar brilmontuur. Nick Olson bedacht dat ze om dit effect te behouden, die wekelijks moest bijknippen.

Zoals Stedman hem had opgedragen, was Nick naar Utah gegaan. Het kostte hem niet veel moeite te achterhalen wie Olaf van Hoorn daar had geholpen. Ondertussen wist Nick alles van Anna Green. Ze was van die generatie die op alle sociale netwerken zat die er bestonden. Na een grondige analyse had Nick vier pagina's met informatie over haar. Dat liep van schoolopleiding, adres en telefoonnummer, zowel privé als mobiel, naar muziekvoorkeur, hobby's, maar ook intiemere zaken waaronder drie foto's van negen jaar geleden waarop ze halfnaakt poseerde. Ook vond Nick wat teksten waaruit bleek dat Anna Green twijfels had over haar seksuele geaardheid. Waarschijnlijk had hij het allemaal niet nodig, maar je kon nooit weten.

Vanaf het moment dat Nick haar zag, wist hij dat Anna Green een workaholic was. Dat kwam Nick goed uit. Workaholics waren zo in zichzelf gekeerd als woelmuizen in winterslaap, behalve als het over hun werk ging.

'Jazeker, meneer Van Hoorn is hier geweest. Aardige man. Erg fanatiek. Hij was opgetogen toen we uiteindelijk iets hadden gevonden waaruit bleek dat hij inderdaad een nazaat is van een kolonist van Manhattan.'

'Dat bleek overtuigend uit wat jullie hebben gevonden?'

'In feite wel.' Ze greep met haar hand in haar decolleté en haalde een kettinkje tevoorschijn. Er bungelde een gouden klompje aan.

'Hij stuurde dit nog op uit Nederland. Een klompje. Mooi hè? Echt goud. Dat vond ik zo sympathiek. Hij was me erg dankbaar.'

'Prachtig,' knikte Nick.

'Ja. Er zat een brief bij waarin hij vroeg of ik nog iets voor hem uit wilde zoeken. Dat heb ik uiteraard gedaan.'

'Uiteraard. En?'

Ze leunde iets achterover en keek bedachtzaam. 'Waarom wilt u dit eigelijk weten? U kunt het toch aan meneer Van Hoorn vragen?'

Nick schraapte zijn keel. 'Tja, ziet u, dat is het probleem. Meneer Van Hoorn was mijn oom. Helaas is hij onlangs overleden.'

Ze sperde haar ogen wijd open en sloeg haar hand voor haar mond. Nick knikte langzaam en keek haar verdrietig aan.

'Dat meent u niet. Wat vreselijk. Was hij ziek?'

'Nee, het was volkomen onverwacht, een auto-ongeluk.' Nick slikte. 'Hij was mijn lievelingsoom. U zult begrijpen dat ik zijn onderzoek wil voortzetten.' Hij perste wat tranen uit zijn ogen. Anna boog zich naar voren en legde haar hand op die van hem. 'Niet alleen voor mezelf natuurlijk,' snifte hij, 'maar voor onze hele familie. Hij vertelde mij dat hij van plan was bij jullie langs te komen. Nadat hij hier is geweest, heeft hij mij nog in New York opgezocht. Dat was vlak voordat hij weer naar Amsterdam vertrok. Ik heb het nog aan hem gevraagd, maar hij wilde niets zeggen over wat hij had gevonden. Hij zei dat hij alles allemaal eerst rustig op een rij wilde zetten en het goed wilde uitwerken.'

'En daar heeft hij nooit meer de kans voor gekregen,' zei Anna zacht terwijl ze hem met vochtige ogen aankeek en het klompje aanraakte. 'De arme man. Wat afschuwelijk. Ik hoop voor u allemaal dat hij niet geleden heeft. U zult hem wel missen, maar straks komt u hem weer tegen, in het hiernamaals. U bent christen, toch? Net als hij?'

Nick knikte en snoot zijn neus. 'Daarom ben ik hier. Als er iets is gevonden wat van belang kan zijn voor onze stamboom, heeft hij mij dat niet meer kunnen vertellen. Het was zijn grootste hobby, moet u weten. Ik kan me niet anders herinneren dan dat hij daarmee bezig was.' Hij hield even op met praten. Toen zei hij: 'Ik ben ervan overtuigd dat hij zou hebben gewild dat ik zijn werk zou afmaken. Voor hem, voor onze familie.'

Ze klopte op zijn hand. 'Natuurlijk, natuurlijk. Ik snap het.'

'Wat u mij net vertelde, dat er bewijs is dat wij nazaten zijn van een van de kolonisten, dat wist ik. Meer niet. Hij heeft me niets op papier laten zien of wat dan ook.'

'Dat pak ik zo voor u, dat is geen enkel probleem. We waren erg blij dat we het hebben kunnen achterhalen. Zoals u weet, beschikken we hier over een enorme database. Maar bij uw oom kwam een verrassing boven tafel. Tijdens onze zoektocht kwamen we iets tegen, iets vreemds.'

'Wat hebben jullie gevonden?'

Ze boog zich naar hem toe. 'Het bewijs.'

'Welk bewijs?'

'Het bewijs dat er tussen uw familie en die van Peter Stuyvesant een relatie bestaat. Ik neem aan dat u daarvan op de hoogte bent? Hij vertelde dat dit een familiegerucht was.'

Nick knikte. 'Ja, ja, natuurlijk, ik herinner het mij. Het was maar een gerucht, meer niet. Ik heb er nooit iets van geloofd.'

'Dat hebt u mis, want dat is wat we hebben gevonden, dat de Van Hoorns en de familie Stuyvesant op een bepaalde manier met elkaar verbonden zijn.' Ze leunde achterover en keek hem aan met een blik van: zo, laat dat maar eens even tot je doordringen.

'Dat meent u niet.'

'Dat meen ik wel. Over mijn werk maak ik nooit grapjes.'

En over andere dingen waarschijnlijk ook niet, dacht Nick.

'Echt hoor,' ging ze verder, 'er zit een directe lijn tussen uw families. Niet te geloven toch? Ik wist niet wat ik zag. Weet u wat dit betekent? Dit betekent dat u niet alleen een nazaat bent van een van de vele kolonisten die het eiland bevolkten, maar van Peter Stuyvesant *himself*. Door de manier waarop ze het zei en hem aankeek, geloofde Nick een moment dat hij inderdaad familie van Peter Stuyvesant was.

'En het mooie is,' vervolgde ze, 'dat we nog iets anders hebben gevonden. Iets wat nu uw oom overleden is, voor u heel wat zou kunnen betekenen.'

☆☆☆

Olaf van Hoorn herinnerde het zich als de dag van gisteren. Hij liep net de studiezaal binnen toen Anna Green hem tegemoet kwam lopen met een stuk papier in haar hand. Ze zei niets, keek hem alleen aan met op elkaar geperste lippen en een verrukte blik in haar ogen. In het voorbijgaan greep ze zijn hand en trok hem mee naar buiten. Olaf wist meteen dat ze beet had. Eenmaal buiten hief ze haar armen op. 'Ik heb het, ik heb het, ik heb het gevonden.'

Als een cheerleader sprong ze op en neer en gaf hem het A4'tje.

Met stijgende verbazing las hij het stuk. Het was een afschrift van het testament van Judith Stuyvesant. Ze had het in 1679 opgesteld. Judith Stuyvesant, geboren Bayard, begon haar laatste wil en testament met het verdelen van haar aardse goederen tussen haar zoon Nicolaas Willem en haar drie kleinkinderen: de dochter van Nicolaas Willem en de twee dochters van haar overleden zoon Balthasar Lazarus. Linnen, porselein, zilver en sieraden, alles werd keurig verdeeld. Vervolgens ging ze in op het behoud van de graftombe in de privékapel op hun landgoed waar haar echtgenoot Peter Stuyvesant begraven lag. Ze mochten alles met het landgoed doen, maar die graftombe moest blijven.

Het stuk waar Olaf warm van werd, stond helemaal onderaan. Het was als laatste paragraaf toegevoegd, een aantal jaren nadat de eerste versie van het testament was opgesteld. Judith Stuyvesant had het om precies te zijn vijf jaar later, in 1684, genoteerd. Het ging over een groot stuk land op Manhattan dat Peter Stuyvesant had gekocht. Er stond dat het na haar dood moest worden verdeeld onder haar nabestaanden. Maar een deel van het land werd niet tot het geheel gerekend. Dat liet ze na aan Johannes van Hoorn, zoon van Gerbrand van Hoorn en Grietje Cramwinckel. De vraag was waarom Judith een deel van het land, dat na Peter Stuyvesants dood in haar handen was gekomen, aan die Johannes van Hoorn zou hebben geschonken. Wie was dat? De volgende dag kwam het antwoord. Anna had weten te achterhalen dat Johannes de jongste zoon was van een boerenfamilie die sinds jaar en dag van de Stuyvesants een stuk land pachtte. De koppels waren ongeveer even oud, maar Gerbrand en Grietje woonden volgens Anna Greens informatie al jaren in Nieuw-Amsterdam. Ze hadden een kleine boerderij in eigendom. Blijkbaar bracht de veehouderij niet voldoende op, en werd van de familie Stuyvesant een stuk grond gepacht. Waarom had Judith Stuyvesant dat stuk land nagelaten aan de zoon van Grietje en Gerbrand? Volgens Anna Green kon dit twee dingen betekenen: of Johannes van Hoorn was de bastaardzoon van Peter Stuyvesant, of Judith Stuyvesant en Gerbrand van Hoorn hadden een kind gekregen. Daar moesten ze dus achter te zien te komen, zei ze. Olaf had ooit een biografie over Peter Stuyvesant gelezen, en wist Anna te vertellen dat Judith vijfendertig jaar oud was toen ze met Stuyvesant in het huwelijksbootje stapte. Voor die tijd een vrouw op leeftijd. Ook stond er dat ze met veel moeite twee kinderen op de wereld had gezet, Nicolaas en Balthasar. Bij de bevalling van de laatste was ze er zelf haast aan onderdoor gegaan.

Het eerste wat ze deden was de leeftijd van Judith Bayard en Johannes van Hoorn naast elkaar leggen. Ze zagen meteen dat de kans nihil was dat Judith Bayard op die leeftijd nog een kind ter wereld had gebracht. Er was maar één conclusie mogelijk. Johannes van Hoorn moest de bastaardzoon zijn van Peter Stuyvesant, dat kon gewoon niet anders. Dat hield in dat hij, Olaf, een nazaat van de familie was. Dat niet alleen, het betekende ook dat hij recht had op het stuk grond dat aan Johannes was nagelaten.

☆☆☆

'Hij is een nazaat van Stuyvesant,' zei Nick.

'Een wat?'

'Ja. Het is te belachelijk voor woorden, maar het schijnt echt zo te zijn.'

Stedman voelde zijn hart tekeergaan. 'Welk deel van Manhattan was precies van hem?'

'Dat vroeg ik me direct af, daar wisten ze in Utah niets van.'

'Zoek het uit. En hoe zit het precies in elkaar, die vermeende familieconnectie tussen die twee?'

'Hoogstwaarschijnlijk heeft Stuyvesant de vrouw van een van zijn pachters zwanger gemaakt. Ene Grietje Cramwinckel, gehuwd met Gerbrand van Hoorn.'

'Dat valt toch niet te bewijzen, behalve als het zwart op wit staat, als Stuyvesant dit ergens heeft genoteerd. Of ben ik nou gek?'

'Naar mijn weten heeft Stuyvesant dat niet gedaan.'

'Nou, dan is er niets aan de hand. Klaar dus.'

'Nee, sir, helaas is het nog niet klaar. De vrouw van Stuyvesant wist hier blijkbaar van. Het moet een vergevingsgezind type zijn geweest. Ze heeft een deel van hun land aan die bastaardzoon van Stuyvesant, die de naam van zijn vader kreeg en daar is blijven wonen, nagelaten. Johannes van Hoorn. Het staat in haar testament. Dat heeft ze na het overlijden van Peter Stuyvesant opgesteld. In Salt Lake City hadden ze daar een afschrift van.'

'Een afschrift. Daar hebben ze dus niets aan. Het gaat om het origineel.'

'Dat bedacht ik ook. Al is het alleen maar om de handtekeningen. Anna Green vertelde mij dat ze de kans groot achtte dat het origineel vernietigd is. Als het nog bestond wist ze bij wie we dat kunnen achterhalen.'

'En?'

'Volgens haar zou het origineel in het archief kunnen zitten waar momenteel zoveel om te doen is, u weet wel, met dat Hudson-jaar en alles. Daar heeft ze Van Hoorn ook op gewezen. Alle overgebleven stukken uit de periode dat de Hollanders hier zaten, zitten daarin. Zoals ik al zei, het kan zijn dat dit exacte stuk het niet heeft overleefd, maar als het ergens is, moet het daarin terug te vinden zijn. Zo niet, dan wordt het zoeken naar een speld in een hooiberg.'

'Waar is dat archief?'

'De organisatie die het beheert, heet Project Nieuw-Amsterdam. Ze zijn al jaren bezig het archief te ordenen en de teksten te ontcijferen. Degene die er alles over weet, die de documenten vertaalt, is ene Donald Christie.'

'Dat vroeg ik niet. Ik vroeg je waar het archief is.'

Nog even volhouden, dacht Nick. Hij keek uit naar de dag dat hij Stedman ging vertellen dat hij zijn ontslag nam. Hij verlangde ernaar diens verschrikte gezicht te zien. Stedman kwam hem al maanden zijn strot uit met zijn gecommandeer.

'Een deel van het archief is hier en er liggen ook documenten in Nederland. Daar zit Christie momenteel ook.'

'Bel die man op en vraag hoe het zit. Nee, wacht, ik weet het nog beter gemaakt. Verzin er maar een mooi verhaal bij, beloof hem geld, doe wat je wilt. Ik moet dat originele testament hebben. Als hij het heeft, wil ik letterlijk weten wat erin staat. Als daaruit blijkt dat wij in de problemen gaan komen, wil ik dat je het vernietigt.'

'En als hij mij nou niets wil vertellen? Wat als hij het niet af wil staan?'

'Op die belachelijke vraag ga ik niet eens antwoord geven.' Nick stond al bij de deur toen Stedman hem terugriep. 'Weet je wat, laat maar zitten. Ik bedenk me dat ik iemand ken die mij nog wat verschuldigd is. Ik vraag het hem wel, dan kun jij je met andere dingen bezighouden. We hebben wel meer aan ons hoofd.'

PROJECT NIEUW-AMSTERDAM

Donald Christies log

Ik zit in een spagaat. Ik kom er steeds meer achter dat de scheidslijn tussen goed en kwaad dun is, zeer dun. Ik hoop dat, zodra het allemaal uitkomt wat ik heb gedaan, het begrepen zal worden. Dat ik het niet voor mezelf heb gedaan, maar voor mijn project. Voor Nederland.

Ik bedacht laatst dat mijn strubbelingen sterk lijken op die van de twee mannen die hun stempel op Manhattan hebben gedrukt. De ene was Peter Stuyvesant. De ander zijn aartsvijand Adriaen van der Donck. Twee mannen met dezelfde liefde: Manhattan. Maar ook liefde is niet onbaatzuchtig. Die eigenschap is aan geen enkel mens toe te kennen, hoe graag hij dat ook zou willen. Dat geldt ook voor mij.

Binnen enkele jaren nadat Stuyvesant in Nieuw-Amsterdam aankwam, kreeg hij het met Adriaen van der Donck aan de stok. Van der Donck, die in Leiden had gestudeerd, zat al een tijd in Nieuw-Nederland. Hij wierp zich nu op als spreekbuis en advocaat van de kolonisten. Stuyvesant plaatste Van der Donck onder huisarrest. Met die daad wilde hij laten zien dat er met hem niet te sollen viel. Maar niet veel later liet Stuyvesant Van der Donck weer vrij. Die vertrok op zijn beurt direct naar de Republiek om zijn beklag te doen en zijn beoogde reorganisatie van de kolonie onder de aandacht van de Staten-Generaal te brengen. Namens de kolonisten eiste Van der Donck dat de Staten-Generaal zelf de kolonie zouden gaan besturen, in plaats van de WIC. Na publicatie van deze formele klacht van de kolonisten, maakte heel Nederland kennis met Nieuw-Nederland. Blijkbaar was het stuk dat Van der Donck had geschreven zo gepassioneerd opgesteld, dat veel Nederlanders besloten te emigreren naar de overzeese kolonie in het land van de onbegrensde mogelijkheden.

Uiteindelijk werd het verzoek van de kolonisten ingewilligd. Stuyvesant werd niet teruggeroepen, hoewel dat weinig scheelde en het werd Van der Donck verboden terug te keren.

Van der Donck was verslagen, maar hij gaf niet op. Hij schreef een boek over zijn leven in de kolonie. Alle liefde en hartstocht die hij voor Nieuw-Nederland koesterde, kwam erin terug. Hij schreef over het landschap, over de dieren en de mensen, maar ook over de onbegrensde mogelijkheden die het immense land de Republiek der Nederlanden zou kunnen bieden. Hij doelde niet alleen op de unieke producten die daar te vinden waren, maar ook dat Nieuw-Nederland perfect kon fungeren als thuishaven voor alle vluchtelingen die hun heil in de Republiek zochten en waar het voller en voller werd. Op die manier zou, aldus Van der Donck, deze nieuwe kolonie een grootmacht worden, zo groot dat het zelfs de Republiek in macht zou overstijgen. Met zijn vooruitziende blik schreef hij dat mensen afkomstig uit verschillende landen van het Europese continent zich daar zouden gaan settelen en het land tot hun nieuwe thuis zouden maken. Uiteindelijk kreeg Van der Donck permissie terug te keren naar Nieuw-Nederland en ging weer wonen op zijn landgoed aan de oever van de rivier de Hudson. Daar werd hij, pas zevenendertig jaar oud, door indianen vermoord.

Peter Stuyvesant en Van der Donck. Tegenpolen. Twee mannen met een totaal andere achtergrond. Van der Donck, een intellectueel, universitair geschoold. Iemand die wilde dat de Hollandse regering zeggenschap over Nieuw-Nederland kreeg om te waarborgen dat de kolonisten gesteund en beschermd werden. Hij deed het voorkomen onbaatzuchtig te zijn. Daar bestaan twijfels over. Er wordt beweerd dat hij de marionet was van een aantal landeigenaren in Nieuw-Nederland die het goed uit zou komen als het WIC-bestuur aan de regering van Holland zou worden overgedragen.

Daartegenover zetten we Stuyvesant, zoon van een calvinistische dominee, een loyale WIC-man. Rechtlijnig, iemand die de touwtjes strak in handen wilde houden. Natuurlijk, zijn gezagsgetrouwheid was misschien net iets te autoritair, maar toch. Wellicht was het nodig. Wellicht leidde dat juist tot evenwicht en rust. Iemand moest uiteindelijk de baas zijn.

Daar zit ik nu tussenin, tussen die twee mannen, die twee karakters. De strijd om mijn project zie ik als een intellectuele strijd, een gevecht voor de wetenschap, voor informatie die ons dingen zal leren. Aan de andere kant zie ik mijn project de laatste tijd als een krachtmeting, iets wat moet en zal overleven. Daardoor woedt er in mij een agressie die verre van intellectueel is, dat ik koste wat kost mijn project zal behouden en desnoods over lijken zal gaan.

17

Kes stopte een stoommaaltijd in de magnetron, trok een fles wijn open en staarde door het ruitje naar het bakje dat langzaam ronddraaide.

Haar blocnote stond vol notities. Donalds enthousiasme werkte aanstekelijk, maar eerder op een negatieve dan op een positieve manier. Het drong tot haar door dat ze iets kwijt was geraakt. Vergeleken met Donald kwam haar eigen ambitie haar geforceerd over, alsof het iets was wat ze ooit had bedacht, helemaal buiten haar stond. Donald had haar wakker geschud, drukte haar in zijn fanatisme met haar neus op de feiten, namelijk dat zij haar oprechte gedrevenheid had vervangen door een drijfveer die niets meer waard was, omdat het haar alleen nog om de afleiding ging zodat ze niet over zichzelf hoefde na te denken.

Haar therapeut had haar gezegd dat ze het van zich af moest schrijven. Daar was ze mee begonnen, maar ze kreeg het gevoel dat het daardoor juist meer naar haar toe kwam. Kes wist dat dat precies de bedoeling was, maar het blokkeerde haar eerder dan dat er meer bij haar loskwam. Voordat ze begon te schrijven, had ze eerst alles eens goed op een rij gezet. Ze had uren zitten nadenken wat ze aan haar laptop zou toevertrouwen en vooral wat niet. Dat was niet de bedoeling, dat ze bij voorbaat al zo'n schifting maakte. Volgens haar therapeut moest ze het lekker laten gaan allemaal, gewoon alles opschrijven wat in haar opkwam. Makkelijker gezegd dan gedaan. Je moet het maar kunnen, had ze gedacht. En je moet het ook maar willen. Zeker vijf documenten had ze al verwijderd. Toen ze haar therapeut dit liet weten, had ze te horen gekregen dat dat nou juist niet de bedoeling was. 'Gooi het er maar lekker uit.' Therapeutisch clichégezwam. Het is bovendien maar wat je lekker noemt. Ook vroeg ze zich af welke gek ooit had bedacht dat verdringing slecht voor de mens is. Het klopt dat het sommigen tot wanhoop dreef, dat het bij hen leidde tot zelfmoord, of dwangneurosen of steenpuisten op hun rug. Bij haar werkte dat niet zo. Verdringing was haar overlevingsstrategie.

Ze kiepte haar maaltijd op haar bord, pakte de fles bij de hals en ging achter haar computer zitten. Tussen de mails die ze had ontvangen zat er een van de notaris die het testament van Robert in behandeling had. Een paar dagen na Roberts begrafenis had hij contact met haar opgenomen om haar te laten weten dat zij in Roberts testament genoemd werd, maar dat het nog een tijd zou duren voordat ze zou horen wat de uitkomst was. Terwijl de notaris haar vertelde hoe ingewikkeld het allemaal in elkaar zat, had ze met een half oor geluisterd. Toen hij klaar was zei ze: 'Weet u wat, ik leg alles in uw handen. Ik stuur u een brief waarin ik u volledig mandaat geef om het voor mij af te handelen. Ik wil er tussentijds niets mee te maken hebben.' Alle post die ze van de notaris kreeg, had ze ongeopend weggegooid en ze had de mails nooit opengemaakt. Even bleef ze weifelend boven de button hangen en klikte.

De mail was helder: Robert had een deel van zijn vermogen aan haar nagelaten. De notaris schreef dat hij de berekening in een Excelbestand had bijgevoegd. Ze klikte het open. Terwijl ze een slok wijn nam gleed haar blik over de kolommen. Toen ze de vetgedrukte cijfers onderin zag staan, kostte het haar moeite de wijn door te slikken omdat haar slokdarm zich in een krampreflex afsloot.

Ze hoestte het laatste restje wijn uit haar slokdarm.

Kes schoof haar bord opzij, legde haar kin op haar handen en fronste naar het bedrag dat ze zag staan: 250.000 euro. Ze had hier een dubbel gevoel over. Natuurlijk, het geld zou haar de vrijheid geven om freelancer te worden, maakte haar onafhankelijk. Ze kon over elk onderwerp dat haar interesseerde gaan schrijven en kijken of ze de stukken gepubliceerd kon krijgen. Zo niet, dan bleef ze hoogstwaarschijnlijk achter met een gedeukt ego, maar zonder een deuk in haar portemonnee. Aan de andere kant was dit niet iets wat ze helemaal zelf voor elkaar had gekregen. Het kwam op haar pad. En zoals het altijd ging bij dingen die ze in de schoot geworpen kreeg, voelde ze zich er niet prettig bij. Het gaf haar altijd het gevoel dat er een addertje onder het gras zat. Niet dat ze nu een keus had. Of ze het nou wilde of niet, ze zou het geld krijgen.

Ze stak een sigaret op en blies de rook van de eerste trek hoorbaar uit. Waarom deed ze dit nou? Waarom moest ze overal altijd zo moeilijk over doen? Ieder ander zou een gat in de lucht springen. En wat deed zij? Twijfelen aan wat ze ermee moest. Robert had het niet voor niets aan haar nagelaten. Ze zou zich vereerd moeten voelen. Bovendien: weggeven kon altijd nog.

Plotseling schoot ze vol en vloekte door haar tranen heen. Hoe lang zou dit nog duren? Het rouwproces duurt vier seizoenen, zei iedereen altijd. Maar hoe zat dat dan als je in een land woonde zonder seizoenen? Hoe lang duurde het dan? En hoe lang duurde het wel niet als er in je gevoel helemaal geen seizoenen voorkwamen? Jaren? Decennia? Tot in de eeuwigheid? Het waren niet de grote dingen die ze miste, maar juist die kleine. Zijn schokkerige slaapstuipen, de glimlach op zijn gezicht als hij sliep, het stiekem door haar wimpers naar hem kijken als hij zijn ochtendoefeningen aan het doen was. De manier waarop hij al boerend 'ik hou van jou' zei. Zijn bejaarde levensgevaarlijke rijstijl, de benzinestationbloemen die hij voor haar meebracht omdat ze 'daar zo op de tocht staan'.

Ze miste hem met heel haar hart. Te veel, was gebleken. Als ze haar werk niet als afleiding zou hebben, zou ze krankzinnig worden, dat wist ze zeker.

18

Aan beide kanten van de hangar stonden de schuifdeuren open. De wind dook er aan de voorkant doorheen, zwiepte door de immense ruimte en vond aan de achterkant een uitweg.

Bij elke vlaag bewoog Nathalie zachtjes mee, alsof ze een wandelende tak was die meedeint op de wind om zijn camouflage in stand te houden. Haar haren sloegen als venijnige zweepslagen tegen haar gezicht. Ze pakte ze samen, propte ze in haar kraag en stak haar handen weer diep in haar zakken.

Nathalie vervloekte zichzelf. Om te beginnen met de keus van haar Italiaanse laarzen met een hak van acht centimeter en de dunne leren zolen waardoor de kou omhoogtrok tot ze die tot diep in haar botten voelde. Daarnaast stond ze volkomen voor schut hier in de loods. Ze leek wel gek, dat ze hier stond te wachten totdat de krat opengemaakt zou worden waar hopelijk de Schagenbrief in zat. En ze was woedend op Tristan Geurts. Het was belachelijk dat hij van haar verwachtte dat zij, zonder enige steun, zonder enige diplomatieke inmenging, die brief terug moest zien krijgen.

'Opgeblazen windbuil,' mompelde ze en riep: 'Is dat 'm?' naar de man van de transportdienst die erop moest toezien dat alles veilig uit het vliegtuig gehaald werd. Vanuit de verte keek de man even op, wees naar de kist die aan hem voorbijgleed en schudde zijn hoofd.

Nathalie begreep heel goed waarom de transporteur chagrijnig was. Dat zou zij in zijn geval ook zijn. Ze had hem gezegd dat ze namens het consulaat kwam controleren of de brief goed was aangekomen. Dit wantrouwen was de man in het verkeerde keelgat geschoten.

'Dat is juist onze taak, mevrouw,' had hij op geërgerde toon tegen haar gezegd. 'Ik heb op ze gepast als een moeder op haar kroost.' Hij had op het laadruim gewezen. 'Ik heb er zelfs naast geslapen.'

'Ja,' bitste ze. 'Zitten slapen.' Ze kon de woorden 'irritant rotwijf' haast van zijn gezicht aflezen. 'Het kan me niet schelen. Jullie worden door ons betaald, en ik kom kijken of jullie je geld waard zijn.'

'Best, maar ik kan u nu al verzekeren dat alles in orde is.'

'Eerst zien, dan geloven.' Ze hoorde zichzelf praten. Inderdaad een irritant rotwijf.

De transporteur had niets meer tegen haar gezegd en was naar de laadklep gelopen die langzaam naar beneden zakte. Achter elkaar werden de kisten naar buiten gerold. Er kwam geen einde aan.

Omdat een seintje van zijn kant uitbleef, verdacht Nathalie de transporteur ervan dat hij haar kist had aangewezen als die welke met de allerlaatste barenswee door het geboortekanaal van het vliegtuig zou worden geperst, alleen om haar te sarren, omdat hij zag dat ze stond te vernikkelen van de kou. Ze keek zijn richting uit en wreef met een uitvergroot gebaar met haar handen over haar bovenarmen, in de hoop dat hij het zou zien. Een kwartier later stak hij zijn hand op en wenkte haar.

'Hier is ie.'

'Maak maar open,' riep ze terwijl ze naar hem toe liep en naast hem op de laadklep ging staan.

Hij trok een gezicht. 'U begrijpt toch wel dat het uitermate onverstandig is deze hier te openen, in deze omstandigheden? Mevrouw, dit hier wordt niet voor niets een klimaatkist genoemd.'

'U hoeft mij de les te niet lezen. Ik ken de risico's en weet wat ik doe.' Ze wees naar de kist. 'Openmaken graag. Nu, voordat ik in een ijsschots verander.'

Terwijl de transporteur bedacht dat ze dat allang was, stapte hij op de kist van zo'n anderhalve meter hoog af. Op de zijkant stonden links twee rode pijlen die omhoog wezen, met een paraplu eronder. Aan de rechterkant twee pijlen met daaronder een glas. Met veel moeite wrikte de transporteur de bovenkant open. Hij wenkte een medewerker en samen tilden ze het deksel op. Nathalie stapte naar voren, trok zich aan de rand omhoog en keek naar binnen.

'Waar is het?'

Hij duwde zijn elleboog net een beetje te hard in haar zij. 'Als u mij even de ruimte geeft, kan ik het voor u pakken. Dat doe ik liever zelf.'

Nathalie deed een paar passen naar achteren. Ze sloeg haar armen over elkaar en keek toe hoe de transporteur het nummer van de doos op zijn lijst opzocht, zich vooroverboog en met wat dozen begon te schuiven.

Wat een poppenkast, dacht ze. Ze wist wat er ging komen. De man zou de hele kist leegtrekken, terwijl zijn gezicht steeds roder werd. Dan, onder het gemompel van verontschuldigingen, zou hij haar zeggen dat het pakje er niet in zat. Enerzijds keek ze ernaar uit haar gelijk te krijgen. Aan de andere kant moest ze er niet aan denken, hoopte ze met heel haar hart dat de brief er in zou zitten.

Hij kwam inderdaad met een rood hoofd omhoog, en met een doos.

'Hier is het.'

Ze verstijfde. 'O? Ik...'

'Dit is 'm. Deze wilde u toch zien? Nou, alstublieft.' Hij hield de doos horizontaal vlak voor haar neus en bewoog deze langzaam van links naar rechts.

Ze knikte.

'Hier, ziet u.' Hij hield zijn lijst vlak voor haar gezicht. 'Het nummer. De een na onderste. Gezien? Ik wil graag nu verder, ik loop al achter op het schema.' Hij boog zich om de doos terug te leggen.

'Nee, wacht even, daar heb ik helemaal niets aan, aan zo'n nummer, er kan van alles in zitten. Het moet opengemaakt worden. Ik wil met eigen ogen zien of het erin zit.'

Hij glimlachte. 'Dat mag u dan verder zelf regelen. Volgens mij bent u zeer goed op de hoogte van onze mandaten, dus ik begrijp uw verzoek niet helemaal. Wij zijn niet verzekerd zodra iets wordt opengemaakt. Met het openen van de kist ga ik al ver buiten mijn boekje. Hier trek ik mijn grens. Als u de brief wilt zien, moet u bij het museum zijn, niet bij ons. Wij doen alleen het transport. Daar houdt het mee op.'

'Wanneer komt het daar aan?'

'Nou, als we verder niet gestoord worden, over een paar uur.'

Ze knikte. 'Goed. Dan ga ik daarheen.'

'Ik neem aan dat u weet waar u moet zijn?'

Zonder iets te zeggen draaide Nathalie zich om en liep weg.

Vanaf haar plek achter het raam van Starbucks zag Nathalie de kleine vrachtwagen die ze eerder in de hangar had zien staan de straat in rijden. De vrachtwagen keerde en reed met piepsignalen achteruit de doodlopende straat in die naar de achterkant van het museum leidde. Ze stond op, haalde nog een caffè latte en ging weer op haar kruk zitten. Ze had geen zin in prietpraat, en vooral niet in allerlei vragen die de museummedewerkers haar zouden gaan stellen. Ze zag nog het meest op tegen de confrontatie met museumdirecteur Stephanie Miller. Zij had zich jarenlang voorbereid op het moment dat ze de Schagenbrief mocht exposeren en het Nederlandse prinselijke paar in haar museum mocht verwelkomen. De kans was groot dat Stephanie haar, nadat ze had ontdekt dat de brief verdwenen was, met de lege doos om haar oren zou slaan.

Anderhalf uur en twee koppen koffie later raapte Nathalie haar moed bij elkaar en liep het museum binnen. Niet lang nadat ze zich had aangemeld kwam Stephanie met gespreide armen op haar aflopen en drukte haar tegen zich aan. Van alle reacties die Nathalie had verwacht, was dit wel de laatste. 'Engel, je bent een engel.' Ze duwde Nathalie iets van zich af, pakte haar gezicht met twee handen beet. 'Hij is hier, Nathalie, de brief, hij is eindelijk hier. Bij mij. Bij ons.'

Nathalies mond viel open. Ze voelde zich als een ter dood veroordeelde op een elektrische stoel die een seconde voordat de schakel wordt omgezet gratie krijgt.

'Ha, je reageert precies zoals ik.' zei Stephanie blij. Ze sloeg Nathalie op haar bovenarm en kneep er even in. 'Sprakeloos was ik. Net als jij nu. Spra-ke-loos. Kom mee.' Ze pakte Nathalie bij haar hand en sleurde haar achter zich aan het museum in.

Het was donker in de ruimte die voor het publiek nog niet toegankelijk was. Verspreid over de vloer stonden tientallen perspex bakken die door spots werden belicht. Ze waren allemaal nog leeg, op een na waar een groep museummedewerkers omheen stond.

'Ik kon gewoon niet wachten,' hijgde Stephanie in haar oor. 'Ik moest kijken hoe het zou staan, of we het goed hebben neergezet, of het zou passen. Kun je je dat voorstellen?' Ze verhief haar stem en greep Nathalie bij haar arm. 'Maak ruimte mensen, maak ruimte voor de vrouw die het allemaal geregeld heeft.' Ze duwde Nathalie naar voren. Met een rood hoofd knikte Nathalie de medewerkers toe die voor haar opzij gingen. Daar lag hij, de Schagenbrief, prachtig uitgelicht in een glazen bak. Ernaast lag de transcriptie.

'Dat is 'm?'

'Ja,' riep Stephanie, 'dit is hem nou. Wat denk je? Denk je dat de koninklijke familie het mooi zal vinden? Vind je hem hier goed liggen? Of moet ie iets meer naar het midden? Qua verlichting bedoel ik dan.' Ze legde haar wijsvinger op haar lippen. 'Hm, we kunnen hem natuurlijk ook...'

'Nee, nee, hier ligt ie volgens mij goed.' Nathalie keek naar de jongeman die met een accuboor in zijn handen naast het exhibit stond. 'Hij gaat zo dicht?'

'Ja. Nathalie, is er iets met je? Voel je je wel goed? Je kijkt zo... Je kunt echt trots op jezelf zijn hoor, dat je dit hebt geregeld, dat het allemaal gelukt is.'

Nathalie glimlachte en legde haar hand op Stephanies schouder. 'Je hebt gelijk, het dringt nu pas tot me door, nu ik de brief hier zie liggen. Ik ben hartstikke blij dat het allemaal goed is gegaan. Echt. Wat mij betreft kun je hem nu dichtmaken.'

'Gaan we doen.' Stephanie gaf de jongen een seintje. Binnen een kwartier zat het deksel op de bak geschroefd.

'Zo,' lachte Stephanie. 'Nu kan niemand er meer bij.'

'Inderdaad,' antwoordde Nathalie. 'Stephanie, het spijt me enorm, maar ik moet gaan. Ik kwam alleen even kijken hoe het hier gaat. Ik moet mijn vliegtuig halen voor de boekpresentatie van Donald Christie.'

'Wat leuk. Doe hem veel groeten.'

'Doe ik. Zie je snel.'

Zodra ze buiten was, toetste ze Tristans nummer in. 'Hij is er. Tristan, hij is er gewoon, hij is helemaal niet gestolen, hij ligt nu, *as we speak*, in het museum, veilig opgeborgen in de vitrine.'

'Is hij echt?'

Het verbaasde Nathalie niet dat hij dit zei, aangezien dat ook het eerste was wat door haar hoofd schoot toen ze de brief had zien liggen, dus had ze haar antwoord al klaar. 'Wat maakt het uit? Er ligt een brief, de Schagenbrief. Of die echt is of niet doet nu even niet ter zake. We zijn uit de brand. Tristan, het gaat allemaal goed komen.'

'Eerst zien, dan geloven,' bromde Tristan en hing op.

Hij had gelijk, dacht Nathalie. Als deze brief een vervalsing was, en achteraf zou blijken dat zij dit vermoeden had maar er niets over had gezegd, was ze nog niet jarig. Ze liep het museum weer in en botste bijna tegen Stephanie op die in de hal stond.

'Hé, ben je daar weer?'

'Ja, ik heb nog een vraag, jullie controleren de documenten hier toch ook op echtheid?'

'Ja, hoezo? Is er iets aan de hand?'

'Nee, het is alleen dat de verzekeringsmaatschappij me in mijn nek zit te hijgen, vandaar.'

Stephanie glimlachte. 'Ah, daar weet ik alles van. Ze zijn er nu mee bezig, met de andere documenten dan. De Schagenbrief is als eerste gecheckt. Alles is in orde.'

Tristan Geurts klonk opgelucht toen ze hem het nieuws liet weten. 'Dan hebben we ons dus voor niks druk zitten maken,' zei hij. 'Ik ben blij toe. Ik heb erover na zitten denken, over wie het zou kunnen zijn. Je raadt nooit wie als eerste in me opkwam.'

'Nou?'

'Donald Christie.'

'Donald? Hoe kom je daar nou bij? Nee, daar is hij de persoon niet naar. Zoiets zou hij nooit...'

'Hij heeft tientallen ingangen bij het Nationaal Archief. Letterlijk en figuurlijk. Waarschijnlijk mag hij daar gewoon los rondlopen. Niemand die hem in de gaten houdt, niemand die hem daar op zijn vingers zit te kijken. Als er één persoon is die de Schagenbrief had kunnen ontvreemden, was hij het wel.'

'Hm. Toch vind ik het nogal vergezocht.'

'Maar goed, daar hoeven we het niet meer over te hebben. We zijn er nu van af. Wanneer ben je terug?'

'Over een paar dagen.'

'Nou, goeie reis dan maar.'

'Dank je.'

Nathalie hing op en keek peinzend naar haar telefoon. Ze waren er helemaal niet van af. Er sluimerde continu iets in een hoekje van haar hersenen. Het zat aan haar te morrelen, als een monteur op zoek naar een defect. Ze kon het maar niet thuisbrengen en dat bezorgde haar een onaangenaam gevoel. Het kon niet zo zijn dat er niets aan de hand was, dat iemand een grap met haar had uitgehaald. De boodschap die ze had gekregen, die stem. Er klopte iets niet. En nu die opmerking van Tristan over Donald. Het zat haar helemaal niet lekker.

19

Donald opende zijn ogen. Langzaam drong het tot hem door dat hij boven zijn werk in slaap was gevallen. Zonder van houding te veranderen, strekte hij zijn armen over het tafelblad, tot zijn vingertoppen de onderkant van het sepiakleurige papier raakten. Hij trok het iets naar zich toe. Vederlicht gleden zijn vingers eroverheen, alsof de tekst in braille geschreven was en deze via zijn vingers naar zijn hersenen zou worden doorgeseind. Maar de tekst was geschreven met een ganzenveer en in een taal die morsdood was.

Hij richtte zijn hoofd op. Nooit had hij gedacht dat het zover zou komen. Dat uitgerekend hij zich hiertoe zou verlagen. Als iemand ooit tegen hem zou hebben gezegd dat hij zijn eigen werk nog eens zou saboteren en hij zich met criminele praktijken bezig zou gaan houden, had hij die persoon een draai om zijn oren gegeven. Maar hij had daarbij buiten zichzelf gerekend, had niet verwacht dat hij ertoe in staat zou zijn alles waar hij voor stond opzij te gooien zolang hij maar door kon gaan met zijn grote liefde, zijn werk.

Tot nu toe had hij op de automatische piloot gefunctioneerd. De beslissing was snel genomen, en hij had er 's avonds en 's nachts aan doorgewerkt. Pas nu het klaar was, drong het tot hem door wat hij gedaan had. Hij voelde een misselijkheid opkomen en haalde diep adem. Naast deze confrontatie met zichzelf was er een andere die hem onwel maakte. Dat had met haar te maken, met Kes. Niet om wie ze was, maar om wat ze bij hem opriep, want in haar zag hij zijn eigen jeugdige nieuwsgierigheid terug. Hij had haar ervan beschuldigd dat ze verzaakte en oppervlakkig was. Terwijl hij die woorden uit had gesproken, wist hij dat hij het tegen zichzelf had. Hij was degene die verzaakte, degene die zichzelf verloochende. Natuurlijk, hij deed het niet voor eigen gewin. Maar nu vroeg hij zich af of het dit allemaal wel waard was. Zelfs de oplossing die hem was aangereikt en waar hij zo meteen de vruchten van kon plukken, bracht hem geen soelaas. Hij voelde zich er alleen nog ellendiger door.

Hij keek op zijn horloge. Over een paar uur was zijn boekpresentatie en moest hij doen alsof er niets aan de hand was. Hij hoopte dat hij het vol zou houden.

☆☆☆

Kes keek om zich heen. Alle statafels in de Compagniezaal van het West-Indisch Huis waren bezet. In de verte, bij het kleine podium, stond Donald met een vrouw te praten.

Ze liep naar de buffettafel en pakte een glas witte wijn. Op het moment dat ze een slok nam, werd ze op haar schouder getikt. Ze draaide zich om en verslikte zich. Terwijl ze hoestte, klopte Steven Stoutenbeek haar op haar rug.

'Wat doe jij hier?' piepte ze.

Hij hield de uitnodiging voor haar neus. 'Kijk. Helemaal legaal verkregen.'

'Sodemieter op.'

'Hoezo, is dit jouw terrein?'

'Toevallig wel ja.'

'Goh, ik wist niet dat jij je met dit soort zaken bezighield.' Steven keek om zich heen. 'Het lijkt hier wel een bejaardensoos.'

'Waarom ben je hier, Steven?'

'Om dezelfde reden als jij, verslag doen van dit fantastische evenement. Of ben jij hier voor iets anders?' Hij wees naar het glas in haar hand. 'Gratis drank misschien?'

Ze keek hem aan en vroeg zich voor de zoveelste keer af wat haar had bezield. Het liefst gaf ze de vier gin-tonics die ze die avond achterover had geslagen de schuld, maar dat was te kort door de bocht.

Die bewuste avond dat ze met Steven naar bed was geweest, was niet de eerste keer dat ze hem had ontmoet. Het journalistenwereldje in de hoofdstad was klein, en het feit dat ze allemaal dezelfde kroeg in Amsterdam bezochten, maakte het nog kleiner. Ze had hem daar vaak zien staan, op zijn vaste plek aan de hoek van de bar. Op het moment dat ze met haar collega Mirjam aan de bar was gaan zitten, had hij de barkeeper gewenkt en naar hen gewezen. Voor ze het wisten stond er een gin-tonic voor hun neus. 'Wat een blaaskaak,' had Mirjam gezegd terwijl ze het glas van zich afschoof en een witte wijn bestelde. 'Jij ook een?' Toen Kes haar hoofd schudde, had Mirjam haar tegen haar been geschopt. 'Jezus, Kes, kijk niet zo naar die vent. Je weet toch wie dat is.'

Terwijl ze glimlachend naar Steven keek, die zijn glas hief, zei ze: 'Nou en?' en proostte terug.

'Hij neukt alles waar een gat in zit. Mensen, dieren, bagels, cd's, autobanden, inktvisringen, stopcontacten, echt alles.'

Kes proestte het uit.

'Geloof je me niet? Kijk, als hij nou kon schrijven, oké. Heb je weleens een stuk van hem gelezen? Oppervlakkig, onleesbaar en geen touw aan vast te knopen.'

'Dat hij geen hoogvlieger is, betekent toch niet dat ik geen drankje van hem mag aannemen?' Ze keerde zich naar Mirjam. 'Wat is je probleem? Heb jij soms...? Ah, nee, jij?' Gierend van het lachen hing ze over de bar.

'Hou je nou maar rustig,' mompelde Mirjam.

'En, was het wat? Ja, ik zie het aan je, je wordt rood.'

'Eerlijk gezegd wel.'

'Hoe vaak?'

'Een keer, en dat was meer dan genoeg.'

'Hij is goed zeg je net.'

'Jawel, maar helaas zit er boven op dat goddelijke lichaam een hoofd met de herseninhoud van een garnaal. Dodelijk vermoeiend.'

'Hm.' Kes keek Stevens kant op, die, terwijl hij met iemand stond te praten, haar kant op bleef kijken. Aan het eind van de avond was ze met hem meegegaan.

Nu ze eraan terugdacht werd ze overvallen door schaamte. Niet omdat ze zich volledig had laten gaan of dat ze de hele buurt bij elkaar had geschreeuwd, maar omdat het met hem was geweest. Ze zag het weer voor zich.

Ze had tegengestribbeld. Eerst een klein beetje, maar toen ze zijn opwinding voelde, begon ze zich expres heftiger te weren. Haar hand raakte zogenaamd per ongeluk zijn kruis en ze voelde dat hij hard was. Hij had haar naar de muur gedraaid en kreunend haar rokje omhoog getrokken en haar panty afgestroopt. Ze legde haar handen tegen de muur. Hij had haar heupen stevig vast en bleef haar vragen of ze het lekker vond, constant, telkens opnieuw, terwijl hij diep in haar stootte. Tussendoor gaf hij zelf antwoord. Toen had ze al kunnen weten hoe het afliep. Mannen die tijdens seks retorische vragen stellen, werden door haar en haar vriendinnen 'bevestigers' genoemd. Met Steven had ze voor honderd procent met een 'bevestiger' te maken. Even hield hij zijn mond. Het was het moment waarop zijn handen naar boven gleden en hij haar borsten greep. Hard kneep hij erin. Alsof het een signaal was, kwam hij klaar met een paar hoge piepgeluiden, gevolgd door een ingehouden schreeuw.

De rest van de avond was precies zo verlopen zoals Kes had gedacht. Ze was uitgebreid aan haar trekken gekomen en had vervolgens haar mond zodanig voorbij gepraat dat hij er met haar scoop vandoor was gegaan. Alles aan Steven verraadde dat zijn IQ even hoog was als die van een amoebe. Daarom had de nasleep haar volkomen verrast.

Steven greep in het bakje met nootjes. 'Wat dacht je nou, Kes, dat je de beste seks die je ooit hebt gehad gratis en voor niks zou krijgen?' Hij goot de noten in zijn mond en lachte zijn tanden bloot.

'Ik zou jezelf maar niet zo de hemel in prijzen Steven, zo goed was je nou ook weer niet. Dat jij je verhalen bij elkaar moet neuken is ondertussen bekend.'

'Denk je dat ik me zorgen maak? Over hoe mensen over mij denken? Dat interesseert me geen ruk. Ik zou me als ik jou was meer om jezelf bekommeren. Jouw imago heeft pas echt een deuk opgelopen. Van mij weet iedereen wel hoe ik in elkaar zit. Maar dat de perfecte Kes van Buren een steek laat vallen? De protegee van Bart Bonnier? Het hoertje van de werkvloer? Dat is pas echt nieuws.'

Hij sloeg zijn arm om haar heen en drukte haar tegen zich aan. 'Zal ik je troosten?' fluisterde hij in haar oor. Ze schudde zijn arm van haar schouders en hief haar hand op om hem een klap te geven, maar hij greep haar bij haar pols.

'Kes van Buren?'

Ze rukte zich los uit Stevens greep en keek om. 'Ja?'

'Mijn naam is Nathalie Kremer, consulaat-generaal New York. Kan ik je even spreken?'

Voor ze wist wat er gebeurde, pakte de vrouw haar bij haar elleboog en trok haar mee naar de hal. Bij het zitje in de hoek bleef ze staan en liet haar los.

'Bedankt,' zei Kes zacht.

'Graag gedaan.'

'Hoe weet je wie ik ben?'

Nathalie wees de zaal in. 'Donald Christie. Ik stond met hem te praten, maar hij keek de hele tijd zo bezorgd jouw kant op, dat ik besloot in te grijpen. Wie was dat?'

Ze keek Stevens kant op. 'Niemand. Een eikel. Jij bent van het consulaat-generaal?'

'Ja, cultureel attaché.'

'O? Ben je speciaal hiervoor naar Nederland gekomen?'

'Ja, deze boekpresentatie vormt de afsluiting van de Hudson-evenementen hier in Nederland. Vanaf volgende week gaan we in New York beginnen.'

'Ah, vandaar.'

'Donald vertelde mij dat je bezig bent een artikel over hem te schrijven?'

'Dat klopt.'

'Gaat het wel goed met hem?'

Verbaasd keek Kes haar aan. 'Waarom vraag je dat aan mij?'

'Nou, ik ken Donald ondertussen vrij goed. Ik heb hem een tijd niet gezien, maar hij ziet er slecht uit. Volgens mij is hij kilo's afgevallen. Ik vraag me gewoon af of het wel goed met hem gaat. Aangezien jij hem veel hebt gesproken de laatste tijd... Ik maak me gewoon een beetje zorgen. Ik heb het idee dat hij veel aan zijn hoofd heeft.'

'Dat is ook zo. Ik neem aan dat jij op de hoogte bent van hun financiële problemen?'

'Financiële problemen? Wat bedoel je?'

'O, shit. Ik had Donald beloofd het voor me te houden, maar het leek me vrij logisch dat je daarvan wist. Ik heb begrepen dat het Project Nieuw-Amsterdam op de schop gaat.'

'O ja? Dat is nieuw voor mij. Ik hoop toch niet dat je dat aan de grote klok gaat hangen? Dat soort publiciteit kunnen wij nu echt niet gebruiken.'

'Nee, dat begrijp ik. Ik heb al met Donald en Elsa afgesproken dat ik er niets over zeg. Ze zijn bang dat er nog meer donateurs gaan afhaken. Ik denk dat een positief artikel en een oproep voor donateurs meer zoden aan de dijk zet.' Ze keek Nathalie aan. 'Hoe verloopt het Hudson-jaar? Hebben jullie alles onder controle?'

Was dat maar waar, dacht Nathalie en zei: 'Ja hoor, prima.'

'Nu je hier toch bent. Zou jij bereid zijn mijn artikel van een aantal quotes te voorzien waaruit blijkt hoe belangrijk zijn werk is?'

'Zeker. Zullen we een afspraak maken? Dan nemen we daar even de tijd voor.'

'Prima. Bel je mij zodra je tijd hebt?' Ze wisselden hun visitekaartjes uit en Kes zei: 'Zullen we weer naar binnen gaan? Ik denk dat Donald zo gaat beginnen. Enne, nogmaals bedankt voor daarnet trouwens.'

Donald stond op het podium. Met een trieste blik in zijn ogen keek hij voor zich uit. Kes vond dat hij er verfomfaaid uitzag. Het leek alsof hij in zijn kleren had geslapen en zijn bril zat nog steeds met een pleister vast. Kes liep naar de stoel op de eerste rij en ging op het A4'tje zitten waar haar naam op stond. Niet veel later kwam Nathalie naast haar zitten. Een stukje verderop zat Elsa, die met een knikje van haar hoofd aan Donald liet weten dat hij kon beginnen.

'Geachte aanwezigen,' begon Donald. 'Ik heb lang nagedacht wat ik u zou vertellen. Zo zou ik kunnen ingaan op de tijd en moeite die het kost mijn werk voor het Project Nieuw-Amsterdam te vervolmaken en welke obstakels ik daarbij dagelijks moet overwinnen. Meneer Henley, onze voorzitter, weet daar alles van, nietwaar meneer Henley?' Donald pauzeerde en keek naar een man die links voor hem zat en hem grimmig aankeek. 'Wees gerust, meneer Henley, ik zie uw blik van vertwijfeling, maar ik zal mijn publiek niet met dergelijke trivialiteiten vermoeien. Nee, ik ga u een verhaal vertellen over twee mensen die vanuit Holland de oversteek durfden te maken om in de Nieuwe Wereld een leven op te bouwen. Het is het verhaal van Gerbrand van Hoorn en Grietje Cramwinckel, de verkorte versie van het verhaal dat u in mijn boek kunt lezen. Gerbrand en Grietje zijn geen fictieve personages. Ze hebben echt bestaan. Hun levensverhaal is gebaseerd op de documenten die ik heb gevonden. Verder heb ik daar mijn eigen interpretatie op losgelaten. Ik heb voor deze vorm gekozen, om voor u aanschouwelijk te maken hoe het er toen aan toe ging.' Donald nam een slokje water, trok een stapeltje papier naar zich toe en begon.

'Gerbrand en Grietje ontmoetten elkaar op de allereerste dag van het jaar 1636. Onder de middeleeuwse voorportaalgewelven van het Amsterdamse stadhuis op de Plaetse, het plein dat jaren later werd omgedoopt tot de Dam, botsten ze tegen elkaar op. Was het puur toeval dat die twee elkaar daar troffen, of was het goddelijke voorzienigheid? Toen ze er maanden later over spraken, zei Gerbrand in het laatste te geloven, terwijl Grietje zich op het eerste beriep.

Op die koude winterochtend raakten ze met elkaar in gesprek. Al snel kwamen ze erachter dat ze om exact dezelfde reden daar stonden te stampvoeten van de kou. Ze wilden naar Nieuw-Nederland, het onlangs ontdekte paradijs, de nieuwe Nederlandse kolonie aan de andere kant van de wereld waar de kansen, als je ze zag, voor het oprapen lagen. Waar ze een nieuw leven konden opbouwen.

Als een lopend vuurtje was het door de stad gegaan. Om het nieuwe land te bestieren, waren mensen nodig. Veel mensen. Maar niet iedereen was welkom. Er ging een zorgvuldige selectieprocedure aan vooraf. De voorkeur werd gegeven aan jonge, sterke en gezonde mannen en vrouwen. Daarnaast kwam het goed uit als de kandidaten niets te verliezen hadden, want men had geen zin in problemen, van welke aard dan ook. Dit betekende dat niet al te snuggere harde werkers hun voorkeur hadden. Uiteraard werd deze randvoorwaarde niet naar buiten gebracht.

Gerbrand en Grietje waren op hetzelfde idee gekomen. Ze kenden de regels, maar ondanks de vraag naar echtparen hadden ze besloten zich als alleenstaanden aan te melden. Beiden speculeerden erop een vacante plek op het schip te kunnen bemachtigen. Want met uitzondering van hun vrijgezellenstatus hadden ze alles mee. Ze waren jong en sterk en hadden hun hoop erop gevestigd dat het bestuur dit zou inzien en met de hand over het hart zou strijken.

Grietje Cramwinckel was zestien jaar oud en Gerbrand van Hoorn was zeventien. Ze wisten geen van beiden of hun ouders nog leefden. Gerbrand had twee oudere broers die in de Amsterdamse haven werkten. Grietje had een jongere broer waar ze geen contact meer mee had. Ze waren zo vrij als een vogel, en snakten naar iets nieuws, naar avontuur en vooral, naar een kans. Ze geloofden er heilig in dat de nieuwe kolonie, die zij zagen als het beloofde land, hun die kans zou geven.

Al maanden gonsde het van de geruchten in de stad. Er waren pamfletten in Amsterdam verspreid die verhaalden over de ontdekking van het nieuwe land, waar vruchten voor je voeten van de bomen vielen, waar zoveel wild rondliep dat zelfs een blinde er met één schot een stuk vlees kon bemachtigen. De rivieren waren zo overladen met vis, dat ze er niet meer in pasten en uit het water sprongen. Stuiptrekkend lagen ze op de oevers voor het oprapen. Het land bestond uit bosrijke delen, naar ook uit rietvelden en vlakke stukken land geschikt voor landbouw. Er was plek genoeg voor iedereen die de handen uit de mouwen wilde steken.

Wat er niet bij werd verteld, was dat de overtocht naar de kolonie niet zonder gevaren was en, eenmaal aangekomen, de wildernis op sommige plekken ondoordringbaar. Ook werd er geen melding van gemaakt dat de kolonisten door de Compagnie na aankomst uit elkaar werden gehaald en in kleine groepjes over honderden kilometers werden verspreid om bij riviermondingen handelsposten op te zetten. Er werd niet gesproken over het harde en eenzame bestaan dat in het vooruitschiet lag, en ook niet dat er voor de kolonisten niets was geregeld. Dat als huisvesting een kuil moest worden gegraven en dat deze overdekt moest worden met takken en bladeren, totdat, vaak pas maanden later, het huis eindelijk klaar was. Je kwam, je zag, en, als je geluk had en sterk en gezond was, overwon je. Maar dan moest je wel verdomd stevig in je schoenen staan.

Gerbrand en Grietje werden die bewuste nieuwjaarsochtend in 1636 niet belast met deze donkere, pessimistische gedachten. Hun gesprek kwam al snel op het doel van hun aanwezigheid. Toen bleek dat ze hetzelfde nastreefden, duurde het niet lang of het onderlinge pact werd gesloten. Het kostte hen niet meer dan een halfuur om tot de conclusie te komen dat ze voldoende in huis hadden om samen een toekomst op te bouwen. Dat ze elkaar sympathiek vonden en hetzelfde voor ogen hadden, was meer dan genoeg. Als bleek dat dit niet zo was, of als dit in de loop der tijd zou veranderen, zouden ze, eenmaal in Nieuw-Nederland, ieder hun eigen weg gaan. Dus besloten ze zich als toekomstig echtpaar aan te melden en ter plekke bij het bestuur het verzoek in te dienen of ze op het schip in de echt konden worden verbonden. Hand in hand liepen Gerbrand en Grietje de raadszaal van het stadhuis binnen. Niet veel later legden ze een eed van trouw af aan de West-Indische Compagnie en het landsbestuur. Het avontuur kon beginnen.

Volgens de kapitein was deze overtocht de beste die hij in tijden had meegemaakt. Gerbrand en Grietje dachten daar anders over. Het was hun eerste keer op volle zee, en het gevoel waarmee ze aan boord waren gegaan, hun harten vervuld met euforie en overwinning omdat ze het bestuur, dat bekendstond als het machtsbolwerk van Holland, om de tuin hadden weten te leiden, sloeg al snel om.

Met een deklengte van vijfentwintig meter en een breedte van zes meter was het een klein zeeschip. Eenmaal aan boord werden ze meteen naar het bedompte benedendek geleid. De dertig mannen en vrouwen die in de haven van Amsterdam aan boord waren gestapt, waren niet voor een kleintje vervaard. Ze waren gehard door het leven, hadden al een en ander meegemaakt. Er werd goed voor ze gezorgd, want de Compagnie wilde geen zieken in hun kolonie. Voedsel en water waren voldoende voorhanden, maar het schip was niet bestemd voor achtenveertig man. Met achttien bemanningsleden alleen al was het vol. Het was een verkenningsschip, ontworpen om nieuwe werelddelen te ontdekken en onbekende wateren te bevaren, niet om mensen en goederen te vervoeren. Door de geringe omvang en diepgang kon de schipper onbekende wateren invaren met een kleiner risico vast te lopen.

Al die weken dat ze bij elkaar op een kluitje zaten, met de geur van ongewassen lichamen, uitwerpselen en kots om zich heen, lieten Gerbrand en Grietje nooit meer los. Nooit meer. Ze voelden zich als dieren behandeld. En van hen werd verwacht dat ze een land zouden opbouwen? Hun loyaliteit jegens de WIC nam per dag af. En dat zaadje dat hier al werd geplant, zou verstrekkende gevolgen hebben. Maar eenmaal aangekomen gingen ze aan de slag. Ze konden gewoonweg niet anders, ze moesten wel, moesten daar zien te overleven, net als ieder ander mens.'

Donald hield op met spreken en bleef naar beneden kijken. Na twintig seconden klonk een onrustig geschuifel en gekuch uit de zaal. Kes zag dat sommige mensen elkaar aanstootten en elkaar verbaasd aankeken. Toen keek Donald op.

'Toch was het alles waard geweest. Achteraf gezien. Op het moment dat ze aanmeerden, werden ze als groep uit elkaar gehaald en alle windrichtingen uit gestuurd. Sommigen hadden nog een reis van enkele dagen voor de boeg voordat ze bij het stuk land kwamen dat hen was aangewezen. Gerbrand en Grietje hadden geluk. Hun grondgebied lag op Manhattan, niet ver van de haven. Daar aangekomen bleek er geen enkele voorbereiding getroffen te zijn voor hun komst. Het land dat hun was toebedeeld, bestond uit een stuk bos en een even groot stuk vlak land. Alles, maar dan ook alles, moest door hen eigenhandig worden opgebouwd. En dat deden ze, ze werkten door tot hun handen bloedden, tot ze na zonsondergang neervielen op hun geïmproviseerde bedden en elkaar nog net welterusten konden wensen. Na een tijd stond er een kleine houten woning en kon het leven beginnen.'

Donald nam een slok water en keek zijn publiek aan. 'Hun tegenspoed zal ik u besparen, dat kunt u in mijn boek lezen. Waar het mij om gaat is dat u zich er een voorstelling van kunt maken hoe het er hier in die eerste periode aan toe ging, dat het tot u door zal dringen wat deze mensen ervoor overhadden. Decennia later genoten Gebrand van Hoorn en Grietje Cramwinckel in de streek veel aanzien. Ze pachtten een groot stuk land van hun buren en runden uiteindelijk een omvangrijke boerderij in het zuidelijkste puntje van Manhattan, het financiële district, het deel waar tegenwoordig iedereen een moord voor zou willen doen om het in handen te krijgen, alles voor over zou hebben. Alles...' Hij hield op met praten en zijn blik speurde de zaal af, alsof hij naar iemand op zoek was. Even bleven zijn ogen op John Henley rusten. Toen keek hij de zaal weer in en zei: 'Stelt u zich eens voor hoe het zou zijn als bleek dat dat land nog steeds in eigendom van die familie is.' Er klonk een luid gelach op uit de zaal en Donald lachte mee.

Terwijl Nathalie naar Donald keek, die op het hysterische af stond te lachen, vormde zich een idee in haar hoofd, iets wat te onwaarschijnlijk was om waar te zijn. 'Hij lachte,' zei ze zacht voor zich uit. En toen raakte het haar als een vuistslag vol in haar gezicht. Die persoon die haar chanteerde had het over iets totaal anders, het had niets met die hele Schagenbrief te maken. Als ze gelijk had, zou dat betekenen dat het om een andere eigendomsakte ging.

Haar hart bonkte in haar keel. Dat kon gewoonweg niet. Dat zou dan toch allang bekend zijn? In al die eeuwen na de overdracht kon het toch niet zo zijn dat dit nu pas boven tafel kwam? Maar Donald Christie was nog lang niet klaar met het vertalen van het archief. Wat als hij die eigendomsakte over het hoofd had gezien? Nee, dat leek haar onwaarschijnlijk. Ze achtte de kans groter dat, als het klopte wat ze dacht, die akte ergens anders had gelegen, op een onwaarschijnlijke plek. Of misschien was het al die jaren in handen geweest van een familie, of een organisatie? Toen ze een tijd geleden Stephanie Miller had gesproken over de Schagenbrief, had die haar alles verteld over het belang ervan omdat er geen officiële eigendomsakte van Manhattan bestond. Stephanie had gezegd dat sommige historici ervan uitgingen dat er nooit een dergelijke akte was opgesteld, omdat het gebied gewoon afgepakt was, maar dat anderen het tegendeel beweerden en ervan uitgingen dat de akte waarschijnlijk wel ooit bestaan had, maar hoogstwaarschijnlijk verloren was gegaan. In de woorden van Stephanie: 'Vernietigd tijdens de lijdensweg die het archief heeft moeten doorstaan.'

Als die echt zou bestaan, als er een officiële akte was, zou dat een ongelofelijke vondst zijn met grote consequenties. Niet alleen voor historici, maar ook voor haar. Stel nou dat zij ervoor kon zorgen dat de vondst van dat ding op haar conto zou komen te staan. Ze zag de publiciteit al voor zich, de krantenkoppen schreeuwden haar tegemoet: CULTUREEL ATTACHÉ VINDT EIGENDOMSAKTE MANHATTAN. Ze zou door elk tijdschrift, elke krant, elk radio- en tv-programma worden gevraagd.

Hoe ze het aan zou pakken wist ze nog niet, maar één ding stond vast. Tristan Geurts zou ze pas informeren als ze erachter was gekomen of het klopte wat ze dacht en ze die akte in handen had. Ze wist dat, zodra hij hier lucht van kreeg, hij de zoektocht meteen naar zich toe zou trekken en daarmee alle erkenning die met de ontdekking gepaard zou gaan. Dat zou ze niet laten gebeuren.

Het gelach verstomde en werd vervangen door een luid geroezemoes vanuit de zaal. Nathalie keek op en zag dat Donald van het podium was gestapt en met snelle passen de Compagniezaal uitliep, zijn publiek verbaasd achterlatend.

'Wat doet ie nu?' vroeg Nathalie aan Kes. 'Ik moet hem nog spreken.'

'Ik ook,' verzuchtte Kes. 'Zo gaat het al de hele tijd. Ik begrijp er niets van.'

Nathalie keek Kes aan. 'Wat een belachelijk einde van zijn verhaal, vind je niet? Wat hij vertelt over de eigendom van het land. Er is toch helemaal geen eigendomsakte? Ja, buiten de Schagenbrief dan.'

'Die brief heeft toch officieel niks met eigendom te maken?'

'Ja, dat weet ik wel, maar het is het enige wat we hebben wat er enigszins op lijkt.'

'Toch kun je het nauwelijks een eigendomsakte noemen.'

Nathalie keek Kes aan en knikte langzaam. 'Je hebt gelijk. De Schagenbrief zegt natuurlijk niets. Het is historisch gezien een leuk document, maar heeft natuurlijk geen enkele juridische waarde wat dat aangaat. Zou er zo'n document kunnen bestaan? Heeft Donald je daar toevallig iets over verteld?'

'Het enige wat ik weet is dat er ooit een akte van overdracht moet zijn geweest tussen de Engelsen en Stuyvesant. Donald vertelde mij dat die akte nooit is ondertekend. Niet door Stuyvesant in elk geval.' Kes glimlachte. 'Dat zou wat zijn, als er ergens in de diepe krochten van Donalds archief een eigendomsakte ligt.' Kes keek haar aan en grinnikte. 'Dat er naast die Schagenbrief nog ander bewijs is dat Manhattan ooit van ons is geweest?'

'Of nog steeds is.' De toon waarop Nathalie dit zei was zo serieus, dat Kes haar verbaasd aankeek en zei: 'Ik maakte maar een grapje, hoor. Meen je dat nou? Dat kan gewoon niet. We hebben alleen die Schagenbrief, maar dat is geen akte natuurlijk. Wat ik van Donald begreep is dat we in feite een eiland, dat sowieso niet van ons was, nooit geweest is ook, aan de Engelsen hebben overgedragen. Maar goed, zo ging dat toen.'

Nathalie stond op. 'Ik moet gaan, ik moet Donald te pakken zien te krijgen. Misschien weet Elsa waar hij naartoe is gegaan. Ik spreek je later.'

Met een frons tussen haar wenkbrauwen keek Kes haar na terwijl Nathalie zich tussen de mensen door wurmde en Elsa aan haar mouw trok. De vrouwen spraken even met elkaar en niet veel later zag ze Nathalie naar buiten lopen.

'Wat wilde zij van je weten?' vroeg Kes toen ze naast Elsa stond.

'Nathalie? Een of ander vaag verhaal. En ze wilde weten waar Donald was, net als iedereen hier.'

'Wat voor vaag verhaal?'

Elsa wuifde met haar hand. 'Ach, ik ken haar al een tijdje. Nathalie is een neuroot. Ze begon te ratelen over of er bij ons iets bekend was over een eigendomsakte van Manhattan.'

'En?'

'Begin jij nu ook al?

'Ze vraagt dat toch niet voor niets?'

'Als je denkt dat je dit voor je verhaal kunt gebruiken, *forget it*. Er bestaat niet zoiets als een eigendomsakte van Manhattan. Als die er zou zijn, zijn wij de eersten die dat weten. Ik neem aan dat je dat ondertussen begrijpt?'

'En ik neem aan dat ze het precies om die reden aan je vroeg.'

Elsa draaide zich even om naar iemand die vroeg of ze wist waar Donald was, gaf antwoord terwijl ze met haar hoofd schudde en keerde zich naar Kes. De spiertjes bij haar kaak trokken in een zenuwreflex naar elkaar en het huilen stond haar nader dan het lachen.

'Kes, kun je hier alsjeblieft over ophouden? Denk nou eens na. Denk je nou echt dat onze donateurs zo massaal zouden zijn afgehaakt als ze wisten dat zo'n document in het archief zou zitten? Ze zouden wel gek zijn.'

'Maar...'

'Kun je hier alsjeblieft iemand anders mee lastig gaan vallen, met je domme vragen?'

'Wil ik best doen hoor. Heb je een voorstel?'

'Jij bent de journalist, ik niet.' Met een handgebaar wuifde ze Kes weg en keerde zich van haar af.

PROJECT NIEUW-AMSTERDAM

Donald Christies log

Er moet me iets van het hart. Het is iets wat me al tijden kwelt. Het gaat over de liefde die ik altijd voor dit kleine land heb gekoesterd. Die is aan het afnemen. Er is iets mis hier, iets heel erg mis. Ik ging er altijd prat op dat de Amerikaanse tolerantie afkomstig was van het Hollandse DNA. *Net zoals er nu nog katten in New York rondlopen die hun* DNA *delen met de katten in Amsterdam. Ik begin te twijfelen.*

Er zaten mensen uit alle windstreken op het eiland. Noren, Polen, Duitsers, Italianen, Joden, Walen, Zweden, Hollanders en Afrikanen. Het was multi-etnisch, net als Amsterdam toentertijd. Voor de Hollanders was dit heel normaal. Dit volk is gewend om te gaan met andere culturen; dat doen ze al eeuwenlang. Het zijn van oorsprong handelaren en zeelieden. Die kijken niet zo snel ergens van op. Bovendien weten ze dat ze met begrip verder komen dan met onbegrip. Begrip levert geld op. Acceptatie van verschillen levert geld op. Compromissen leveren geld op. Een soepel immigratiebeleid levert geld op. Een open economie, zonder belemmeringen op grond van huidskleur of religie, levert geld op.

Hollanders weten van oudsher dat als je alle culturen door elkaar gooit, ze een composthoop vormen, versmelten tot een vruchtbaar geheel. Uit dat vruchtbare geheel, die diversiteit aan culturen, meningen, ideeën en idealen, daar komt intellect uit voort, en handel en kennis en creativiteit. En dat is goed voor de economie.

Natuurlijk. Ik weet dat de tolerantie die op de Nederlandse kolonie werd gebezigd, bittere noodzaak was. Het ging ook niet zonder slag of stoot en er waren regelmatig conflicten, vooral als het over religie ging. Maar ze wisten daar dat tolerantie de basis vormt voor de vrije handel. Ik wil hiermee duidelijk maken dat ik mij er bewust van ben dat het niet berustte op nobelheid, die Hollandse tolerantie. Maar dat zit er wel, die tolerantie die niet gebaseerd is op geld verdienen, maar op humanistische grondslag. Het is maar een dun laagje, maar het is er wel. En het is dik genoeg voor al die verschillende culturen, al die mensen van andere gezindten en een andere geaardheid om zich hier prettig te voelen. Omarmen gaat wellicht wat ver, maar acceptatie is er wel. Dat is doorgedrongen in het DNA *van Amerika. Zo is het in Nederland ook heel lang gegaan, maar dat is hier nu allemaal aan het veranderen. Ik weet niet wat ik ermee aan moet. Ik weet wel dat ik me hier steeds minder thuis voel. Ik kan wel janken.*

20

De wind blies Donald van treinstation Amsterdam-Zuid WTC naar Toren B van het World Trade Center-complex. Daar nam hij de lift naar de tiende verdieping, waar Olaf zelf de deur van zijn kantoor opendeed.

'Ha. Loop je mee?'

Eenmaal binnen probeerde Donald zijn verbazing te onderdrukken. Om de een of andere reden was hij ervan uitgegaan dat Olaf een omvangrijk bedrijf bestierde. Hij vond het bijna gênant. Er was verder niemand in het kleine kantoor waar een desolate sfeer hing. In het voorbijgaan zag Donald op het aanrecht van het keukenblok een leeg pakje gedroogde tomatensoep liggen. De geur hing er nog. Het kantoor bestond uit twee kleine kamers. In de ene kamer stond een vergadertafel die eigenlijk te groot was voor de ruimte, alsof die uit een grotere kamer hier mee naartoe was verhuisd. De andere kamer was Olafs werkplek. Er stonden een bureau, een stoel en twee kasten. De muren waren wit, met uitzondering van de wand tegenover het bureau. Die was rood geschilderd. Keurig gecentreerd stak er een bout uit de muur. Aan de verkleuring was te zien dat daar ooit een schilderij had gehangen.

'Ga zitten,' zei Olaf terwijl hij voor Donald uit de vergaderkamer inliep. 'Iets drinken?'

'Doe maar een glas water.'

Donald dacht na. Als hij nog terug wilde, kon het nog, maar dan moest hij dat wel nu doen. Dit was zijn laatste kans. Maar hij zag geen andere uitweg. Hij had geld nodig. Niet straks, maar nu, vandaag nog. Over een paar maanden zou hij op straat komen te staan. Zijn project beschikte niet over een financieel vangnet, maar hij zelf ook niet. Dat was wat hem uiteindelijk over de streep had getrokken, wat hem had doen besluiten zijn ziel aan de duivel te verkopen.

Met het bedrag dat Olaf hem in het vooruitzicht had gesteld, kon hij het in elk geval nog een jaar uitzingen. Maar hij had meer nodig om de periode zonder zijn grootste geldschieter te kunnen overbruggen, helemaal nu hij ook nog zonder donateurs zat. De economie zou wellicht weer wat aantrekken, maar het zou langer dan een jaar duren voordat hij daar de vruchten van kon plukken.

Hij stond op, liep naar het raam en keek uit over de Zuidas, het financiële hart van Amsterdam. Keek je door je wimpers, dan zou je je een moment in New York kunnen wanen. Opende je je ogen, dan zag je in de verte de weilanden en woonwijken met huizen met rode dakpannen, keurig op een rij. Op de snelweg die ver beneden hem lag, raasden kleine Europese auto's voorbij.

Terwijl hij daar stond, vervloekte Donald Nederland en zijn inwoners. Die kleinburgerlijkheid, dat bedachtzame en halfslachtige. Ze gedroegen zich op precies dezelfde manier als hun meest geliefde gespreksonderwerp, het weer. Het was hier nooit bloedheet, nooit ijzig koud. Het zat er altijd tussenin. Dan had je nog al die regels die iedere ondernemer de lust benam een bedrijf te beginnen, en die vreselijk chagrijnige koppen van bedienend personeel, waar je ook maar kwam, alsof het woord service niet bestond. En maar denken dat ze overal recht op hebben. Recht op een uitkering, op een huis, een kind. Iedere Nederlander denkt recht te hebben op een gezond en gelukkig leven. Hoe verzinnen ze het?

Hij was het zat en verlangde terug naar New York, naar de drukte, de *move on or move over*-mentaliteit, de vriendelijke gezichten in de restaurants, het niet-aflatende positivisme van de inwoners die zich nergens door uit het veld lieten slaan. Die met hun volle verstand de storm tegemoet traden, en er daarbij van uitgingen dat ze altijd wind mee zouden hebben. Hier gingen ze altijd uit van wind tegen.

Hij keek om toen Olaf binnenkwam.

'Je boft,' zei Donald.

'Wat zeg je?'

'Ik zei dat je boft. Ik heb het gevonden.'

'Dat meen je niet, die pagina die wij misten? De tweede bladzijde van het testament?' Olaf zette het glas water op tafel en keek hem met een verrukte uitdrukking op zijn gezicht aan. 'Heb je hem bij je? Mag ik het zien?'

Donald schudde langzaam zijn hoofd. 'We hadden een afspraak, Olaf. Weet je nog? Eerst wil ik mijn geld zien.'

'Natuurlijk. Dat hebben we afgesproken en ik hou me altijd aan mijn woord.'

Donald keek hem aan en zei niets.

'Vertrouw je me soms niet?'

'Wanneer was je van plan te gaan betalen?'

'Zodra ik het document ga inzetten voor het proces. Ik zei toch dat ik er nu nog niets aan heb?'

'Kijk, dat is nou precies waar ik al bang voor was. Voordat zo'n proces alleen al begint, gaan er jaren overheen.'

'Nou, dat is...'

'Weet je wat ik denk? Jij hebt het geld gewoon niet. Is dat het, Olaf, heb je alles erdoorheen gejaagd? Heb je al die mensen die vertrouwen in je hebben gesteld, besodemieterd?'

'Hoe verzin je het man.' Olaf lachte.

In een paar passen stond Donald naast hem. 'Hier, kijk eens, dit is toch wat je wilde?' Hij smeet twee A4'tjes op tafel. 'Ik neem aan dat dit je wel iets zegt. Dit is de volledige tekst van het testament.'

De blaadjes gleden door en kwamen op de grond terecht. Olaf bukte zich. Met een rood hoofd vouwde hij ze open en begon te lezen. Na een tijd keek hij op. 'Ja, de tekst van die eerste pagina, die ken ik natuurlijk, maar van de tweede...' Olaf vloekte en zei: 'Hier heb ik dus geen fuck aan. Ik had iets heel anders verwacht, ik dacht dat...'

'Je bent niet de enige.' Donald wees naar het papier. 'Toch is dat wat er op de ontbrekende bladzijde van het testament staat dat in mijn archief zat.'

'Zat die tweede bladzijde al die tijd in jouw archief? Ik dacht het al.'

Donald trok zijn schouders op. 'Zoals je ziet, gaat het vooral om die laatste regels.'

Olaf knikte met een betrokken gezicht. 'Dit zet alles op losse schroeven. We schieten er sowieso niets mee op. We hebben het hele testament in origineel nodig. Nu hebben we alleen de tweede bladzijde.'

'Die heb ik ook. We hebben het hele testament nu in handen.'

'Wat? Heb jij die eerste bladzijde in origineel? Waar heb je die gevonden?'

'Dat doet er niet toe. Luister, ik heb iets bedacht waardoor jij zult krijgen wat je hebben wilt. Maar ik wil er wel iets voor terug.'

Nadat Donald hem had verteld wat hij van plan was, kon Olaf geen woord uitbrengen. Naast het feit dat het geniaal was, was het illegaal. Wat als iemand erachter zou komen? Hij kon niet eens overzien wat hem dan allemaal te wachten stond. Als hij op dit voorstel van Donald in zou gaan, zou hij een gigantisch risico nemen.

'Nou?' vroeg Donald. 'Wat vind je ervan?'

'Eerste reactie? Ik denk dat er een steekje bij je loszit. Hoe denk je dat voor elkaar te krijgen?'

'Het gaat alleen om die laatste alinea van het testament. Dat betekent dat ik alleen de tweede bladzijde hoef aan te passen. Veel is het niet, zoals je ziet.'

'En de handtekeningen? Die staan toch wel op het origineel?'

'Natuurlijk. Die maak ik na.'

Olaf keek naar Donald en bedacht zich dat hij hem verkeerd had ingeschat. De ietwat warrige man had plaatsgemaakt voor iemand die precies wist wat hij wilde. Wat hem het meest verontrustte, was de manier waarop Donald hem aankeek, alsof hij iets was dat te smerig was om aan te pakken, alsof hij met dit idee was gekomen en niet Donald zelf.

'Hoe ben je van plan het op te lossen?' vroeg Donald.

'Je geld bedoel je? Er valt op dit moment niets op te lossen. Dat heb ik je al gezegd. Ik heb het niet. Nog niet.'

Donalds gezicht verstrakte. Opeens schreeuwde hij: 'Jij bent nooit van plan geweest je aan de afspraak te houden.'

'Donald, kom op nu, wees even reëel...'

'Reëel? Reëel zei je? Laat me niet lachen. Weet je wat reëel is? Jij komt nu over de brug met dat geld, hoor je me. Het hele bedrag. Anders...'

Olaf keek naar Donalds van woede vertrokken gezocht en bedacht dat er iemand tegenover hem stond die er letterlijk een moord voor zou doen om door te kunnen gaan met zijn werk. Hij moest op zijn tellen passen, want deze man was ontoerekeningsvatbaar. Olaf stak zijn handen uit en maakte een sussend gebaar, alsof hij een wild dier moest geruststellen.

'Rustig maar, Donald. We komen er heus wel uit.'

Donald plofte neer in de stoel en veegde met zijn hand over zijn voorhoofd. Toen Olaf zag dat Donald wat rustiger was zei hij: 'Wat wilde je zeggen? Wat ga je vertellen als ik je niet betaal? Hoe denk jij dat de buitenwereld reageert als zij weten dat de heilige Donald Christie een document heeft vervalst? Nou? Wat zou er dan gebeuren denk je? Volgens mij heb ik minder te verliezen dan jij, denk je ook niet? Had je die afweging al gemaakt?'

Donald had die afweging allang gemaakt. Aangezien losers niets te verliezen hebben, wist hij wel zeker dat hij meer te verliezen had dan Olaf. Het enige wat hij had, was zijn archief. En dat zou hij nu kwijtraken. Iedereen liet hem in de steek. Ze konden wat hem betreft allemaal barsten. Er zou weer iemand opstaan, net als Rockefeller die in de jaren zeventig als eerste het grote belang van het archief had ingezien. Dat soort mensen zouden er weer komen. Mensen die zijn archief als essentieel cultureel erfgoed zagen, die het op waarde wisten te schatten. Die kans was verkeken als Olaf dit ooit wereldkundig zou maken. Hij zou het zichzelf nooit vergeven dat hij zelf niets had ondernomen toen hij erachter kwam dat de geldstroom op dreigde te raken. Hij had zich alleen bekommerd om zijn eigen ding, en was daarbij het belangrijkste vergeten: dat zijn bestaansrecht afhankelijk was van de vrijgevigheid van anderen. Hij had het allemaal normaal gevonden, was verwend, gewend geraakt aan het geld dat bleef komen, jaar in jaar uit. Hij was de ster geweest, speelde al decennialang de hoofdrol in een show die hij eigenhandig in elkaar had gezet. Nu de producent was afgehaakt, had Donald het gevoel dat hij als oud vuil in de hoek werd gezet. Maar het ergste was het verraad. De Nederlanders hadden hem in de steek gelaten. Hij was er volledig van uitgegaan dat de Nederlandse regering hem zou blijven steunen, maar zelfs zij waren afgehaakt en hadden de hoop opgegeven dat het testament dat hij nu in handen had ooit nog gevonden zou worden.

'Ik denk dat jij meer te verliezen hebt dan je doet voorkomen,' zei Donald. 'Hoe zou Stedman Cruiser het vinden als hij erachter komt dat dit document bestaat? Denk je dat hij nog meer oponthoud kan gebruiken? Want dat gaat natuurlijk gebeuren als dit boven water komt.'

Olafs adem stokte. Hoe wist Christie dat Cruiser een van zijn grootste opponenten zou worden tijdens de rechtszaak over het eigendom van het land? De grond mocht dan niet van Cruiser zijn, maar hij had wel een deel van het WTC-terrein voor 99 jaar gepacht van de eigenaar, de New York Port Authority. Olaf wist dat als hij het proces zou winnen, alle contracten opengebroken zouden worden, waaronder de overeenkomst tussen Cruiser Real Estate en de Port Authority. Cruiser was op dit moment de grootste projectontwikkelaar in het gebied waar het om ging en de bouw van zijn torens was volop aan de gang. Een slepende rechtszaak zou zijn faillissement betekenen.

'Wie?' vroeg Olaf om tijd te rekken.

'Jij weet donders goed wie ik bedoel. Hoe ik hem ken? De Ground Zero-commissie die de briefing voor de betrokken architecten opstelde, vroeg mij jaren geleden een paragraaf op te schrijven over de ontstaansgeschiedenis van Manhattan. Ze wilden die opnemen in de briefing om de architecten een volledig beeld te schetsen en als inspiratiebron. Daarom weet ik van Cruiser en van zijn belang in het geheel. Luister, ik heb het volgende bedacht. Jij geeft mij honderdvijftigduizend euro en jij krijgt van mij het herziene testament.'

'Wat? Wacht eens even, we hadden zestig afgesproken. Zestig! Daar ben je mee akkoord gegaan.'

'Zestig was voor het maken van de vertaling. Dit is een ander verhaal. Trouwens, ik weet zeker dat Stedman Cruiser er wel meer voor overheeft. Noem het indexering.'

'Ik noem het chantage!'

'Ik geef je drie dagen om dat geld bij elkaar te krijgen.' Donald stak zijn vinger op. 'Een rondje langs je familieleden, en je hebt het zo binnen. Ze geven je toch elk bedrag waar je om vraagt?'

'Drie dagen? Jij krijgt het voor elkaar dat testament in drie dagen te vervalsen?'

'Sterker nog, ik heb het al af,' zei Donald en klopte op zijn tas.

'Hoe moet ik dit aan hen verklaren? Nou? Denk je nou echt dat als ik zeg: jongens ik heb honderdvijftigduizend euro nodig, dat het de volgende dag op mijn bankrekening staat? Denk je dat ze gek zijn?'

'Jou kennende verzin je er wel iets op. Bovendien is het jouw probleem, niet het mijne. Zoek het maar uit. Ik hoor wel van je. Als het zover is, laat het maar weten.'

Met die woorden liep Donald de kamer uit. Olaf wachtte op het geluid van de voordeur die dichtsloeg, en zakte terug in zijn stoel. Hoe had hij dit in vredesnaam kunnen laten gebeuren? Hij had de macht uit handen gegeven aan een flapdrol van de eerste orde. Was hij het kwijt? Was met het geld ook zijn zekerheid verdwenen, waardoor hij zich in de luren liet leggen, anderen liet vertellen wat hij, Olaf van Hoorn, moest doen? Dacht Christie werkelijk dat hij zijn bevelen zou opvolgen? Olaf blikte naar de kleine buste op zijn bureau. Napoleon. Zijn grote voorbeeld, zijn inspirator. Welke strategie zou hij hierop los laten? Welke tactiek zou hij toepassen? 'Bekwaamheid betekent weinig zonder een gunstige gelegenheid' was een van Olafs lievelingscitaten van de keizer. Zo was het maar net.

Hij moest nadenken, goed nadenken en geen overhaaste beslissingen nemen. Dit was fout gegaan omdat hij de situatie alleen vanuit zíjn standpunt had bekeken, vanuit zijn eigen kracht. Dat zou Napoleon nooit hebben gedaan. Die keek juist naar de kracht van de vijand om aan de hand daarvan diens zwakheden te bepalen. Bij elke stap die hij zette had Napoleon daar rekening mee gehouden. Dat moest hij nu ook doen.

Op hetzelfde moment stond Donald in de lift. Zijn benen bleven maar trillen zodat hij zich tegen de wand staande moest houden. Hij werd bang van zichzelf. Deze manier van doen was niet zijn gewoonte, zat niet in zijn karakter. Hij had de woorden inclusief de bijbehorende mimiek eruit moeten persen. Nog nooit eerder had hij iemand op zo'n toon toegesproken, laat staan dat hij ooit iemand bedreigd had. Het idee om Stedman Cruiser te gebruiken en het afgesproken bedrag te verhogen, was een ingeving geweest. Het was er zomaar uitgefloept. Hij herkende zichzelf niet, zoals hij daar had staan schreeuwen. Maar hij was zichzelf ook niet. Hij kon niet eens meer een façade ophouden van een normaal functionerend persoon, wist niet waar hij het vandaan moest halen. Terwijl hij de lift uitliep ging zijn telefoon.

'Ja, Olaf hier.'

'Ja.'

'Ik ga de helft van die honderdvijftig aan je overmaken, op voorwaarde dat je mij nu het testament geeft, het aangepaste testament welteverstaan, de versie die ik nodig heb. Als ik dat aan mijn familie kan laten zien, kan ik ze ervan overtuigen dat ze met meer geld over de brug moeten komen.'

'Hoe kan ik er zeker van zijn dat ik de rest nog van je krijg?'
'Daar moet je dan maar op vertrouwen.'
'Dat doe ik dus niet.' Donald zuchtte. 'Goed. Maar als ik de rest van het geld niet van je krijg, stap ik linea recta naar Stedman Cruiser.'

21

'Hoe wij met de stukken omgaan? Dat heb ik u toch uitgelegd toen u hier was?' Hoewel ze Richard Holman van het Nationaal Archief aan de telefóón had, zag Nathalie zijn geïrriteerde hoofd voor zich. Dat was begrijpelijk, aangezien ze nou niet bepaald op een vriendschappelijke manier afscheid van hem had genomen.

Ze had Donald Christie willen spreken, maar nadat hij zo gehaast de Compagniezaal uit was gelopen, bleek niemand te weten waar hij uithing. Zelfs Elsa de Kooning niet.

Het gesprek dat ze met Kes had gehad, had haar op een idee gebracht dat in haar hoofd steeds grotere vormen aannam. Het ging helemaal niet om de Schagenbrief, het ging om iets anders. Kes had gelijk. Die hele Schagenbrief had niets met een eigendomsakte van doen. Ze was op het verkeerde been gezet door die idioot die ze nu aan de telefoon had omdat hij de Schagenbrief een eigendomsakte had genoemd. Daarom had ze meteen haar conclusie getrokken toen dat telefoontje kwam.

Eerst moest ze erachter zien te komen of er wel zoiets als een eigendomsakte bestond, op zijn minst of een dergelijk document zou kunnen bestaan. Richard Holman kon haar misschien vertellen hoe groot die kans was. Maar slapende honden wakker maken was niet de bedoeling. Nu zat ze in een hoekje van de binnenplaats van het West-Indisch Huis met haar telefoon tegen haar oor.

'Sorry, meneer Holman', zei Nathalie. 'Dan heb ik mij verkeerd uitgedrukt. Ik heb het niet over hoe de stukken getransporteerd worden. Ik bedoel het archiveren, hoe dat in zijn werk gaat.'

'Nou, hebt u even?'

Ze maande zichzelf kalm te blijven en zei: 'Het gaat mij niet om de details, maar om de grote lijnen. Het Hudson-project gaat volgende week in New York van start. U zult begrijpen dat ik daar allerlei vragen van journalisten moet gaan beantwoorden. Ik wil daar goed antwoord op kunnen geven. Zodra het om detailvragen gaat, stuur ik ze uiteraard naar u door, maar ik moet een kant-en-klaar algemeen verhaal hebben.'

'Een kant-en-klaar verhaal over het archiveren, ook daar zult u behoorlijk wat tijd voor uit moeten trekken.'

Nathalie wilde dat ze hem bij zijn trui kon grijpen, hem door het toestel heen zou kunnen trekken zodat ze hem een klap kon verkopen.

Ze blies onhoorbaar uit. 'En de Manhattan-documenten? Hoe zit het daarmee?'

'Als het om die documenten gaat, is het vrij eenvoudig. Dat is niet ons pakkie-an. Die verantwoordelijkheid ligt bij het Project Nieuw-Amsterdam. Als u over dat archief meer wilt weten, zult u dat aan de heer Christie moeten vragen.'

'Dus hij heeft alle stukken in handen die te maken hebben met Manhattan? Alles wat er ooit over geschreven is?'

'Als het zeventiende-eeuwse documenten betreft wel. Die hebben wij allemaal aan het project overgedragen. Dat is ongebruikelijk, maar het is op last van de regering gebeurd. Alleen de echt kostbare stukken, zoals de Schagenbrief, hebben wij zelf in beheer.'

'Beheert u ook andere stukken uit die periode, buiten de Schagenbrief dan? Documenten die ook zeer kostbaar zijn? Landkaarten bijvoorbeeld, of kadasterkaarten als die er al waren toen, of stukken die betrekking hebben op het landeigendom, dat soort dingen?'

'Ja, dat geldt inderdaad ook voor landkaarten van het gebied. Maar daar hoeft Christie natuurlijk ook niets meer mee.'

'Geen andere zaken dus, alleen die Schagenbrief en de landkaarten.'

'Nou, er glipt af en toe iets tussendoor, maar dat mag verder geen naam hebben. We zijn weleens stukken tegenkomen die tot Christies archief behoren maar die nog bij ons bleken te liggen, maar sporadisch hoor. Laatst vonden we er nog een. Maar dat moet voor u geen nieuws zijn. Ik neem aan dat Christie daar iets over heeft gezegd?'

'Nou, nee, niet tegen mij. Waarom zou hij?'

'Hm. Wat vreemd. Ik dacht al, waar blijft dat persbericht toch? Dat is dan niet zo handig van hem. Het zou goede publiciteit zijn geweest voor jullie evenementen. Ha. Typisch Christie. Echt iemand van de oude stempel met geen idee van marketing.'

Nathalie kruiste mentaal haar vingers en zei: 'Misschien was het niet belangrijk?'

'Tja, het is maar wat je niet belangrijk vindt. Goh, ik zie zijn gezicht nog voor me toen hij dat document onder ogen kreeg. Christie was als een kind zo blij. Hij vond het net zo onvoorstelbaar als ik, dat het hier bij ons lag.'

'Een nieuw document dat bij zijn archief hoorde? En jullie hebben dat gewoon gevonden? Da's ook toevallig, net nu we met dit jaar bezig zijn.'

'Gewoon gevonden bestaat in ons vak niet, mevrouw Kremer en het is zeker geen toeval. We zijn getipt. Eerst dachten we dat we met een of andere gek te maken hadden, maar hij bleek gelijk te hebben.'

'Hij?'

'Ene Olaf van Hoorn.'

'Is dat ook een archivaris?'

'Nee, nee, hij is degene die alles heeft aangezwengeld. Hij heeft verder niets met het archief van doen, is een van de vele genealogiefreaks die ons het leven hier vrijwel dagelijks zuur maken. Die man is zelfs helemaal naar Amerika gegaan om zijn stamboom verder uit te werken. Kunt u nagaan hoe ver sommige mensen gaan. En waarom? Om te weten dat ze van iemand afstammen? *So what*? Ik bedoel, wat boeit dat nou? Maar goed, die Van Hoorn komt er in Salt Lake City achter dat hij een ver familielid is van niemand minder dan Peter Stuyvesant.'

'Hoe weet u dat?'

'We werden gebeld hier, namens Van Hoorn door ene mevrouw Green uit Utah. Zij is genealoge en werkt voor het SLIG.'

'En dat is?'

'Het Salt Lake Instituut voor Genealogie. Zij vertelde dat zij voor Olaf van Hoorn een aantal dingen aan het uitzoeken was. Als zij ons er niet naar zou hebben gevraagd, was het waarschijnlijk nooit boven tafel gekomen, of misschien wel ooit, maar dat had tientallen jaren kunnen duren. Het was inderdaad zo'n gouden vondst, iets wat ons eens in de zoveel jaar overkomt. Mevrouw Green vroeg ons of we, zodra we het hadden gevonden, direct met Olaf van Hoorn contact wilden opnemen.'

'Wat vroeg zij u te zoeken?'

'In Utah had ze een transcriptie gevonden van het testament van Judith Bayard. Mevrouw Green verzocht ons of we konden kijken of wij het originele testament in ons archief hadden.'

'Wat hebben die twee dan met elkaar te maken?'

'Wie?'

'Bayard en Stuyvesant.'

'O. U bent slechter in de materie ingevoerd dan ik dacht.'

'Sorry, maar er gaat geen belletje rinkelen.'

'Ik denk dat er meer bij u gaat rinkelen dan een belletje als ik u vertel dat Bayard de meisjesnaam was van de vrouw van Peter Stuyvesant?'

'Ach ja, natuurlijk.'

'Ziet u, het was hier gearchiveerd onder de naam Bayard, niet onder Stuyvesant. Het zat in het Bayard-familiedossier...'

'... en niet in Christies archief.'

'Exact. En haar testament lag bij ons, terwijl het officieel in een Amerikaans archief zou moeten zitten,' zei Richard Holman vrolijk.

Nathalie lachte pro forma even mee. 'En, wat stond erin?'

'Het was vrij eenvoudig. Het besloeg maar één pagina en ging over de verdeling van haar spullen, het land, dat soort zaken.'

'Land?'

'Ja, de familie Stuyvesant was in die tijd in het bezit van een groot stuk land op Manhattan.'

Land. Shit. De eigendomsakte. Zou dit het zijn? 'Kunt u... weet u nog aan wie zij dat land heeft nagelaten?'

'Aan haar kinderen mag ik aannemen. Als u de details wilt weten, zult u toch echt met Donald Christie moeten gaan praten.'

'Hoezo? Met die meneer Van Hoorn bedoelt u zeker?'

'Nee, nee, natuurlijk niet, zo werkt dat niet. Het kan wel zijn dat hij het ondertussen onder ogen heeft gekregen. U denkt toch niet dat wij dergelijke documenten aan de eerste de beste overhandigen? Aangezien Donald Christie alles wat met Stuyvesant te maken heeft in zijn archief heeft zitten, heb ik het originele testament aan hem overgedragen. Dit zijn geen dingen die je aan een leek geeft, dat zult u begrijpen. Daar is het veel te waardevol en kwetsbaar voor.'

'Ik kan me niet voorstellen dat Olaf van Hoorn daar blij mee was.'

'Geen idee. Ik had geen zin om ertussen te zitten. Ik heb Donald Christie verteld dat we het hebben gevonden en via wie het verzoek ons had bereikt. Ik heb het verder aan hem overgelaten met Olaf van Hoorn contact op te nemen. Overigens was het testament niet volledig, maar voor Olaf van Hoorn zal dat niet veel uitgemaakt hebben denk ik.'

'Hoezo niet volledig?'

'Zo op het eerste gezicht leek er een pagina te ontbreken. Wij hebben maar één bladzijde gevonden, de eerste bladzijde. Het tweede deel van het testament is in ons archief niet terug te vinden. Enfin, tussen de heren is er blijkbaar iets misgegaan, want niet veel later nam Olaf van Hoorn contact met mij op en wilde weten of we al iets hadden gevonden. Ik heb hem natuurlijk meteen naar Donald Christie doorverwezen. Hij was niet blij dat Christie hem nog niet had ingelicht, dat merkte ik aan alles. Ik neem aan dat die twee elkaar ondertussen gesproken hebben, anders had die Van Hoorn hier wel op de stoep gestaan.'

'Als het testament inderdaad niet volledig zou zijn, wie zou die ontbrekende pagina dan kunnen hebben?'

'Dat weet ik niet. Wij in elk geval niet.'

'Het kan toch nóg een keer misplaatst zijn? Hebben ze u niet gevraagd verder te zoeken?'

'Dat hoefden ze niet te vragen, we hebben het hele Bayard-dossier uitgespit. Het zat er niet bij.'

'En in het dossier van iemand anders?' Nathalie hoorde Richard een zucht slaken. 'Ik bedoel, dat zou toch kunnen?'

'Alles kan, mevrouw Kremer, alles kan.'

'Goed. Ik weet genoeg, denk ik.'

'Dat was het? O. Ik dacht... Nou, als u nog meer vragen hebt, op onze site staat...'

'Ja, ik weet jullie te vinden.'

Met een tevreden gezicht klapte ze haar mobiel dicht. Bingo. Of Olaf van Hoorn, of Donald Christie. Een van die twee had haar gebeld met de mededeling dat hij een eigendomsakte in handen had en daar geld voor wilde hebben. Donald was de meest onwaarschijnlijke van de twee, want voor zover ze dat uit de stem had kunnen opmaken, was het accentloos Nederlands. Een andere mogelijkheid was dat Van Hoorn en Christie onder één hoedje speelden.

Haar voorgevoel had haar gezegd dat ze met Christie moest praten en haar voorgevoel was goed geweest. Alleen wist niemand waar hij nu was. En die Olaf van Hoorn moest ze ook spreken. Maar ze kon moeilijk bij een van hen aankloppen en het testament opeisen. Tristan had haar weliswaar opgedragen dit zelf op te lossen, maar als het inderdaad om een eigendomsakte van Manhattan ging, moest de regering daarvan op de hoogte worden gesteld. Het moest iemand zijn die ze kon vertrouwen, die daar veel ingangen had en die zijn mond kon houden zolang als dat nodig was.

22

Kes was bijna ontploft van woede. Ze was net thuis van de boekpresentatie toen Donald haar had gebeld dat hun afspraak voor de volgende dag niet door kon gaan. Kes had hem gezegd dat dit niet was wat ze overeengekomen waren en dat ze op deze manier echt geen artikel kon schrijven. Het moest overmorgen af zijn. Ze wilde weten waarom hij zijn afspraak niet na kon komen.

'Pardon?' zei Donald. 'Wat is dat voor een impertinente vraag?'

'Impertinent of niet, ik wil voor mijn artikel graag weten met wie je een afspraak hebt. Waarom mag ik niet mee?'

Donald zei dat het een privéaangelegenheid was, dat het niets met zijn werk te maken had.

'Dit kan zo toch niet? Ik heb echt input van je nodig, anders kunnen we hier net zo goed meteen mee ophouden. Een half artikel, daar heeft niemand iets aan.'

'Verzin maar wat,' had hij gezegd. 'Bovendien hoef ik aan jou helemaal geen verantwoording af te leggen. Ik heb er niet om gevraagd, om dit hele gedoe.'

'En ik heb niet gevraagd om iemand die zijn beloftes niet nakomt en alleen met zijn eigen dingen bezig is. Je wordt bedankt.'

'O ja? Ben ik dan de enige die alleen met zijn eigen dingen bezig is?' Hij liet een korte stilte vallen. 'Kes, ik mag dan wel een oude man zijn, maar ik ben niet gek als je dat soms mocht denken. En Elsa ook niet. Wij weten precies waar jij naar op zoek bent. Een sensatieverhaal. Het zou me helemaal niets verbazen als jij je niet aan de afspraak houdt en je toch over onze geldproblemen gaat publiceren.'

'Volgens mij ben ik niet degene die zich niet aan de afspraak houdt. Maar je hebt gelijk. Als ik niets anders heb, dan zal ik daar wel over moeten schrijven. Iets smeuïgs kan ik er tot nu toe echt niet van maken.' Toen hij niet reageerde, zei ze: 'Sorry, Donald, ik heb dit nodig, maar jij hebt dit ook nodig, voor je publiciteit, weet je nog? Voor je sponsors? Je project?'

'Dat is toch al *fucked*.'

'Is dat het? Heb je het opgegeven? Vreemd. Ik had de Amerikanen toch heel anders ingeschat.'

'Dat kan wel kloppen want ik ben geen "de Amerikanen". Misschien ben ik wel vernederlandst, en je weet hoe die zijn als het allemaal even tegenzit,' beet hij haar toe.

'Touché, Donald, touché.'

'Zo is het wel genoeg geweest, Kes. Je hebt je punt gemaakt.' Zijn stem klonk opeens zwak.

'Donald, het spijt me.'

'Ik... ik wil er niet meer over praten.'

'Oké, goed, dat snap ik. Dat zou ik misschien in jouw plaats ook niet doen, zeker niet tegen mij. Maar laat mij je dan helpen.'

'Je kunt niets doen. Ik moet het zelf zien op te lossen. Ik ben ermee bezig. Als alles loopt zoals ik dat voor ogen zie, komt het misschien nog wel goed.'

'Waar ben je dan mee bezig?'

Ze hoorde een diepe zucht aan de andere kant van de lijn. Toen had hij opgehangen.

Kes ging op bed liggen en staarde naar het plafond. Dit ging niet goed. Wat ze nu had was een korte ontstaansgeschiedenis van de Nederlandse kolonie en een dodelijk saai verhaal over een archivaris die helemaal wild werd van zijn eigen onderzoek. Niet echt boeiend. Donald had inderdaad gelijk. Ze was naarstig op zoek naar een spannende insteek, iets wat haar artikel wat cachet zou geven, het echt de moeite waard zou maken. Die insteek had ze nog niet, en ze wist precies waar dat aan lag. Aan haar. Was ze het kwijt? Raakte ze net zo ingedut als de rest van de redactie? Dat mocht niet gebeuren.

Slappe trut, riep ze tegen zichzelf en ze stoof omhoog. Ze kleedde zich snel om en stapte haar kamer uit. Bij de nooduitgang aan het einde van de gang duwde ze de stang van de deur naar beneden. Deze verdieping was verboden terrein, maar vanwege de veiligheidsvoorschriften was de deur niet afgesloten. Ze glipte door de deuropening en bukte zich om de wig op te pakken. Voorzichtig liet ze de deur terugvallen tot hij tegen de wig leunde en liep naar boven.

De vollemaan verlichtte de voormalige bedrijfskantine. In het midden van de grote ovale ruimte stond een uitgiftebalie van een paar meter lang, opgetrokken in art-decostijl. Ze liep ernaartoe en gebruikte het als steun om haar spieren te strekken. Toen begon ze te rennen. Haar zolen piepten op de vloer. Eerst ging ze in een rustig tempo, en toen steeds sneller en sneller, tot ze nog net niet uit de bochten vloog. Net zo lang tot haar hoofd leeg was. Twintig minuten later zeeg ze hijgend neer. Haar hersenen werkten op volle toeren, haar adrenalinepeil was hoog, en haar woede was ze kwijt.

Elsa had gelijk gehad met die opmerking die ze tegen haar had gemaakt. Zij was de journaliste. Tot nu toe had ze in de laagste versnelling gewerkt. De manier waarop deze opdracht haar was opgedrongen, stond haar nog steeds tegen, maar iets in haar was ontvlamd door wat Nathalie had gezegd en toen ze met Elsa had gesproken. Ze was wakker geschud. Hier zat iets wat ze uit wilde zoeken. Ze had zitten pitten, had zitten wachten tot het haar allemaal in de schoot werd geworpen. Dat was vanaf nu afgelopen.

Nadat ze een douche had genomen, schoof ze de stapel naslagwerken die op haar tafel lag opzij en trok haar laptop naar zich toe. '*Follow the money,*' mompelde ze. Ze surfte naar de site van het Project Nieuw-Amsterdam en klikte op de button 'Donaties'. Helemaal onder aan de pagina zat een link met donateurs. Ze klikte erop en er sprong een pagina tevoorschijn met links die doorverwezen naar de donateurlijsten.

Iemand had het keurig bijgehouden, want de lijsten voerden terug tot aan het prille begin van het project. Na anderhalf uur had ze een stapel uitdraaien voor zich liggen waar alle donateurs op stonden. Het waren niet alleen organisaties, maar ook veel particulieren vonden het blijkbaar belangrijk dat Donald zijn werk kon blijven doen.

Ze startte Excel op en maakte een spreadsheet aan. In de verticale balk vulde ze jaartallen in, van 1974 tot aan 2010. Horizontaal tikte ze de namen van alle donateurs in en daarachter het cijfer 1 in de kolom die aangaf in welk jaar de donatie had plaatsgevonden. Een paar uur later liet ze zich met een zucht in haar stoel terugvallen. Terwijl ze naar het Excelbestand keek, hoopte ze dat het al het werk waard was geweest. Ze telde alle velden bij elkaar op en keek naar de cijfers. Er waren inderdaad de laatste jaren steeds meer donateurs afgehaakt. Naarmate de jaren vorderden, werden het er steeds minder. In 2009 waren er het nog maar zes.

Er was iets vreemds met de lijst. Ze miste iets. Dat de Amerikaanse regering weinig aan het project bijdroeg verbaasde haar niet. Daar was het normaal dat dit soort projecten door particulieren en bedrijven werden gesponsord, en niet door de overheid. Wat haar verbaasde, was dat de Nederlandse overheid niet op de lijst voorkwam. Ze had verwacht dat die wel een steentje zou hebben bijgedragen, maar ze stond er niet op. Het was vreemd. Ze zou toch zweren dat Donald hier iets over had gezegd, dat die zijn project ondersteunde? Dat zou ook niet meer dan normaal zijn. Of was die opmerking gericht geweest op het Hudson-jaar? Dat ze daarmee in de war was? Maar dan nog.

Ze pakte haar telefoon en scrolde door haar contactenlijst.

☆☆☆

Giechelend greep de vrouw zijn arm beet.

'Ik snap niet wat er te lachen valt, je bent echt straalbezopen. Volgens mij ben ik de enige barkeeper in Amsterdam die zo aardig is een stomdronken klant in een taxi te zetten.'

'Amsterdam, Amsterdam,' riep ze en ze draaide een pirouette die erin eindigde dat ze hard tegen hem aan viel. 'Ik ben gek op Amsterdam. Op alles in Amsterdam. Vraag me wat je wilt, barkeep,' hijgde ze in zijn oor. 'Ik kan alles nog, doe het zo. Doe alles voor je. Ook al heb ik gezopen. Vraag me wat je wilt. Vraag maar. Toe maar.'

'Laat nou.' De barkeeper duwde haar zachtjes van zich af en stak zijn hand op naar een naderende taxi die voorbijscheurde. 's Nachts wilden ze nog weleens op straat stoppen, ook al was het tegen de regels.

'Barkeep, keepertje, heb je geen zin om met me mee te gaan? Nou? Wat denk je ervan, hè, hè?'

Hij was blij dat hij haar het café uit had kunnen krijgen en had besloten zijn behoefte aan een wandeling te combineren met deze goede daad. 'Hou es op en laat mijn arm los. Straks vallen we nog. Ik stop je in een taxi en daarmee klaar.'

De volgende taxi die hij wenkte, stopte wel. De barkeeper trok het portier open en keek achterom. Met een pruillip keek ze terug en schudde haar hoofd.

'Ik wil niet nog naar huis, nog lange niet, nog lange niet. Niet alleen. Toe nou, ga mee.' Ze stampte met haar voet op de grond. 'Toe.'

'Kom op, naar binnen. Schiet op.'

Ze maakte geen aanstalten om in de taxi te stappen, dus pakte hij haar bij haar schouders en schoof haar erin.

'Heb je je tas, geld? Sleutels bij je?' Ze knikte. Hij sloeg de deur dicht en gaf het adres aan de chauffeur.

Hoofdschuddend keek hij de taxi na. Hij had haar vaker dronken meegemaakt, nu was ze echt straalbezopen. Maar goed, hij had zijn plicht gedaan, meer dan zijn plicht zelfs.

Met zijn handen in zijn zakken slenterde hij terug naar zijn café, genietend van de nachtelijke stilte. Terwijl hij langs de gracht liep, zag hij vanuit zijn ooghoek iets in het water drijven. Hij kneep zijn ogen tot spleetjes. Het was te groot voor een vuilniszak. Was het een hond? Hij liep naar de kade en tuurde over het water. Toen sperde hij zijn ogen open en greep vloekend naar zijn telefoon. Nadat hij 112 had gebeld, sprong hij in het water.

23

Kes had net een kop koffie voor zichzelf ingeschonken toen haar telefoon ging. Het was Elsa.

'Kes, jij... eh, je had vanochtend toch een afspraak met Don?'

'Die heeft hij gisteren afgezegd. Hoezo?'

'O. Ik wilde hem afmelden. Hij ligt namelijk in het ziekenhuis. Hij... hij heeft een ongeluk gehad.'

'O mijn god. Is het ernstig? Wat is er gebeurd? Hoe is hij eraan toe?' Elsa's stem brak. 'Het is niet goed, het gaat helemaal niet goed.'

'Ik kom er nu aan.'

'Nee, nee, dat hoeft niet, je kunt hier toch niets doen.'

'Waar ligt hij?.'

'In het AMC.'

'Ik zie je zo.'

Onderweg naar het ziekenhuis schoot het door Kes' hoofd dat dit het einde van haar opdracht zou kunnen betekenen, afhankelijk van hoe Donald eraan toe was. Ze hoopte met heel haar hart dat hij niet al te zwaar gewond zou zijn. Voor hemzelf en voor haar. Toen ze bij de balie naar hem vroeg en ze werd doorverwezen naar de wachtruimte van de intensive care, vervloog die hoop. Op de gang van de intensive care klampte ze een passerende arts aan.

'Pardon, mag ik iets vragen, weet u misschien iets over de toestand van meneer Christie? Donald Christie? Hij is hier net opgenomen?'

'Jazeker, ik kom net bij hem vandaan. Bent u familie?'

Kes schudde haar hoofd.

'Het spijt me, dan kunnen we geen infor...'

'Meneer Christie is een zeer goede vriend van mij. Kunt u mij alstublieft zeggen hoe het met hem is? Ik maak mij zo'n vreselijke zorgen.' Zonder dat ze er moeite voor hoefde te doen, voelde ze haar ogen vochtig worden.

De arts keek haar vriendelijk aan. 'Op het moment is hij stabiel.'

'Dus het gaat goed met hem?'

'Nee, dat niet direct. Hij ligt in coma.'

'Coma? O, nee.'

'Nu is het afwachten. Hij heeft met een ernstig zuurstoftekort te kampen gehad.'

'Wat vreselijk. Gaat het nog goed komen?'

'Dat kunnen we nooit voorspellen. We hebben geen idee hoe lang dit gaat duren. Een paar uur, twee tot drie weken, bij uitzondering duurt het langer.' De arts stak haar handen even in de lucht en liet ze weer vallen. 'Maanden, jaren soms.'

En nu, dacht Kes. Hoe moest ze nu verder? Haar onderwerp lag in coma en zij voelde zich alsof ze er elk moment in af kon glijden. Haar hoofd zat vol watten, ze kon niet meer helder denken. Het voelde alsof het signaal dat haar energie aanstuurde haar hersenen niet meer kon bereiken. Langzaam liep ze door en duwde de deur van de wachtruimte open. Haar adem stokte. In de leunstoel naast het raam zat Elsa. Haar hoofd hing naar beneden en haar kin raakte haar zware boezem. Kes zag een grijze streep uitgroei in het rode haar. In haar zwarte gewaad zag Elsa er grotesk uit, als een half leeggelopen zitzak.

'Elsa?' Er ging een schokje door Elsa's lichaam. Langzaam hief ze haar hoofd op.

Kes liep naar haar toe, zakte door haar knieën en pakte Elsa's handen beet. Ze voelden warm en sponsachtig aan. Elsa leek haar aan te kijken, maar er lag een waas over haar ogen, als bij iemand met beginnende staar. Haar felblauwe mascara was uitgelopen en haar neus was rood. Ze leek op een clown die een emmer water over zich heen had gekregen.

'Elsa, gaat het een beetje?'

De stem van Elsa was onherkenbaar, zwaar en raspig. 'Don, hij...' Kes rook haar zurige adem.

'Ben je misselijk?'

Elsa schudde haar hoofd en zuchtte. Ze stond op en trok haar handen terug. 'Niet meer. Niet meer, nee. Wat lief dat je bent gekomen. Het gaat slecht, het gaat heel slecht met hem,' fluisterde ze. De woorden dropen uit haar mond als stroop op een pannenkoek. 'Ik denk niet dat hij het gaat halen.' Ze bleef even stil. 'Ben ik niet af-

schuwelijk, dat ik dat zeg? Dat ik geen enkele hoop heb? Hem opgegeven heb? Je zou hem moeten zien, hij ziet eruit, zo vreselijk, ik
kan het bijna niet aanzien. Vreselijk gewoon.' Toen pakte Elsa Kes
haar bovenarmen beet in een pijnlijk harde greep.

'Au, Elsa, wat...'

'Hij heeft ons verraden.' Haar stem was nu loepzuiver en schoot
omhoog.

'Ons? Wat bedoel je?'

Ze trok Kes naar zich toe. De misselijkmakende geur van Elsa's
adem stompte haar in het gezicht. Instinctief probeerde ze zich terug te trekken, maar Elsa hield haar stevig vast.

'Kes, ze mogen er niet achter komen waar hij mee bezig was. Het
is... voor het project... de schande... de schande.' Plotseling liet ze Kes
los, duwde haar van zich af en zei: 'Ik begrijp eigenlijk niet waarom
ik dat tegen jou zeg. Alsof jij ons kunt helpen. Jij, jij... Jij begrijpt er
niks van. Je denkt dat je volwassen bent, loopt rond met een air alsof
je alles al weet. Maar je weet niets, helemaal niets. Je weet niet wat
het is om echt van iemand te houden, weet niet hoe het voelt om weg
te kwijnen als hij niet naar je kijkt, hoe het is om elke dag bij iemand
in de buurt te zijn die je niet ziet staan, die je beschouwt als een stuk
meubilair... Een stuk meubilair. Weet je hoe dat is, hoe dat voelt? Ik
zal het je zeggen. Het voelt alsof iemand met een hand in je borstkas
zit en je hart kneedt, en maar kneden, en maar kneden.' Terwijl ze dit
zei drukte Elsa met twee handen op haar boezem. 'Dan houdt het
opeens op, moet je het in een moordend tempo weer op eigen kracht
zien te redden. Je hart pompt en pompt. En net als je denkt dat het je
lukt, net als je denkt, nu kan ik het weer alleen, begint het weer van
voor af aan. Zo gaat het al jaren, jaren en jaren. Maar dat begrijp jij
niet.' Elsa schudde langzaam haar hoofd.

'Elsa, je bent niet in orde.'

Elsa staarde over Kes' schouder naar buiten. 'Hij heeft geluk gehad. Vijf minuten later en hij was dood geweest.'

'Maar, hoe... waar is hij gevonden?'

'In de gracht. Hij lag in een van zijn geliefde grachten.' Elsa bleef
maar naar buiten staren. Toen, van de ene seconde op de andere,
kwam ze uit haar sluimertoestand. Weer pakte ze Kes bij haar bovenarmen beet. 'Kes, luister goed. Er klopt geen moer van. Het was
geen ongeluk. Iemand heeft geprobeerd hem te vermoorden.'

Elsa's ogen stonden zo wijd dat ze bijna uit haar kassen vielen. Verdwaasd keek Kes naar de vrouw die tegenover haar zat en die de grootst mogelijke onzin uitkraamde. Welke kant gaat dit in hemelsnaam op? Dit was belachelijk. Wie zou Donald Christie dood willen hebben? Die man kon nog geen vlieg kwaad doen.

'Elsa, zal ik een arts laten komen voor iets kalmerends?'

Elsa draaide haar gezicht weg, zei iets onverstaanbaars en ging zitten.

'Pardon?'

'Dit kan gewoon niet'. Langzaam schudde Elsa met haar hoofd. 'Ze hebben geen idee of het ooit nog goed komt, of hij nog wakker wordt. Dat zal toch wel? Ik bedoel, ze kunnen vandaag de dag zoveel.' Zacht zei ze: 'Ja, natuurlijk, het komt wel weer goed allemaal. Het gaat allemaal weer goed komen.' Toen wreef ze over haar bovenarmen. 'Geen zorgen, meis,' zei ze zacht voor zich uit, 'geen zorgen.'

De lucht boven het ziekenhuis zag roestbruin. Onweer hing zwaar in de lucht en in de verte zag ze bliksemflitsen. Op het parkeerterrein hief Kes haar gezicht naar de regen. Ze kon het maar moeilijk bevatten, en had geen idee hoe ze nu verder moest met haar artikel. Er leek een vloek op te rusten.

Zou Elsa gelijk hebben? Nee, dat was een belachelijke gedachte. Wie zou in hemelsnaam iemand om het leven willen brengen die niets anders deed dan met zijn neus in stokoude documenten zitten? De enige die een motief zou kunnen hebben was Donald zelf. Hij was degene die in geldnood zat. Zou hij in de gracht gesprongen zijn in de hoop dat het als een ongeluk zou worden gezien? Dat hij het in scène had gezet, een of andere levensverzekering had afgesloten en dat het uit te keren bedrag naar het project zou gaan, of naar Elsa? Nee, onzin. Want wie zou dan zijn werk voort moeten zetten? Had het misschien iets te maken met wat Nathalie had geopperd, met een of andere eigendomsakte? Nee, dat zou belachelijk zijn. Maar waar doelde Elsa dan op toen ze dat zei over die schande waar niemand achter mocht komen?

Ze had koppijn, en ze voelde zich slap. Toen haar telefoon ging, stapte ze in haar auto en graaide in haar tas. Natuurlijk. Bart Bonnier, wie anders. Met een zucht nam ze op.

'Bart... Ja, het is afschuwelijk... Ja, in coma... Nee, dat weten ze niet... Wat? Nu al? Ja, daar was ik al bang voor. Dat is toch veel te vroeg... Maar ik... Ja, misschien heb je gelijk... Ja, die was er. Ik komt net bij haar vandaan, maar ze is niet echt aanspreekbaar... Ja, goed.' Ze hing op en smeet haar telefoon in haar tas. Ook dat nog. Nu wilde Bart dat ze een stuk schreef over het leven van Christie, voor het geval hij het niet zou halen. Daar zat ze nou net op te wachten, het stuk tot een necrologie ombouwen. Daar kwam nog bij dat ze net van Bart had gehoord dat die etterbak van een Steven Stouten-beek al een stuk over Donald op internet had gepubliceerd. Ook fijn. Lijkenpikkers waren het. En zij hoorde daarbij, zij was een van hen. Vanuit de diepte van haar tas hoorde ze haar telefoon weer gaan. Ze graaide ernaar. Eindelijk, dacht Kes. Het was Merel Die-penbrock, voorlichter bij het ministerie van Onderwijs, Cultuur en Wetenschap. Kes kende haar nog van hun opleiding.

'Ha, Merel. Ja, ik weet het, ik ben er net geweest. Nee, geen idee. Hij ligt in coma. En? Heb je iets kunnen vinden?... Het klopt dus dat de overheid het Project Nieuw-Amsterdam niet ondersteunt?... Is dat niet vreemd? Kan ik anders even langskomen, dat ik zelf even ga spitten?... Ja, fijn, tot zo.'

24

'Ik moet u eerlijk bekennen dat dit hele verhaal mij voorkomt als een complottheorie,' zei de man die Nick Olson aan de telefoon had. 'U meent echt wat u allemaal zegt? U hebt bewijs?'

'Ja, ik meen het, en nee, ik heb geen bewijs. Ik kan me voorstellen dat het zo overkomt, maar ik heb het met mijn superieuren besproken en zij waren van mening dat het goed zou zijn contact op te nemen.' Terwijl hij sprak probeerde Nick zijn irritatie te onderdrukken. Dit was ondertussen de derde AIVD'er die hij aan de telefoon kreeg en elke keer moest hij zijn verhaal herhalen. Het leek wel een klachtenlijn van een telefoonaanbieder in plaats van de Nederlandse Veiligheidsdienst.

'Hm. Ziet u kans om bij ons langs te komen om het te bespreken?'

'Bespreken? Bespreken is volgens mij een gepasseerd station. Jullie moeten actie ondernemen,' zei Nick.

Hij kende de reputatie van de AIVD. Ze waren kundig. Het was nou niet dat de FBI, waar Nick al jaren voor werkte, daar een puntje aan kon zuigen, maar ze waren goed. Alleen dat constante geouwehoer. Meetings, vergaderingen, overleggen, besprekingen, ze noemden het elke keer anders, maar het kwam altijd op hetzelfde neer. Het kostte allemaal enorm veel tijd.

'Weet u wat,' zei Nick, 'ik zet het wel even op de mail. Dan kunnen we daarna contact hebben. Het is voor mij onmogelijk naar Nederland te komen. Ik ben bij hem in dienst, en kan hier niet van de ene op de andere dag zomaar weg.'

'Ah, dus u bent hier al een tijd mee bezig, begrijp ik?'

'Helemaal niet. Waar ik hier mee bezig ben betreft een heel andere kwestie.'

'Laat me raden. Vastgoedfraude?'

'Het spijt me, ik kan er niets over zeggen. Ik heb een andere opdracht en stuitte hier bij toeval op. Het leek ons goed u dit te laten weten.'

'Oké, ik wacht uw mail af.'

Nick hing op. Hij was ervan overtuigd dat Stedman niets vermoedde. Toch had de man hem de laatste tijd op een manier aangekeken die Nick onprettig vond. Dan voelde hij Stedmans felblauwe ogen op hem gericht als hij door de kamer liep. Het was alsof Cruiser zijn gedachten probeerde te lezen. Nick werd er onrustig van, en hij wist dat mensen, net als dieren, spanning kunnen ruiken. Ze kunnen hun gevoel niet goed plaatsen, maar er brak altijd een moment aan waarop het wantrouwen de kop opstak. En Stedman had veel om wantrouwend over te zijn.

In al die maanden die hij voor Stedman had gewerkt, had Nick voldoende belastend materiaal boven water kunnen krijgen om de man achter slot en grendel te plaatsen. Wat Nick tijdens zijn onderzoek nog het meest tegen de borst stuitte, was niet eens de stroom aan omkopingen. Het was Cruisers arrogantie. Die ging zo ver dat hij niet eens voorzichtig meer was, niet eens de moeite meer nam te verbergen dat hij het halve ambtenarenapparaat van de afdeling Stadsontwikkeling van de stad New York in zijn zak had. Ondertussen waren zoveel ambtenaren betrokken bij zijn frauduleuze praktijken, dat ze, als ze uit de school zouden klappen, elkaar als dominostenen mee zouden sleuren. Dus trok niemand zijn mond open. Ze keken wel uit.

Een halfuur nadat Nick via zijn eigen BlackBerry zijn bericht naar de AIVD had verzonden, ontving hij een reactie. Het was het hoofd van de AIVD met de mededeling dat hij met Nick contact op zou nemen. Het bericht gold als verificatie. Niet veel later voelde Nick zijn telefoon tegen zijn lichaam trillen.

'Meneer Olson?'

'Ja?'

'U spreekt met Andries Klaassen, AIVD. Ik heb via mijn collega uw informatie onder ogen gekregen. Dat is niet niks, wat u daar beweert.'

'Dat weet ik.'

'Wat ik niet goed begrijp is dit: hoe zit het met uw regering? Die hebben er toch ook belang bij, als uw verhaal klopt uiteraard?'

'Dat is zo, daarom bel ik u ook. Ze vroegen mij contact op te nemen om te kijken of u er al van op de hoogte bent, of u dat document hebt.'

'Ik begrijp er niets van.'

'Het is precies zoals ik het zeg,' antwoordde Nick.

'Even recapituleren. U hebt gehoord van het bestaan van een testament waarin staat dat een deel van Manhattan aan ene familie Van Hoorn toebehoort. Deze van oorsprong Nederlandse familie gaat proberen dat stuk land terug te krijgen. Maar u hebt dat document zelf niet onder ogen gehad?'

'Nee, ik heb er alleen een transcriptie van gezien. Als het goed is, is het origineel in het bezit van Olaf van Hoorn, de man die ik in mijn mail noemde.'

'Als dit onwaarschijnlijke verhaal klopt, meneer Olson, dan heeft uw regering er mijns inziens veel baat bij dat document zo snel mogelijk in handen te krijgen en te vernietigen.'

Nick lachte. 'Ik begrijp uw redenatie, maar dan schat u ons toch echt verkeerd in. Een document van honderden jaren oud kan geen enkele invloed hebben op de eigendomsvraag van dat stuk van Manhattan. Bovendien, wat zou die familie er in hemelsnaam mee willen bereiken? Het terugkrijgen? Dat is niet alleen zeer onwaarschijnlijk, het is bovendien een ridicule gedachtegang. Het gaat ons niet om dat testament, het gaat ons om die hele toestand eromheen. Dat kan onze plannen met Stedman Cruiser dwarsbomen.'

'Op welke manier?'

'Al vijf jaar zijn wij bezig bewijsmateriaal tegen Cruiser te verzamelen. Al vijf jaar, meneer Klaassen. Hij is, zoals uw collega al dacht, betrokken bij een grootscheepse vastgoedfraude. Het laatste wat wij willen is dat hij zijn werkzaamheden om wat voor reden dan ook stillegt. We zitten net in een cruciale fase, de fase waarin koppen gaan rollen.'

'Maar die koppen moeten in beweging blijven.'

'Precies. Om het onderzoek goed te kunnen afsluiten, moeten wij er hier de vaart in houden. Ziet u, het klinkt natuurlijk allemaal heel erg romantisch en geheimzinnig, zo'n testament. Maar stel nou, stel dat er van het afschrift dat ik heb gelezen een origineel bestaat, dan nog lukt het die familie Van Hoorn nooit het land op te eisen. Hebt u enig idee hoeveel geld daarmee gemoeid zal zijn? Die proceskosten kunnen zij nooit opbrengen. Als het ooit zover komt, dan kan ik u verzekeren dat de beste advocaten die ons land kent erop worden gezet, en dat zij de zaak net zo lang zullen traineren totdat de tegenpartij het opgeeft. Daar ben ik dus niet zo bang voor.'

'Dus het belang van uw onderzoek is voor u momenteel groter dan het feit dat er een document bestaat waaruit blijkt dat het deel van Manhattan dat door Cruiser wordt ontwikkeld niet van hem is, maar van ons?'

'Ons?' Nick lachte. 'U loopt wel erg hard van stapel. Maar het klopt wat u zegt. Momenteel heeft ons lopende onderzoek prioriteit. Stel nou dat die Van Hoorn inderdaad zo gek is een procedure op te starten. Dan wordt het een rechtszaak die decennia kan duren voordat er een uitspraak wordt gedaan. En die ons geld gaat kosten, geld dat van de Amerikaanse belastingbetaler is. Op dit moment heeft zijn arrestatie voor ons prioriteit. Het moet een voorbeeldfunctie krijgen, moet duidelijk maken dat witteboordencriminaliteit bij ons net zomin getolereerd wordt als welke vorm van criminaliteit dan ook. Trouwens, over die grond gesproken, die is niet van hem maar van de New York Port Authority. Hij heeft het in erfpacht. Ik weet dat ze veel moeite hebben gedaan het contract met Cruiser na 9/11 te ontbinden omdat ze daar zelf wilden gaan ontwikkelen.'

'Ah. Dus als de Port Authority dit ter ore komt, wordt het project stilgelegd?'

'Die kans is groot.'

'Dus in feite kan het jullie niets schelen?'

'Op het moment niet. Jullie moeten maar zien wat jullie ermee doen. Wat ik wil, is dat er geen ruchtbaarheid aan de eventuele vondst van dat testament wordt gegeven tot Cruiser is opgepakt. Dit wordt onze grootste vastgoedfraudevangst ooit. Dat laten wij ons niet ontnemen.'

Wat jij je niet laat ontnemen met een mooie promotie in het vooruitzicht, dacht Andries en vroeg: 'Wat wilt u van mij?'

'De belofte dat u met dat testament niets doet tot u een seintje van ons krijgt.'

De Amerikanen. Altijd commanderen. 'Het spijt me, maar daar kan ik niet over beslissen. Ik moet dat met onze premier bespreken.'

'O, ik begrijp het. Natuurlijk. Goed. Ik hoor graag van u.'

'Voordat u ophangt, nog één vraag. Waarom bent u degene die contact met ons opneemt? De FBI bedoel ik dan. Dat is hoogst ongebruikelijk. U werkt toch niet aan grensoverschrijdende kwesties als deze?'

'Dat klopt. Aangezien ik met de zaak-Cruiser belast ben, hebben mijn collega's van de CIA dat zo besloten.'

'Dus die weten ervan?'

'Uiteraard.'

Met een peinzende uitdrukking op zijn gezicht legde Andries Klaassen de telefoon neer. Hij geloofde geen woord van wat Nick Olson tegen hem had gezegd. Geen woord. Er was veel meer aan de hand, veel meer. Maar wat?

25

Kes pakte het bezoekerspasje van Merel aan, stak het in haar achterzak en liep achter haar aan de hal in. Boven de balie hing een reusachtig logo van het ministerie van Onderwijs, Cultuur en Wetenschap. Kes bedacht dat, gezien de afgelopen bezuinigingsronde, het woord cultuur gerust met een kleine letter kon worden geschreven. Een heel kleine letter.

'Het is de bedoeling dat je dat pasje op een zichtbare plaats vastmaakt,' zei Merel zonder om te kijken.

'Weet ik.'

'Ik merk het al, geen spat veranderd.'

Ze glimlachten naar elkaar. Terwijl ze door de gangen liepen vroeg Merel: 'Je laat me toch wel weten waar je het voor gaat gebruiken?'

'Ik neem aan dat het geen staatsgeheim is?'

'Nee, dat niet, maar ik wil het wel weten. Het laatste waar we hier op zitten te wachten is een artikel over hoe we hier geld over de balk smijten. Er gaat al geen dag voorbij zonder dat een van onze projecten wordt stilgelegd. Het zou me niets verbazen als we over een jaar niet eens meer bestaan. Hij vindt het allemaal onzin.' Voor een deur hield ze stil. 'Hier moeten we zijn.'

Merel zwaaide de deur open. 'Ik heb je al ingelogd.'

'Gezellig,' zei Kes terwijl ze de kale kamer inkeek waar niets in stond dan een bureau met een computer erop en twee stoelen.

'Je moest eens weten hoeveel van dit soort kamers we hier hebben,' antwoordde Merel. 'Ga zitten.' Merel schoof er een stoel bij, plofte neer en zei: 'Het wijst zich eigenlijk vanzelf. Elke subsidie die er hier ooit de deur is uitgegaan, moet in dit archief staan. Je hoeft alleen de zoekterm in te vullen en je krijgt het te zien. Ik had het net zo goed zelf voor je kunnen doen, maar goed.'

'Oké.' Kes tikte Project Nieuw-Amsterdam in. 'Shit, geen resultaten.'

'Is er geen overkoepelende organisatie die het geld beheert?'

'Niet dat ik weet. Ik heb wel een naam: John Henley. Hij is voorzitter.'

'Probeer maar.'

Kes tikte de naam in. 'Weer niet. Is dit de enige database?'

Merel stond op om de deur dicht te doen en ging weer naast Kes zitten. 'Is dit off the record?'

'Hoezo?'

'Is dit off the record, vroeg ik.'

'Ja, natuurlijk.'

'Ja, natuurlijk niet bedoel je. Kes, ik ken je. Als je hier ooit iets over publiceert, echt, zweer dat je het niet van mij hebt.'

'Mijn bronnen blijven altijd anoniem.'

'Ook als het je je baan kost?'

'Ook dan.'

Merel schraapte haar keel. 'Goed. Wat ik je nu ga vertellen is iets waar maar weinig mensen van op de hoogte zijn. Draai je even om. Dat ik je dit laat zien is nog tot daar aan toe. Mijn wachtwoord blijft van mij.'

Met een zucht keerde Kes zich van het scherm en staarde naar buiten. Achter haar rug hoorde ze Merel in een razend tempo op het toetsenbord slaan.

'Oké, klaar, hier.'

Kes keek naar het scherm. 'Hm. Waar zitten we nu op?'

'Zeg ik niet.'

Er was geen vormgever aan te pas gekomen, er stond geen naam boven en ze miste een menu. Eigenlijk miste ze alles. Op het scherm stond alleen een leeg veld met het woord 'zoek' ernaast. Dat woord zoek was in feite ook overbodig.

'Het enige wat ik ga doen is kijken of we hier iets op kunnen vinden,' zei Merel. 'Zo ja, dan zal ik het je uitleggen. Vinden we niks, zeg ik niks. Dan moet je ook niet gaan aandringen. Afgesproken?'

Kes knikte.

'Oké, daar gaan we: Project Nieuw-Amsterdam,' zei Merel terwijl ze de letters intikte. Gespannen keken ze naar het scherm. In rode letters verscheen de tekst: *No results. Please try again.* Dezelfde tekst verscheen nadat ze de naam van John Henley had ingetoetst.

Merel schudde haar hoofd. 'Niets. We kunnen er net zo goed mee ophouden.'

'Wacht, probeer Donald Christie eens.'

'Ik denk niet dat het veel zin heeft,' zei Merel terwijl ze de naam intikte en op enter drukte.

'Bingo!'

Boven in de pagina stond een tekst in een kader met daaronder een tabel. Links een datum, rechts een bedrag met daarachter een bankrekeningnummer.

Kes boog zich naar het scherm naar de kadertekst en las het hardop voor. 'Donald Christie/Gelden ten behoeve van Manhattan/Dossiernr. 487-A21/Afgesloten. Hier, moet je kijken, Christie heeft vanaf 1978 geld gestort gekregen.' Kes scrolde naar beneden en wees naar het scherm. 'Tot vorig jaar.'

'Vandaar dat er in vette letters "Afgesloten" bij staat,' zei Merel.

'Elk jaar ontving hij een geldbedrag dat zo te zien keurig geïndexeerd werd. En opeens houdt het op? Maar waar is het dossier?'

'Wat bedoel je?'

'Er staat hier toch een dossiernummer.'

'Ja, dat slaat op deze pagina.'

'O ja? Ik geloof er niets van. Probeer het eens.'

Weifelend keerde Merel terug naar het beginscherm en tikte het nummer in.

'Zie je wel,' zei Kes. 'Error, zegt ie. Er moet een dossier van zijn. Online of op papier. Waar refereert dat nummer anders aan?'

Merel beet op haar onderlip.

'Merel? Ik zie aan je gezicht dat je hier meer van weet.'

'Goed dan. Hou je je aan onze afspraak? Dat ik anoniem blijf?'

'Zolang jij mijn naam bij de balie beneden uit het systeem haalt, is er geen vuiltje aan de lucht.'

'Waarom denk je dat ik het pasje al in mijn handen had? Ik heb je onder een andere naam ingeschreven.'

'Ik hou me aan mijn woord. Vertel.'

26

SMETTELOOS BV stond er op de achterkant van zijn poloshirt. Daaronder was een lachende emmer afgebeeld. Twee handjes staken uit de zijkant. De ene hand zwaaide, de andere hield een spons vast. Zonder jas ging Evert-Jan met het shirt de straat niet op. Hij had ook zijn trots.

Vanaf zijn eerste dag als student stond hij rood. Nu, drie jaar later, pikte zijn bank het niet meer en eiste dat hij zijn schuld van net iets meer dan tweeduizend euro binnen vijf maanden afbetaalde. Natuurlijk was Evert-Jan eerst bij zijn ouders langs geweest, maar die waren niet te vermurwen. Die studie kostte hen al meer dan genoeg, hadden ze gezegd. Ze hadden hem verwend en veel te beschermend opgevoed. Hij moest maar eens leren wat de waarde van geld was, hoe het was om ervoor te moeten werken. Wat Evert-Jan niet wist, was dat zijn vader zich bij de bank borg had gesteld mocht het zijn zoon niet lukken de schuld tijdig af te lossen. Eens beschermd altijd beschermd.

Evert-Jan meldde zich bij het studentenuitzendbureau en nam het eerste baantje dat voorbijkwam: schoonmaker bij Smetteloos. In het begin zette hij keurig elke zuurverdiende euro apart. Maar het ging al snel mis omdat hij het een blamage vond zijn huisgenoten op de hoogte te brengen van zijn geldproblemen. Dus deed hij alsof er niets aan de hand was en bleef geld als water uitgeven. Zijn schuld groeide net zo hard als hij poetste.

Voor het West-Indisch Huis maakte hij zijn fiets vast en belde aan. Op de zoemer duwde hij de loodzware deur open. Hij stak het binnenplein over, maakte een praatje met de nachtwaker en liep naar de ruimte waar zijn schoonmaaktrolley stond.

Een uur nadat hij was binnengekomen, stak hij de sleutel in het slot van Donald Christies werkkamerdeur. Op de drempel bleef hij staan en snoof. Er klopte iets niet. Er hing een vreemde geur in de ruimte. Aangezien Christie nooit een raam openzette, rook het er altijd wat muf, maar dit was anders.

Hij snoof nog een keer en liep de kamer in. De vage brandlucht die hij rook, zou slecht nieuws kunnen betekenen met al die stapels papieren die er lagen. Automatisch werd zijn blik naar de open haard getrokken. Hij liep ernaartoe en zakte door zijn knieën. Iemand had de haard aangestoken. Hij vond het vreemd. Uit brand-veiligheidsoverwegingen waren de luchtkanalen van alle open haarden in het pand afgesloten. Het was helemaal niet de bedoeling dat deze gebruikt werden. Iedereen die hier werkte, hoorde daarvan op de hoogte te zijn. Onder de dikke laag as zag hij iets zwarts liggen. Hij pakte een potlood van het bureau en schoof de as opzij.

Degene die dit had aangestoken wist dit blijkbaar niet. Zonder luchtkanaal was het vuur snel gedoofd, want het notitieboekje dat van onder het as tevoorschijn kwam, was er nauwelijks door aangetast.

Voorzichtig trok Evert-Jan het boekje uit de haard. Zo op het eerste gezicht leek het ongeschonden. De harde kaft was door de hitte bol gaan staan. Het zwarte elastiek waarmee het boekje bijeenge-houden werd, was deels gesmolten en bungelde er als een levenloze staart aan. Voorzichtig sloeg hij het open.

Logbook Project Nieuw-Amsterdam 2010
If found, please return to Donald Christie

Evert-Jan wist dat het zinloos was Donald Christie op het telefoon-nummer dat hij eronder had gezet te bereiken. De nachtportier had hem net verteld wat er met Christie gebeurd was en dat hij in het ziekenhuis lag. Vanuit de verte hoorde hij iemand zijn naam roepen. Snel stond hij op, veegde het boekje af aan zijn shirt en liet het in het zijvak van zijn trolley glijden.

'Ik ben hier,' riep hij en stak zijn hoofd om de hoek van de deuropening. 'Moet alleen deze nog doen.'

'Christies kamer? Moet ik helpen?'

'Nee joh, dit is zo gebeurd.'

'Ik ga alvast, goed? Zie ik je bij De Juffer?'

'Bestel maar, ik ben er over een kwartier.'

'Hetzelfde recept?'

'Yep.'

Twee uur later was Evert-Jan thuis. Nadat hij had gedoucht, pakte hij het boekje uit zijn rugzak en bladerde er voorzichtig doorheen. De pagina's stonden volgeschreven en het handschrift was moeilijk leesbaar. Tussen de bladzijden zaten losse blaadjes geschoven met nog meer tekst, maar ook kleine tekeningen van planten, dieren, schepen en landkaarten. Aangezien hij over een halfuur op college moest zijn, trok hij zijn bureaula open en legde de zielenroerselen van Donald Christie naast een halfleeg pakje uitgedroogde shag, een agenda uit 2009 en een stapel ongeopende post, het merendeel aanmaningen.

27

Er kwam een zachte pieptoon uit het apparaat. Het was een meter-kast die in plaats van elektriciteit het verbruik van levenssignalen opnam: bloeddruk, zuurstof, hartslag, ademhaling. Onder in het scherm stond een grafische weergave van de longen. Op het adem-halingsritme van de patiënt zetten de longen op het scherm iets uit, waarna ze zich weer ontspanden. Het beeld was haast hypnotise-rend. Boven in het touchscreen liepen twee grafieken: een rode lijn voor het ademhalingsritme en een gele voor de hartslag. Er zaten tientallen knoppen op, met boven elke knop felrode digitale cijfers. De waarden van sommige getallen veranderden voortdurend, an-dere waarden stonden vast. Net als in het echte leven, dacht hij.

In de verte klonk het gemurmel van de verpleegsters. Hij was de koffiekamer net voorbijgelopen. Ze hadden hem niet voorbij zien komen, maar stonden op een kluitje uit het raam te kijken. Ruggen, billen en benen, alles wit. Alleen hun haar gaf kleur aan het geheel.

Het weer hielp mee. Elke blikseminslag lichtte de kamer op, alsof gewetenloze paparazzi deze weerloze, doodzieke man op zijn zwakste moment stonden te fotograferen. Een paar tellen later, de donder die langzaam aanzwol en vlak boven het ziekenhuis tot een apotheose kwam. De bliksemschichten en donderslagen volgden elkaar in een moordend tempo op. Nederland krijgt de zweepsla-gen die het verdient, dacht hij en liep naar het bed.

De patiënt lag op zijn rug, strak ingestopt als een ingebakerde baby. De beugels langs het bed stonden omhoog. Vanaf zijn rech-terarm liep een slangetje naar de katheter waar een zak met door-zichtige vloeistof aan hing. Uit de halfopen mond van de man stak ook een slang. Deze was ribbelig, als van een wasmachine.

Hij keek op de man neer die nu al een paar uur in coma lag. Er hingen slaapkorstjes aan zijn wimpers en zijn lippen waren wit uit-geslagen.

Hij trok een zakdoek tevoorschijn, zakte door zijn knieën en volgde de snoeren die vanaf de achterkant van het apparaat naar de muur liepen. In plaats van dat ze uit een stopcontact staken, liepen de snoeren direct de muur in, afgeschermd door een metalen plaatje dat met kleine schroeven verankerd was.

Met een geërgerde frons stond hij op. Zijn ogen gleden langs de achterkant van de beademingsmachine. Toen hij zag waar hij naar op zoek was, wikkelde hij de zakdoek om zijn wijsvinger. Op het moment dat hij op de knop wilde drukken, hoorde hij stemmen op de gang. Snel liep hij naar de deur, duwde deze tot op een kier dicht en posteerde zich erachter. Hij drukte zich tegen de muur en voelde de kilte langs zijn handpalmen naar boven trekken. Zijn hart bonkte in zijn oren terwijl de stemmen steeds dichterbij kwamen.

'... en toen zei die: weet je wat, laten we het hier maar bij laten.'

'Dat meen je niet. En toen?'

'Toen stond ie op en liep het restaurant uit. Ik zat straal voor schut.'

Voor de kamer stonden ze stil. Door de kier van de deur zag hij twee paar Crocs. Het ene paar was wit, het andere appelgroen.

'Wat denk je, moeten we hier nog even kijken?'

De deur bewoog licht toen ze haar hand erop legde. Hij verstijfde en drukte zich nog steviger tegen de muur.

'Nee, joh, die doen we zo wel, die ligt daar prima.'

'Oké, vertel verder, en toen?'

'Nou, je gelooft het niet, weet je wat er toen gebeurde? Hij komt terug, gaat voor me staan en zegt...'

Hun stemmen vervaagden. Hij liep naar het apparaat en drukte op de knop. Het gepiep verstomde, maar hij wist dat het niet lang zou duren voordat het alarm zou afgaan. Op zijn tenen liep hij naar de deur en keek om de hoek. De gang was leeg. Vanuit zijn ooghoek zag hij de rechtervoet van de patiënt licht spastische bewegingen maken, alsof hij zich los wilde schoppen vanonder het strakke laken. Het duurde een paar seconden, toen hield het op.

Terwijl hij snel door de gang liep, hoorde hij achter zich de felle alarmtoon die een *flatliner* aangaf. Toen hij het geluid hoorde, voelde hij zich vreemd. Aan de ene kant rustig, eigenlijk veel rustiger dan hij normaal gesproken was. Tegelijkertijd voelde hij zich gespannen. Een cocktail van adrenalineshots bracht wisselende emoties teweeg.

Vijf minuten later zat hij in zijn auto. Het was alsof zijn geest toen pas toeliet te bedenken wat hij had gedaan. Zijn lichaam reageerde direct. Zijn hand trilde zo hevig, dat hij de sleutel niet in het contact kreeg. Zweet gutste over zijn gezicht. Hij had zichzelf altijd als koelbloedig aangemerkt, maar wist nu dat hij zichzelf had overschat. Langzaam reed hij de parkeerplaats af, maar hij voelde zich beroerd. Net op tijd dook hij een parkeerhaven in, gooide het portier open en leegde zijn maaginhoud op het asfalt. Het was hevig, niet te vergelijken met wat hij kende van griepaanvallen of te veel drank. De samentrekking van zijn spieren begon bij zijn tenen, schoot langs zijn beenspieren omhoog en kwam in zijn maag samen tot een explosie, zo heftig dat het eruit spoot. Zijn lichaam trok zich er niets van aan dat zijn maag leeg was. De krampen bleven elkaar opvolgen, tot ze langzaam wegebden. Hij legde zijn hand op zijn maag. Hijgend leunde hij achterover en drukte zijn raam naar beneden. Een lichte kreun ontsnapte aan zijn lippen. Het was heel zacht, toch schrok hij ervan. Het was zo veelzeggend, klonk zo zwak en pathetisch. Hij herkende zichzelf er niet in. Totaal niet. Maar hij was het wel.

Op de snelweg voelde hij zich iets beter. Hij opende het dashboardkastje, schudde een pepermuntje uit het doosje en gooide het in zijn mond. Terwijl hij de muntsmaak naar binnen zoog, haalde hij diep adem. De bliksemschichten in de verte zetten de omgeving een moment in een blauw licht. Zijn ruitenwissers konden het tempo van de regen niet aan. Terwijl hij ingespannen door de voorruit tuurde, wist hij dat met deze actie lang niet alles opgelost was. Maar het was een begin.

28

De premier stak zijn hand op naar Werner, wees naar zijn telefoon en legde zijn vinger op zijn lippen. Werner knikte en ging naast Andries zitten die al op de bank zat.

Toen Andries Klaassen die ochtend met Werner Benjamin contact had opgenomen met de mededeling dat de premier hen beiden met spoed moest spreken, was Werner totaal niet benieuwd naar wat er te melden viel. Onderhand was alles dringend en geheim en werd Werner dagelijks overspoeld met vertrouwelijke stukken.

Terwijl de premier zachtjes door bleef praten, trommelde Andries met zijn vingers op de dossiermap die op zijn schoot lag. Werner gluurde ernaar. ZEER VERTROUWELIJK was erop gestempeld. *What's new?*

Andries keek even opzij naar Werner, opende de map en bladerde er wat in.

'Klaar,' zei de premier. 'Zo, Andries, vertel het nog maar een keer nu Werner er is.'

'Dat wil ik best doen, maar nogmaals, ik begrijp echt niet wat Werner...'

'Daar hebben we het net al over gehad. Vertel.'

'Oké, het is wel zeer vertrouwelijk,' zei Andries.

'Ja, dat weten we nu wel.' De premier sloeg met zijn hand op tafel. 'Schiet op, man.'

Met een rood gezicht zei Andries: 'Nou, kort samengevat komt het hierop neer. Ik heb informatie gekregen waaruit blijkt dat een deel van Manhattan in het bezit is van een Nederlandse familie.'

Werner voelde zijn hart in zijn borstkas tekeergaan. Inwendig haalde hij diep adem en toverde met moeite een glimlach op zijn gezicht. 'Pardon. Kun je dat even herhalen?'

Andries zuchtte en sloeg met het mapje tegen zijn bovenbeen. 'Er is een bro...'

De premier boog zijn hoofd naar achteren en schaterde. Het was een onaangenaam geluid, alsof de lachreflex te lang in onbruik was geweest. Werner zag dat het lichaam van de premier niet wist wat het ermee aan moest. Met spastische bewegingen schokte het ongecontroleerd alle kanten op. Nahikkend en met waterige ogen keek hij Werner aan en wees naar hem. 'Ik zie aan je gezicht dat jij ook het liefst in lachen wilt uitbarsten. Ik zei het al tegen Andries. Dit kan gewoon niet waar zijn. Sorry, Andries, maar zelfs nu ik het voor de tweede keer hoor, dat serieuze gezicht van jou erbij. Geweldig gewoon.'

'Nou,' zei Andries, 'het is anders...'

'Werner, wat vind jij? Even, Andries, even een second opinion. Werner, dit komt toch gewoon van iemand die mij een hak wil zetten, zodat ik volledig voor lul sta als ik hier iets mee ga doen?'

Andries schudde zijn hoofd. 'De bron is te vertrouwen.'

'Vroeg ik je iets? Werner?'

'Ik moet het met u eens zijn. Hoezo is die bron te vertrouwen, Andries? Hoe kun je daar zo zeker van zijn? Dit geloof je toch zelf niet? Denk je echt dat het klopt? Heb je het gedubbelcheckt? Je weet wat ik bedoel?'

Het zou niet de eerste keer zijn dat de veiligheidsdienst informatie ontving, zodanig gedoseerd en via verschillende bronnen aangedragen, dat geen twijfel kon bestaan over de juistheid ervan, maar dat het uiteindelijk valse informatie bleek te zijn. Meestal waren het groeperingen die de huidige regering in een kwaad daglicht wilden stellen. Dat waren er veel en werden er steeds meer.

'En de bron?' vroeg Werner. 'Is die anoniem?'

'Nee, we kennen de bron. Hier, weet je wat, lees het zelf maar,' zei Andries en duwde de map met een geïrriteerd gebaar in zijn handen.

Werner begon te lezen. Toen hij opkeek, zag hij dat de premier hem met opgetrokken wenkbrauwen aan zat te kijken. 'En? Wat denk je?'

'Nou, als we die Nick Olson moeten geloven, tja, ik neem aan dat hij weet waar hij het over heeft. Dit komt niet van zomaar iemand, maar van de FBI. Dan zou het kunnen kloppen. Ik zie ook niet direct in wat voor baat hij erbij zou hebben dit aan ons te melden als het niet waar is. Blijkbaar is er een testament gevonden waaruit blijkt dat een stukje Manhattan van die familie Van Hoorn is. De vraag is alleen: nou en? Wat hebben wij daar verder mee te maken? Of anders gezegd: willen wij daar iets mee te maken hebben?'

De premier knikte langzaam. 'Dus jij denkt dat het waar kan zijn?'

'Het zou kunnen.'

'Hm. Het zou dus kunnen. Nou, misschien heb ik dan te vroeg gelachen. Als het waar is, dan opent het perspectieven.' Er vormde zich een kleine glimlach om zijn lippen. Nu komt het, dacht Werner. Nu gaat hij datgene zeggen waar ik al bang voor was.

'Perspectieven?' vroeg Werner. 'Hoe bedoelt u?'

'Dat stuk land is toch van ons? Daar staat het toch, zwart op wit?'

'Zoals ik het begrijp is het niet van ons, maar van die familie Van Hoorn, toch Andries?'

Andries knikte.

'Het is van Nederlanders, dus is het van ons. Zo zie ik dat. Hoe zit het juridisch gezien?' vroeg de premier aan Andries. 'Heb je dat al laten uitzoeken?'

'We weten het nog maar net, maar ik heb hier en daar wat navraag gedaan en me wat in de materie verdiept.'

'En?'

'Een mogelijkheid is de claim van die familie te ondersteunen door ze te helpen, bijvoorbeeld bij de financiering van het proces, of om langs diplomatieke weg wat invloed uit te oefenen. Als we dat doen, hebben we wat in de melk te brokkelen en kan die familie niet om ons heen.'

'Hm. Dan blijft de grond wel in het bezit van die familie.'

'Ja, maar er is iets anders aan de hand. Het schijnt dat de Engelsen, toen ze Manhattan van ons hebben afgepakt, het eiland nooit met een officiële overdrachtsakte als hun eigendom hebben aangemerkt. Omdat ze het veroverd hadden van de Hollanders vonden ze dat blijkbaar niet nodig. Er gaan verhalen dat er wel ooit een dergelijk document opgesteld is, maar dat Peter Stuyvesant die overdrachtsakte aan de Engelsen nooit heeft ondertekend.'

'Waarom niet?'

'Geen idee.'

'Dus de Engelsen hebben het van ons gejat, maar dat nooit op papier bevestigd?'

'Nee. Er bestaat niets waaruit blijkt dat het aan de Engelsen is overgedragen.'

De premier glimlachte. 'Wat een slim wijf, die Judith Bayard. Die heeft waarschijnlijk gedacht: zo komen jullie er niet van af. Mijn man schofferen en er dan mee wegkomen. Die Engelsen, die zal ik nog wel krijgen. Ha! Zo zie je maar weer, bij vrouwen moet je altijd op je qui-vive zijn.'

Werner bestudeerde het gezicht van de premier, die keek als een kind in een snoepwinkel.

'Begrijp je wat dit voor mij zou kunnen betekenen, Werner?'

'Voor ons?'

De premier reageerde niet, hoorde het waarschijnlijk niet eens. 'Dit Werner, dit geeft mij eindelijk iets in handen waardoor ik niet meer naar hun pijpen hoef te dansen.'

'De Amerikanen bedoelt u?'

'Wie anders? Hun kritiek komt me de laatste jaren mijn strot uit. Nu zijn wij een keer degenen die eisen kunnen stellen.'

Werner schraapte zijn keel. 'U gaat me toch niet vertellen dat u het terug wilt zien te krijgen? Dat is godsonmogelijk, volslagen waanzin.' Werner keek naar Andries voor steun, maar die deed net alsof hij het niet zag en bleef naar de premier kijken.

'Waanzin? Hoezo? Natuurlijk wil ik het terug. Het is van ons. Wij hebben er recht op. Dat blijkt hier toch uit? Ze hebben het gewoon van ons gejat, die Engelsen. Je hoorde toch wat Andries net zei? En vergeet niet; wij zijn degenen die Amerika hebben gemaakt tot wat het nu is. Zonder ons waren ze nooit zover gekomen, echt niet hoor.'

'Volgens mij waren wij toen niet de enigen die in Amerika zaten en die het land hebben opgebouwd. Er zaten Walen, Zweden, Denen, Duitsers...'

De premier stak zijn hand op. 'Werner, bespaar me alsjeblieft je geschiedenislesje, daar heb ik nu echt geen behoefte aan. Het kan allemaal wel waar zijn wat je zegt, maar het boeit me niet.' Hij sloeg met zijn vlakke hand op zijn bureaublad. 'Mannen, dat is het, we gaan het gewoon proberen.'

Werner staarde hem met open mond aan. Die man was echt gestoord. 'U bent toch niet serieus?

'Zie ik eruit alsof ik een grap maak? Ik wil het terug, het is van ons. Desnoods gaan we met dat land in oorlog.'

Werner barstte in lachen uit. 'In oorlog? Hoe had u dat voor u gezien?'

'Ken je het verhaal van David en Goliath?'

'Ja.'

'Wie won?'

'David, natuurlijk.'

'De kleine David. Weet je waarom? Door na te denken en door op exact het juiste moment en op de juiste plek toe te slaan. David stond daar alleen in, maar dat hoeven wij niet te zijn. We gaan bondgenoten zoeken. Je weet net zo goed als ik dat het Westen zijn macht aan het verliezen is. Aan India, China, noem maar op. Dat worden onze vrienden. Als het zover is, wil ik aan de goede kant van de medaille zitten.'

'En op Manhattan zitten we aan de goeie kant van die medaille?'

'Werner, waarom moet ik je altijd alles uitleggen? Hoe denk je dat die landen erop reageren als er daar, aan de Oostkust, een klein landje zit dat achter hen staat, waar ze volledig op kunnen bouwen?'

'Maar dat is toch...'

'Werner, die niet waagt, die niet wint. Je kent me, je weet hoe ik ben. Als ik ergens mijn zinnen op heb gezet, zal ik het krijgen ook. Ik maak hier echt geen grapjes over. Even voor de duidelijkheid: dit gaan we niet aan de grote klok hangen, begrijpen jullie me? Als dit uitlekt, weet ik bij wie ik moet zijn.' De premier stak zijn vinger uit en zwiepte ermee door de kamer. 'Bij jou, of bij jou. Trouwens, ik bedenk me iets. Weten jullie wat we er nog meer mee kunnen doen?'

Werner wist het al lang, maar hield wijselijk zijn mond. Ook Andries zei niets.

'Ik begrijp niet dat jullie er zelf niet op zijn gekomen. Werner? Enig idee? Laat maar, ik zie het al aan je gezicht. Andries, vertel jij het hem maar, jij weet vast wel wat ik bedoel.'

'U doelt waarschijnlijk op onze positie binnen de G20?'

'Kijk, daar heb ik tenminste wat aan. Precies, een vaste plek in de G20. Als een van de sterkste en invloedrijkste economieën ter wereld hebben we daar al jaren recht op. Met dit in handen kunnen ze niet meer om ons heen.'

Die man lijdt echt aan grootheidswaanzin, dacht Werner.

'En,' vervolgde de premier, 'wat dachten jullie van een versterking in onze handelsbetrekkingen, de vergroting van onze exportpositie?'

Vergroting? Versterking? Het herwinnen ervan zul je bedoelen, dacht Werner. In de korte tijd dat deze premier aan de macht was, had hij al zoveel regeringsleiders geschoffeerd met zijn gedrag en zijn uitspraken, dat hij de handelsbetrekkingen in groot gevaar had gebracht. De man had zo'n heilig geloof in zichzelf en zijn opvattingen, dat hij volkomen voorbij was gegaan aan de effecten van zijn uitspraken op de economie. Aangezien twee derde van de inkomsten van de Nederlandse staat via de handel binnenkwam, had Nederland er financieel nog nooit zo slecht voorgestaan als nu. De portemonnee was leeg.

'Overal zullen we ingangen krijgen,' vervolgde de premier terwijl hij dromerig voor zich uit keek. 'En weten jullie wat echt het aller-, allermooiste is van deze timing?'

Ook dat wist Werner, en weer zei hij niets.

'Dat dit juist nu gebeurt, nu we zwaar op verlies staan. Ze zullen dit geweldig vinden. Niet alleen mijn achterban, maar alle Nederlanders.'

Sterker nog, dacht Werner, bij de volgende verkiezingen liggen we eruit, als het kabinet niet eerder knalt.

'Het wordt ons gewoon in de schoot geworpen.' De premier legde zijn hand op zijn hart. 'Dit zijn van die momenten waarop mijn hart sneller gaat kloppen, en jullie weten, die momenten zijn schaars. Mannen, we gaan dit tot op de bodem uitzoeken. Dat stuk land gaan wij terugkrijgen.'

Werner hield het niet meer en stond op. 'Hebt u enig idee wat u met dat laatste bewerkstelligt? En jij, Andries? Heb jij daar al over nagedacht? We strijken de Amerikanen volkomen tegen de haren in. Als we echt problemen willen krijgen, dan moeten we dat vooral gaan doen. Bovendien, zo'n proces. Zoiets kan jaren duren, decennia waarschijnlijk, en de kans dat we de rechtszaak winnen is uitermate klein. Om over de kosten die ermee gepaard gaan nog maar te zwijgen. Dat kunnen we ons helemaal niet permitteren. Maar het belangrijkste, wat ik net al zei, is dat we er geen vrienden mee gaan maken. Die vriendengroep wordt sowieso met de dag kleiner als we zo doorgaan. U weet toch ondertussen hoeveel ambassadeurs dit jaar alleen al zijn teruggeroepen?'

'Gaap, gaap, gaap. Wat interesseren mij die ambassadeurs nou? Dan rotten ze toch lekker op? Bovendien zit ik hier helemaal niet om vrienden te maken, dat weet je donders goed. Ik zit hier om Nederland uit de modder te trekken, om er weer een natie van te maken waar mensen over praten, waar ze naar opkijken, een wereldmacht waar niet mee te spotten valt.'

Ongelofelijk, dacht Werner en keek naar de man die zichzelf als verlicht despoot zag. 'Alles voor het volk, niets door het volk,' was intern zijn favoriete uitspraak. Een despoot was hij zeer zeker, verlicht alleen als er een lamp op hem gericht werd.

'Ja,' zei Werner, 'maar even los van alles. Het blijft een feit dat het land aan die familie Van Hoorn toebehoort en dat we daar als regering niet zomaar aanspraak op kunnen maken.'

De premier bedacht zich ter plekke dat hij het helemaal met Werner had gehad en meende te bespeuren dat dit wederzijds was. Hij had er spijt van dat hij Werner had gevraagd bij dit gesprek aanwezig te zijn. Zoals iedereen die deel uitmaakte van zijn staf, was Werner fanatiek begonnen. Hij was loyaal en hardwerkend, maar hij dreef langzaam af naar de ambtelijke maatstaven die de premier zijn ergste vijand nog niet toewenste. Dat zeurderige, dreinende toontje begon hem op zijn zenuwen te werken. De premier besloot Werner over niet al te lange tijd uit zijn lijden te verlossen.

'Hoezo los van alles? Waar slaat dat nou op? Werner, hou eens op met dat negatieve gedoe de hele tijd. Ik heb echt geen zin in dat "kan niet" en dat "ge-ja-maar".'

Werner zag de energiegolf haast letterlijk door de premier stromen. Zijn rode konen staken fel af tegen zijn bleke huid en zijn donkere ogen fonkelden terwijl hij zei: 'Ik wil dat dit tot op de bodem wordt uitgezocht. Ik wil dat stuk land terug. Het kan me niet schelen hoe lang het duurt, het kan me ook niet schelen wat het kost.'

'Nogmaals, het is niet van ons, het behoort toe aan die familie.'

'Hallo, volgens mij versta je mij niet goed. Die familie kan me gestolen worden. Hoe je het ook wendt of keert, het is Nederlands grondgebied.'

'Dat is onzin, het is...'

'Heb je bovendien enig idee wat er gebeurt als dit ooit ter sprake komt en blijkt dat wij als Nationalistische Partij hebben besloten hier niets mee te doen? Ik ga mezelf en mijn achterban echt niet verloochenen als je dat soms denkt. Ze zouden het me heel erg kwalijk nemen Werner, en daar zouden ze gelijk in hebben. Nogmaals, dit is precies wat ik nodig heb en het komt op exact het juiste moment.'

Andries kuchte. 'Als ik u iets mag zeggen, aan dit afschrift hebben we natuurlijk niets. Dit is gewoon een kopie.'

'Ik weet dat je soms denkt dat ik op mijn achterhoofd ben gevallen, Andries, maar dat begrijp ik heus wel. Natuurlijk hebben we daar niets aan. We hebben het origineel nodig. Regel het.'

'Wie weet hier nog meer van?' vroeg Werner aan Andries, wiens hoofd weer rood was aangelopen.

'Degene die ons heeft gebeld, die Nick Olson, dus ook een paar mensen bij de FBI en de CIA. Joost mag weten hoeveel dat er zijn. Dan hebben we die Olaf van Hoorn natuurlijk, de onderzoekster in Utah die in de informatie wordt genoemd die Olson heeft verzameld. En Donald Christie.'

Fronsend keek de premier voor zich uit. 'Verdomme. Dat zijn er veel te veel.'

Andries knikte en zei: 'Van die Donald Christie weet ik trouwens dat hij wordt gevolgd door een journaliste. Ze is een artikel over hem aan het schrijven. Laten we maar hopen dat hij tegenover haar zijn mond heeft gehouden hierover.'

'Een journaliste?' De premier keek alsof hij in een citroen had gehapt. Hij had een pesthekel aan journalisten. Vanaf het moment dat hij in het Torentje zat, maakten ze hem het leven zuur. En daarvoor ook al. Hij probeerde ze weleens tegen te houden, met hun verdomde ongenuanceerde linkse berichtgeving, maar dan beriepen ze zich direct op de vrijheid van meningsuiting, iets wat bij hem hoog in het vaandel had gestaan tijdens de verkiezingsstrijd, maar waar hij nu zo snel mogelijk van af wilde. 'Welke krant?'

Nederland Vandaag.'

'Waar die klootzak van een Bart Bonnier de scepter zwaait? Ook dat nog.' Hij keek naar Andries. 'Ik wil dat jij het originele testament vindt. Ik wil het zo snel mogelijk hebben. Werner, jij kunt gaan, en je houdt je mond hierover. Begrepen?'

Werner liep zijn kamer in en knalde de deur achter zich dicht. Hoe kon dit gebeurd zijn? Uitgerekend nu kwam dat verdomde testament bovendrijven waar ze al meer dan twintig jaar naar op zoek waren. Het was zelfs de aanleiding geweest het Project Nieuw-Amsterdam in het leven te roepen en Donald Christie erop te zetten. En nu vorig jaar besloten was te stoppen met de financiering van het project, en uitgerekend nu deze idioot aan de macht was, hadden ze het testament gevonden? Hij hoopte dat de premier en Andries niets aan hem hadden gemerkt, dat hij het spel goed had meegespeeld.

Ongeveer een halfjaar geleden was Ilse Lambach, de vrouw die al meer dan dertig jaar de achtereenvolgende premiers als secretaresse had ondersteund en een wandelend archief, door deze premier ontslagen. Ze was bij Werner langsgegaan en had hem verteld dat daags na de verkiezingen, nadat deze man was verkozen tot premier, grote onrust was ontstaan onder alle voormalige AIVD-hoofden en die van de Rijksvoorlichtingsdienst. Ze vertelde hem dat alle oud-AIVD'ers en -RVD'ers bij elkaar waren gekomen. Ze maakten zich grote zorgen over allerlei zaken, waaronder de behandeling van de Oranje-Dossiers. Werner wist van het bestaan van die dossiers. Wat hij niet wist en toen van Ilse hoorde, was dat in nauw overleg met de koningin een lijst was opgesteld van zaken die de kersverse premier nooit onder ogen zou mogen krijgen. Met de koningin werd afgesproken dat zij, na een grootschalige opschoning ervan, alle Oranje-Dossiers met de nieuwe premier zou behandelen. Hij zou dus alleen de gecensureerde versies onder ogen krijgen. Met uitzondering van één dossier. Dat werd uit haar administratie verwijderd.

Werner had Ilse vol verbazing aangekeken. 'Dat meen je niet.'

'Dat meen ik wel. Ik was er zelf bij.'

'Bij dat overleg?'

'Ja. Het dossier waar ik het over had, is dit.' Ze tilde de map even op die op haar schoot lag en waar ze de hele tijd haar handen stevig omheen gevouwen had gehouden.

'Hebben ze dat aan jou gegeven? Dat ene dossier?'

'Dat leek ons allemaal het veiligst. Niemand zou denken dat ik dit dossier zou hebben. Ik ben uiteindelijk maar een secretaresse. Het heeft al die tijd gewoon bij mij thuis gelegen. Mijn vraag is of jij dit nu onder je hoede wilt nemen.'

'Ik? Waarom geef je dit uitgerekend aan mij?'

'Ik kan me inderdaad voorstellen dat je het vreemd vindt.'

'Nogal. Eerst vertel je me dat er een afspraak is gemaakt dat hij bepaalde dingen niet te weten mag komen, en dan geef je me dit? Ik ben zijn stafchef, ik ben juist degene die hem van informatie moet voorzien, die hem van alles op de hoogte moet houden.'

'Daarom juist.'

'Ik kan je niet volgen.'

Ze glimlachte. 'Werner, ik ken je langer dan vandaag. Ik merk aan je dat je niet lekker in je vel zit, dat het je niet zint waar hij mee bezig is. Misschien wordt het dan ook tijd dat je ermee ophoudt. Je kunt je functie natuurlijk ook op een andere manier invullen.'

'Op een andere manier? Je bedoelt...'

'Mensen zoals jij kunnen we goed gebruiken, Werner, heel goed zelfs. Jij bent degene die alles weet. Elke stap die hij zet, elke brief die hij ondertekent. Jij bent overal van op de hoogte.'

'Je neemt hier nogal een risico mee, Ilse.'

'Dat weet ik.'

'Waarom vertrouw je erop dat ik tegenover hem mijn mond zal houden?'

Ze trok haar schouders op. 'We hebben het erover gehad en hebben besloten dat we die gok maar moeten nemen.'

'Wie zijn toch die "we" waar je het over hebt?'

'Je denkt toch niet dat iedereen hier in Nederland die man gewoon zijn gang laat gaan? Dat wij lijdzaam toekijken hoe hij alles wat we eeuwenlang hebben opgebouwd met de grond gelijkmaakt? Er zijn groeperingen in dit land die alles op alles zullen zetten om ervoor te zorgen dat dat niet gebeurt.'

'Ja, daar weet ik alles van, ik ken ze allemaal, maar...'

'Je kent ze helemaal niet allemaal. Onthoud dat maar.' Ze stond op. 'Als je er meer over wilt weten, kun je me altijd bellen. Je weet me wel te vinden,' zei ze en ze reikte hem het dossier aan.

Het enige wat er op de kaft stond, was een nummer: 487-A21. Zodra ze de deur uit was, had hij het opengeslagen. Hij had het dossier twee keer moeten lezen voordat hij geloofde wat erin stond.

Het was dit gesprek met Ilse geweest dat het zaadje van zijn twijfel had laten ontkiemen, de twijfel of hij wel wist waar hij mee bezig was, en of het inderdaad niet beter zou zijn de loyaliteit die hij de premier toonde eens te herzien. Naarmate de maanden verstreken, had het zaadje zich ontkiemd tot een plant die met elke groeispurt steeds beter wist waar zijn loyaliteit uiteindelijk lag. Niet bij de premier, maar bij Nederland.

De laatste maanden had Ilse Lambach regelmatig contact met hem opgenomen. Hij had nooit gereageerd, maar haar mails en telefoontjes hadden wel effect gehad. Bij elk bericht van haar, groeide zijn twijfel. Steeds vaker stond hij op het punt met Ilse contact op te nemen, maar hij had het nooit gedaan. Het dossier dat ze hem had gegeven, lag nog steeds bij hem thuis, bedolven onder zijn sokken in een la van zijn kledingkast.

29

Ze was kwaad, ze was verdrietig en ze was te laat. Bart had haar uit bed gebeld met de mededeling dat ze direct langs moest komen. Ze had nog geprobeerd met hem in een café af te spreken, zodat ze die stomme klojo's van de redactie niet onder ogen hoefde te komen, maar hij was onvermurwbaar.

Voordat ze de deur van de redactieruimte opentrok, haalde ze diep adem. Maar deze keer staarden haar collega's haar als een kudde koeien aan. Haar ogen schoten naar links. Gelukkig, Bart zat in zijn hok. De laatste meters legde ze haast snelwandelend af. Pas in zijn kantoor haalde ze weer adem.

'Sorry, ik ben te laat, ik...'

'Ga even zitten. Wil je wat water?'

'Water?' Ze schudde met haar hoofd en blies even uit.

'Kes, hij is dood.'

'Pardon?'

'Donald Christie. Hij is vannacht overleden.'

Ze sloeg haar hand voor haar mond.

'Ja, we kregen het bericht hier een uur geleden binnen. Ik neem aan dat je het nog niet wist?'

'Nee, ik... verdomme, nee, wat vreselijk.' Ze slikte een paar keer.

'Gaat het?' Toen ze knikte, zei Bart: 'Al met al is het een treurig verhaal.'

Ze keek hem met vochtige ogen aan. 'Bart, als je zoiets zegt, kijk daar dan voortaan ook treurig bij. Je hoeft tegenover mij echt niet te doen alsof je dit heel erg vindt.'

'Ik neem aan de je nog niet klaar was met je artikel. Was je al begonnen met zijn necrologie?'

'Nee. Heb je een zakdoekje voor me?'

Hij trok zijn bureaula open en gaf haar een pakje papieren zakdoekjes aan. Toen ze haar neus had gesnoten zei hij: 'Nou, begin daar dan maar aan en neem een originele insteek.'

'Een originele insteek? Zoals?'

'Weet ik veel. Verzin maar wat. Over hoe het toch mogelijk is dat een man die de stad op zijn duimpje kent door die eigen stad om het leven is gebracht. Zoiets? Kun je meteen een relatie leggen met zijn werk.'

'Is dat niet wat theatraal?'

'Hoezo? Het is toch ook raar? Het overkomt Amsterdammers nooit, of ze moeten echt straalbezopen zijn. Wij hebben hier een Amerikaan rondlopen die meer weet over Amsterdam dan welke Amsterdammer dan ook, en juist hij komt in de gracht terecht? Wat een stom ongeluk.'

Ze antwoordde niet.

'Kes? Hallo?' Bart keek naar de manier waarop ze tegenover hem zat. Hij kende die blik in haar ogen waarmee ze langs hem heen keek. Die beloofde niet veel goeds.

'Kes? Wat is er? Twijfel je daar soms aan?'

'Nu je het zegt, ja, eigenlijk wel.'

'En waar is die twijfel op gebaseerd?'

'Sorry. Daar kan ik nog niets over zeggen. Ik heb het zelf nog niet eens op een rij gezet.'

'Je bent me iets verschuldigd, Kes.'

'Dat weet ik maar al te goed.'

'Mooi. Wanneer kunnen we je stuk plaatsen? Morgen?'

'Morgen? Nee, sorry, dat lukt echt niet.'

'Wat nu weer?'

'Ik heb meer tijd nodig.'

'Hoezo?'

'Nou, gewoon...'

'Kes, geef me één reden waarom je het niet inlevert. Eentje is genoeg om ervoor te zorgen dat ik niet ontplof. Ik waarschuw je, ik heb er een nodig en het moet een goeie zijn. Sterker nog, jij hebt er een nodig.'

'Sorry, het is gewoon nog niet klaar.'

'Hoe kan dat nou? Van de week zei je nog dat het af was. Je hoefde het alleen maar wat aan te vullen hier en daar.'

'Bijna af, heb ik gezegd.'

'Ja, bijna, en wat versta jij in vredesnaam onder bijna? Een kwart klaar? Een vijfde misschien? Verdorie. Nu moet ik de hele boel gaan omgooien. Weet je dat wij als enige krant in Nederland geen artikel over Donald Christie hebben? Weet je wat dat betekent? Ik word morgen recht in mijn gezicht uitgelachen. En ze hebben nog gelijk ook. Ik heb er verdomme als enige een journalist op zitten, die maakt alles mee van het begin tot het einde, en uitgerekend ik heb geen artikel. Ik sta volkomen voor schut.' Hij haalde even adem. 'Weet je wat? Sodemieter maar op. Ik laat het iemand anders wel doen. Kom als de wiedeweerga je spullen hier weghalen. Je hoeft niet meer terug te komen, ik hoef je niet meer te zien. Je proefcontract is ten einde. Klaar, basta, finito.'

Ze wist dat het geen enkele zin had om ertegenin te gaan. Ze kon geen kant op, kon niets kwijt van wat ze dacht. Nog niet. Als ze hem zou vertellen dat het stuk dat ze uiteindelijk zou inleveren waarschijnlijk spectaculairder was dan hij zich in zijn stoutste dromen kon bedenken, zou hij haar toch niet geloven. Misschien had hij daar ook wel gelijk in. Ze was er zelf nog niet eens van overtuigd. Dus hield ze haar mond.

'Kes? Hoor je me?'

'Ja. Ik heb je gehoord, maar ik vraag je mij te vertrouwen.'

'Vertrouwen. Ik jou vertrouwen? Nou wordt ie helemaal...'

'Bart, ik... ik ben iets op het spoor.'

Het was even stil.

'Je bluft. Je probeert eronderuit te komen.'

'Ik bluf niet.'

'Wat dan? Wat ben je op het spoor?'

'Dat kan ik niet zeggen, maar geloof me, het zal een interessanter artikel opleveren dan wat ik tot nu toe heb. Laat me mijn tijd alsjeblieft daaraan besteden in plaats van aan die stomme necrologie. Dat kan iemand anders toch doen? Zo ingewikkeld is dat niet.'

Weer bleef het stil.

Kes keek hem aan. 'Ik kan er natuurlijk ook mee naar een andere krant gaan.'

'Eén kans. Je laatste.'

Werner schrok op toen de deur werd opgedaan.

'Meneer Benjamin?'

'Ja?'

'Er heeft zich beneden een mevrouw voor u aangemeld, ene mevrouw Kremer van het consulaat-generaal New York? Ze heeft geen afspraak maar zegt dat ze u met spoed moet spreken. Kan ik haar boven laten komen?'

Nathalie Kremer? Wat kwam die nou doen? Ze waren jaargenoten en kenden elkaar van de sociëteit maar in de loop der jaren was hun contact verwaterd. Wel hadden ze onregelmatig mailcontact en ze hielden elkaar op die manier een beetje op de hoogte van hun leven. Werner had wel gedacht dat Nathalie zo snel mogelijk weg zou gaan uit Nederland. Het verbaasde hem daarom niet toen hij hoorde dat ze bij Buitenlandse Zaken was gaan werken en als cultureel attaché bij het CG in New York was aangesteld.

Haar afleiding was welkom en hij keek op zijn horloge. 'Zeg maar dat ik er zo aan kom. Ik ga wel even met haar naar buiten.'

Hij stapte de lift uit en zag haar meteen zitten. Glimlachend stond ze op en liep naar hem toe.

'Werner.'

'Nathalie. Goed je te zien.' Ze omhelsden elkaar. 'Loop je mee, dan gaan we even naar het park. Of heb je honger?'

'Nee, nee, een wandeling zal me goed doen.'

Nadat ze wat bij hadden gekletst, zei Nathalie: 'Ik heb je hulp nodig.'

Werner keek even opzij en fronste zijn wenkbrauwen. Hij kende Nathalie goed genoeg om te weten dat als ze om hulp vroeg er heel wat aan de hand moest zijn. Het viel hem nu pas op hoe bedrukt ze eruitzag. Nathalie was altijd degene van hun jaar die de meeste discipline had als het op studeren aankwam. Je kon van haar niet zeggen dat ze luchtig in het leven stond, maar nu keek ze wel erg somber.

'Is er soms iets met de viering? Met het bezoek van het prinselijk paar? Zijn er bedreigingen geweest?'

Ze schudde haar hoofd. 'Nee, er zijn geen bedreigingen en het Hudson-jaar loopt op zich wel. Het zou beter kunnen qua bezoekersaantallen, maar daar gaat het niet om. Er is iets anders aan de hand. Werner, wat ik je nu ga vertellen blijft onder ons, oké?' Ze stopte met lopen, legde haar hand op Werners arm en keek hem aan. 'Wij worden gechanteerd. Het CG dan, maar indirect onze regering.'

'Gechanteerd? Waarmee?'

'Ik ben gebeld door iemand die beweert dat hij de eigendomsakte van Manhattan in handen heeft. Hij wil er geld voor hebben. Veel geld. Als hij dat niet krijgt, zal hij het document vernietigen.'

Werner kon zijn oren niet geloven. Hoe bestond het? Uitgerekend nu komt ze met deze informatie? Hij probeerde zijn gezicht in de plooi te houden en vroeg: 'Wat zeg je nu? De eigendomsakte van Manhattan? Bestaat er zoiets?'

'Ja. Ik weet dat het belachelijk klinkt. Ik ging er in eerste instantie met mijn stomme kop van uit dat degene die mij belde de Schagenbrief bedoelde, dat hij die had ontvreemd. Naar mijn weten is dat het enige document dat iets van een eigendomsakte weg heeft. Toen ik het telefoontje kreeg, was de Schagenbrief net op transport van Nederland naar New York.' Ze schudde haar hoofd. 'Ik schrok me lam. Je weet hoe secuur ik ben. Ik ben zelfs nog naar het Nationaal Archief geweest om te controleren of de brief wel degelijk in de transportkist zat. Ik begreep er niets van. Vervolgens is de brief veilig in Amerika aangekomen en keurig bij het South Street Seaport Museum afgeleverd. Je kunt je voorstellen dat ik, toen ik hem daar in de vitrine zag liggen, er helemaal niets meer van begreep. Ik dacht nog even dat er van de Schagenbrief een vervalsing was gemaakt om ons om de tuin te leiden, maar ze hebben hem gecontroleerd. Hij is echt.'

'Dus het ging niet om de Schagenbrief, maar om een andere eigendomsakte? Dat is toch onmogelijk? Als die zou bestaan, dan zouden wij dat toch moeten weten?'

Nathalie vertelde hem wat Richard Holman van het Nationaal Archief tegen haar had gezegd en wie ze ervan verdacht haar te hebben gebeld.

'Dus als ik je goed begrijp gaat het om een testament dat door Judith Bayard is opgesteld, de vrouw van Peter Stuyvesant,' zei Werner. 'Dat stuk wordt dan gezien als eigendomsakte?'

'Ja, en ik denk dat het waar is, dat het testament daadwerkelijk bestaat. En ik moet het hebben voordat het vernietigd wordt. Dat moet.'

'Om wat voor bedrag gaat het?'

'Anderhalf miljoen euro.'

'Jezus.'

'Het rare is dat ik na dat ene telefoontje helemaal niets meer heb gehoord.'

'Misschien is ie van gedachten veranderd?'

'Zou kunnen, toch vind ik het vreemd.'

'Dus er zijn volgens jou twee personen die hiervoor in aanmerking komen: Olaf van Hoorn en Donald Christie?'

'Ja. Maar ik heb geen idee hoe ik het verder aan moet pakken. Ik kan moeilijk op ze afstappen en zeggen: geef hier.'

'Wel als je het geld hebt.'

'Ja, daar gaat het dus om. Daar heb ik jouw hulp bij nodig.'

Werner lachte. 'Wacht even. Vraag je nu aan mij of ik je dat geld wil geven?'

'Werner, stel nou dat het waar is. Dan is de Nederlandse regering er toch alles aan gelegen om dat testament in handen te krijgen? Als jij dit aan de premier voorlegt, weet ik zeker dat hij je het geld geeft. Je zit bij die man op schoot.'

Werner bleef even stil en keek haar alleen aan.

'Wat is er? Waarom kijk je zo?'

'Ik ben alleen bang dat de premier er nooit van uitgegaan is dat ervoor betaald moet worden.'

'Ik begrijp je niet. Weet hij er al van? Hoe kan dat? Weet jij het ook?'

'Ja, sinds kort. Sorry, het is extreem vertrouwelijk. Daarom hield ik het voor me. Ik kan het je nu wel vertellen. Schijnbaar ben je niet de enige die hiermee bezig is. Iemand van de FBI heeft contact met de AIVD opgenomen.'

'De FBI? Vreemd.'

'Het is iemand die dicht bij het vuur zit en die exact hetzelfde beweert als jij. Ze zijn in New York bezig met het oplossen van een omvangrijke vastgoedfraudezaak. Hun infiltrant stuitte tijdens zijn onderzoek bij Cruiser Real Estate op deze kwestie. Het was puur toeval dat ze hierachter kwamen.'

'Dus de Amerikanen weten het ook? Dat begrijp ik niet. Waarom hebben ze ons dit laten weten?'

'Dat vroeg ik me ook al af. Ze beweren dat ze die vastgoedfraude prioriteit willen geven. Het gaat om een projectontwikkelaar die op het stuk grond waar het om draait aan het ontwikkelen is.'

'Dus dan weet jij ook om welk deel van Manhattan het gaat?'

Werner knikte. 'Het gebied bestrijkt onder meer het kavel waar het World Trade Center op staat.'

Nathalies mond viel open. 'Het WTC-kavel? Maar wacht eens even. Dat is... Het World Trade Center-kavel? Dat klopt niet, Werner. Hoe kan dat nou? Een deel van dat gebied bestond in de tijd van Stuyvesant nog niet eens. Een groot stuk van de oostoever op de hoogte van het WTC is later door landaanwinning ontstaan. In de zeventiende eeuw lag de oorspronkelijke oostoever op het deel waar tegenwoordig Greenwich Street loopt. Dat lag toen aan het water.'

'Dat heb ik begrepen. Maar de oostelijke helft van het WTC-complex, waar de torens twee, drie en vier op staan, bestond toen wel. Alleen het grote westelijke deel van het kavel, waar de Twin Towers stonden, was er toen nog niet. Het stuk land waar het over gaat, ligt ten oosten daarvan.'

'Mijn god, Werner, dat is een van de kostbaarste delen van Manhattan. Nu begrijp ik helemaal niet meer waarom de Amerikanen er zelf niets mee doen.'

'Tja, misschien omdat de tijden zijn veranderd sinds...'

'Sinds wat? Sinds de komst van hun nieuwe president? Geloof je het zelf? Dat is ondertussen een mantra geworden. Onbegrijpelijk vind ik dat. De hele wereld denkt dat die man alles voor het zeggen heeft, dat hij van alles op de hoogte is wat er binnen zijn staf en binnen zijn geheime dienst gebeurt. Ze kijken wel uit. Ze zorgen er echt wel voor dat zijn invloed niet verder reikt dan de grenzen die zij stellen.'

'Zij?'

'Natuurlijk, Werner. Wat dat betreft verschilt het niet veel van wat hier aan de hand is. Er zijn miljoenen Amerikanen die hem haten, die hem het liefst in zijn gezicht zouden spugen, hem liever dood zien dan levend. Het valt me nog mee dat hij het tot nu toe heeft gered. Op het moment dat wij hier bij elkaar zitten, nu, op dit exacte moment, zijn er binnen zijn regering en daarbuiten krachten aan het werk waar de president geen weet van heeft. Dat weet je net zo goed als ik.' Ze keek hem aan. 'Ik vertrouw het voor geen cent dat de Amerikanen niet in dat testament geïnteresseerd zijn. Daar klopt geen fluit van.'

'Ik had ook mijn twijfels. Misschien proberen de VS via de FBI het document op deze manier in handen te krijgen. Ze hoeven zelf geen poot uit te steken. Zodra wij het hebben gevonden, ligt het testament voor hen voor het grijpen. Dan zijn we het in no time kwijt. Als dat zo is, moeten we ervoor zorgen dat ze dat niet gaat lukken.'

Nathalie bleef stilstaan en greep hem bij zijn schouder. 'Ik wil wel iets met je afspreken. Als we het vinden, wil ik degene zijn die dat nieuws naar buiten brengt.'

'Nathalie, er wordt helemaal niets naar buiten gebracht. Zoals ik je net al zei, het is vertrouwelijk.'

'Zie je, ik had nooit naar je toe moeten komen.' Ze ging voor hem staan. 'Werner, ik heb dat testament nodig.'

'Wij hebben het nodig, bedoel je.'

'Nee, ik, ik heb het nodig. Het gaat mij mijn baan kosten als dit misgaat, als dat testament vernietigd wordt voordat we het hebben gevonden. Tristan gaat zich meteen indekken, gaat alles op mij schuiven. Je weet precies hoe hij is, hij heeft mij...'

'Onzin, ze kunnen je echt niet ontslaan.'

'Nee, maar wat denk je dat er gebeurt als de grote Tristan Geurts mij een referentie geeft waar de honden geen brood van lusten? Dan kan ik het schudden binnen de diplomatieke dienst, dat weet je net zo goed als ik.'

'Nathalie, heb je er weleens aan gedacht dat je dit op een andere manier kunt bekijken?'

'Op een andere manier? Welke dan? *It's a one way street*, Werner.' Ze lachte schamper. 'Of denk je dat er juist een promotie voor mij in zit als ik ervoor zorg dat het document nooit in handen van de Nederlandse regering komt?'

Werner zuchtte. 'Als je het nou nog een stap verder neemt?'

Ze keek hem verward aan. 'Ik begrijp niet waar je naartoe wilt.'

'Kom,' zei Werner en leidde haar naar een bankje. Toen ze zaten boog hij zich naar haar toe. 'Nathalie, kun jij je nog dat clubje herinneren waar we lid van waren, tijdens onze studententijd?'

'Dat politieke clubje bedoel je?'

'Ja. Ik heb daar de laatste tijd veel aan moeten denken.'

'We kraamden alleen onzin uit.'

'O ja? Volgens mij niet. We hadden idealen. Oké, niet allemaal even bereikbaar, maar we hadden ze wel. Daar is niets mis mee.

Weet je nog hoe wij toen afgaven op het beleid van de regering? Dat we vonden dat het allemaal veel beter kon? Minder verzorgingsstaat, meer zelfredzaamheid, meer ondernemerschap, dat soort dingen.'

Ze knikte.

'Maar over één ding waren we het roerend eens, één ding in ons land mocht nooit veranderen, wat er ook gebeurde. Weet je nog?'

Nathalie glimlachte. 'Ja. Onze vrijheid.'

'Precies.' Werner leunde met zijn ellebogen op zijn knieën en strengelde zijn vingers in elkaar. 'Nathalie, ik zie hoe hij bezig is, ik maak het allemaal van dichtbij mee en ik zal je zeggen dat ik er de laatste tijd behoorlijk onrustig van word.'

Ze trok haar wenkbrauwen op. 'Waar komt die ommekeer zo plotseling vandaan? Ben je een dissident aan het worden?'

'Het is niet plotseling, het is er langzaam ingeslopen. Te langzaam misschien wel.' Hij schudde zijn hoofd. 'Ik dacht dat het allemaal wel mee zou vallen, kon waarschijnlijk niet geloven, of wilde niet geloven, dat er hier, in dit land, een man aan de macht zou komen die alles wat we hebben opgebouwd zou ondermijnen. Ik had het idee dat ik hem in de hand kon houden, zeker in het begin, maar hij is aan het doorslaan. De meeste oudgedienden zijn allang afgehaakt of ontslagen. Ik niet. Nog niet.' Hij keek opzij. 'En jij ook niet. Wij zitten er nog steeds. Hij verzamelt steeds meer jaknikkers om zich heen en trekt alle macht naar zich toe.'

'En onder die jaknikkers, daar schaar je ons dus ook onder?'

'In feite wel, ja.'

Ze sloeg haar armen over elkaar. 'Hoe zit dat eigenlijk bij jou? Waarom zit jij er nog?'

'Om dezelfde reden als jij er nog zit.'

Nathalie kleurde rood.

'Nat, begrijp je waar ik het over heb? We kunnen er iets tegen doen. Jij en ik.'

Nathalie wreef over haar armen. 'Waarom zou ik dat doen? Ik heb me te pletter gewerkt om te komen waar ik nu ben. Dat ga ik echt niet allemaal opgeven. Dat kun je ook niet van me vragen. Wat jij doet, moet je zelf weten, daar ga ik me niet mee bemoeien.' Ze stond op en trok haar jas recht. 'Ik beloof je dat ik mijn mond erover zal houden, over dit gesprek. Ik neem aan dat ik hieruit kan concluderen dat je mij niet wilt helpen?'

Werner keek naar haar op. 'Het gaat niet om wat ik wil, of wat jij wilt, het gaat erom wat we kunnen doen, wat we zouden kunnen bewerkstelligen.'

'Idealen. Wie is daar ooit beter van geworden?'

'Degenen die ervoor streden meestal niet, nee.'

'Dat bedoel ik.'

'Kijk eens om je heen. Moet je zien wat we hier in dit land voor elkaar hebben gekregen. Die verworvenheden zijn ons niet aan komen waaien. Daar hebben we keihard voor geknokt.'

Ze ging met een zucht weer zitten. 'Ik heb nooit veel met Nederland gehad, dat weet je best.'

'Nathalie, wat als wij ervoor kunnen zorgen dat deze hele kwestie zijn ondergang wordt? Dat we voor eens en voor altijd van hem verlost zullen zijn? Ik beloof je dat ik ervoor zorg dat niemand erachter zal komen wat jouw rol was.'

'En hoe had je je dat voorgesteld?'

30

Na haar gesprek met Bart had Kes meteen contact met Elsa opgenomen. Die had haar laten weten dat ze met rust gelaten wilde worden, maar ze had zo mat geklonken, dat Kes erop had aangedrongen langs te komen. Uiteindelijk had Elsa toegegeven en haar
verteld dat ze in Donalds appartement was.

Kes drukte op de bel. Toen ze een klik hoorde, duwde ze de deur
open en liep de trap op terwijl ze Elsa's naam riep. In de deuropening
van Donalds woonkamer bleef ze staan en keek verbaasd om zich
heen. Het was een gigantische puinhoop. Kasten stonden open, lades
puilden uit en door de hele ruimte lagen boeken, papieren en mappen.

'Wat kom je doen?'

'Nou, ik... ik heb het net gehoord. Ik vroeg me af hoe het met je
gaat.'

Met een zachte kreun kwam Elsa uit haar gebukte houding omhoog, liep naar de andere kant van de kamer en pakte een van de
dozen die opgevouwen tegen de muur aan stonden. Bij elke stap
die ze nam, deinde haar lichaam mee, als een golfslagbad dat net op
gang komt.

Terwijl ze de doos openvouwde zei ze: 'Kun je dat niet raden,
Kes? Hoe het met me gaat?'

'Jawel, natuurlijk, maar ik dacht... misschien vind je het fijn erover te praten.'

'Fijn om erover te praten? Fijn? Er valt nergens meer over te praten. Hij is dood. Het is allemaal voorbij. Over en uit.' Elsa bukte
zich, zette de doos neer en dumpte er een stapel boeken in.

'Wat ben je aan het doen?'

'Dat zie je toch? Alles wat met het project te maken heeft moet naar
het Nationaal Archief. Ze gaan daar kijken wat ze ermee gaan doen.'

'Nu al? Waarom zo snel? Dat kunnen ze toch niet van je verwachten?'

Elsa keek haar aan. Haar ogen stonden dof en elk spoortje levenslust op haar gezicht was verdwenen. Ze zag er doods en verslagen uit. 'Nee, ze hadden iemand gestuurd om dit te doen. De spullen worden morgen al opgehaald.' Ze veegde met haar hand over haar ogen. 'Ik heb hun laten weten dat ik het liever allemaal zelf doe. Ik weet precies waar alles ligt zie je, en ik...' Ze zwiepte met haar arm door de kamer terwijl de tranen over haar wangen stroomden. 'Ik weet het precies, allemaal, heel precies.'

'Hoe kan dat nou? Ze kunnen toch niet zomaar met het project stoppen, zo van de ene op de andere dag? Dat is toch belachelijk. Dan is alles toch weggegooid geld geweest? Jullie waren net begonnen met die publicaties. Dat kunnen ze niet maken.'

'Voor jou niet, bedoel je zeker. Daar gaat het toch altijd om? Om jou? Ik weet precies wat je gaat doen. Jij gaat je nu lekker storten op een artikel waar je jullie oplagen flink mee op kunnen stuwen. Moord en doodslag. Hoera. Dat is toch zo? Donald is dood voor jullie toch meer waard dan levend?'

'Hoe durf je dat te zeggen?'

'Laat maar. Ik weet precies hoe het werkt. Tegenover mij doen alsof je het allemaal zo vreselijk vindt, maar ondertussen ben je dolblij met dit nieuws. Dat is nog eens scoren, nietwaar? Heb je toch je zin. Maar wie denkt er ooit aan mij?' zei ze en sloeg met haar hand op haar borstkas. 'Wie denkt er ooit na over hoe het mij zal vergaan? Nou? Niemand. Helemaal niemand. Ga nou maar gewoon weg, ik wil je liever niet zien,' zei ze en liet zich naast de doos op de grond zakken terwijl de tranen over haar wangen stroomden.

Kes stak haar handen uit in een hulpeloos gebaar. 'Elsa, ik...'

'Weet je wat hij tegen mij zei?'

'Wie?'

'Onze gewaardeerde voorzitter John Henley. Hij belde me op om te condoleren. Weet je wat hij zei? Elsa, nu houdt het project op, dat zul je wel begrijpen. Ik zei nee, dat begrijp ik niet. Ik werk hier al jaren aan, waarom kan ik het niet voortzetten? Zegt ie: sorry Elsa, maar Donald was nou eenmaal van een ander kaliber. Ander kaliber? Het gore lef. Weet je hoe het er hier de laatste jaren aan toeging? Nou? Ik zal het je precies vertellen. Ik deed bijna al het werk. De voorbereidingen, het onderzoek achteraf. Natuurlijk, we vulden elkaar goed aan, maar Don was... Hij zag steeds vaker dingen over het hoofd, had regelmatig moeite met het leggen van connecties tussen de verschillende documenten. Daar had hij mij voor nodig. Mij,' zei ze en drukte haar wijsvinger in haar boezem.

'Maar waarom heb je dat aan niemand laten weten?'

'Wie dan? En waarom zou ik? De enige die precies wist hoe het zat, was Donald.'

'En die zei er nooit iets over?'

Elsa schudde haar hoofd. 'Nooit. Hij deed alsof er niets veranderd was in onze werkverhouding, alsof hij nog steeds degene was die de kar trok.'

'Terwijl jij dat was.'

'Ik heb met mijn stomme kop altijd gedacht dat Don ooit tegen Henley zou zeggen wat ik allemaal voor het project deed, dat ik ondertussen onmisbaar was, de trekker zelfs. En waar blijf ik nu met mijn goeie gedrag? Ik kan het helemaal niet aantonen, kan het nergens mee bewijzen. Als ik het John Henley zou vertellen, zou hij er geen snars van geloven, zou hij me alleen meewarig aankijken en denken: dat wijf is gek geworden. Terwijl het hele project door mij bleef draaien, Kes, door mij, niet door Don. Al lang niet meer. En wat denk je van het boek?'

'Wat bedoel je? Heb jij dat geschreven?'

Elsa knikte. 'Grotendeels. Denk je dat ik daar ooit nog de credits voor krijg?'

'Wil je dat dan?'

'Nee, toen Don nog leefde hoefde dat echt niet, maar nu... Wat een rotzooi hebben we ervan gemaakt. En dan te bedenken dat het allemaal zijn schuld is.'

'Waar heb je het over? Wie z'n schuld, Donald?'

'Nee, die klootzak van een Stuyvesant. Nog zo een. Ik ben omringd door macho's, door van die alfamannetjes. Als Stuyvesant zich nou gewoon aan de regels had gehouden, zich had gedragen als een volwassen man en zijn pik niet achterna had gelopen, was dit allemaal niet gebeurd.'

Geschokt door Elsa's taalgebruik omdat het totaal niet bij haar paste, keek Kes haar aan. 'Ik begrijp niet helemaal wat je zegt. Wat heeft een eventueel slippertje van Stuyvesant in vredesnaam met Donalds dood te maken?'

'Slippertje? Stuyvesant heeft een vrouw zwanger gemaakt, de

vrouw van een van zijn pachters. Die vrouw baarde hem een zoon. Als dat niet zou zijn gebeurd, was Don hier gewoon nog geweest.'

Kes achtte de kans groot dat Elsa in shock was. Ze begreep er niets van. 'Wat Stuyvesant ook heeft gedaan, dat heeft toch niets te maken met de financiële problemen waar jullie project in verkeert? En al helemaal niks met het ongeluk van Donald, dat hij in de gracht is gevallen. Of denk jij daar anders over?'

Elsa snoof. 'In de gracht gevallen? Als de eerste de beste toerist? Waar zie je hem voor aan? Kes, weet je wat jij moet doen, je moet lekker naar jezelf blijven luisteren. Ik geef je hier een sensatieverhaal op een presenteerblaadje en je behandelt me alsof ik gek ben geworden.'

'Ik vraag het je niet voor niets. Dus jij twijfelt aan een ongeluk?'

'Dat heb ik je toch al eerder gezegd?'

'Wil je dat ik het uitzoek? Prima hoor, maar dan zul je toch echt met meer informatie aan moeten komen dan wat je me nu vertelt. Hoe het nou precies met het geld zit bijvoorbeeld.'

'Dat weet je toch?'

'Ja, dat van de donateurs weet ik. Wat ik niet begrijp is dat de Nederlandse overheid er niets aan heeft bijgedragen. Nooit gedaan ook. Donald heeft mij daar iets heel anders over verteld,' loog ze.

'Wat dan?' vroeg Elsa en keek haar wantrouwend aan.

'Van hem heb ik begrepen dat de Nederlandse overheid vanaf het begin van het project een financiële bijdrage leverde.'

'Heeft hij dat gezegd? Kul. Ze hebben ons nooit een cent gegeven.'

'Oké, als jij het zegt, zal het wel zo zijn. Dan begrijp ik niet waarom Donald zoiets zou zeggen. Jij? Ik vraag me echt ondertussen af of het allemaal wel koosjer was, waar hij zich mee bezighield. Elsa, als je iets weet, kun je het nu net zo goed vertellen...' Ze haperde toen ze de uitdrukking op Elsa's gezicht zag. Die keek haar aan alsof ze ongedierte was. 'Toch?... Gezien de situatie?'

'Ik had het idee dat je Donald een beetje had leren kennen de laatste paar dagen. Denk je nou werkelijk dat hij ooit tot iets in staat zou zijn wat niet door de beugel kan? Je hebt die man toch meegemaakt?'

'Wil je echt weten wat voor man ik heb meegemaakt? Iemand die op zijn tenen liep, die zich vreselijke zorgen maakte. Iemand die ons bovendien niet alles vertelde wat er in zijn hoofd rondspookte en waar hij mee bezig was.'

'Hoe kom je daar toch bij?' Elsa klonk wanhopig.

'Kom op, Elsa, hij was tegen het overspannene aan.'

'Niet! Niet waar. Ik heb altijd goed voor hem gezorgd, hield elk uur dat hij sliep bij, elke hap die hij nam hield ik in de gaten... Ik...'

'Ik zeg toch niet dat het jouw schuld is? Je hebt toch ook iets aan hem gemerkt de laatste tijd? Hij zat ergens mee, dat weet jij net zo goed als ik.'

Elsa knikte langzaam. 'Er is wel iets, en het kan zijn dat hij daarop doelde. Donald had de laatste tijd veel contact met een man: Olaf van Hoorn. Ik weet niet precies waar het over ging, maar hij kwam een keer thuis van een afspraak met die Van Hoorn, en hij leek opgetogen, zei dat het financieel wel goed zou komen. Toen ik doorvroeg, kapte hij me af. Misschien was die man van de overheid? Ik kan het me eerlijk gezegd niet voorstellen dat uitgerekend deze regering ons wil ondersteunen, maar je weet het nooit natuurlijk.'

'Was dat de enige met wie Donald de laatste tijd regelmatig contact had?'

'Nee, natuurlijk niet.'

'Heb je afspraken voor hem bijgehouden? Zijn agenda?' Elsa wees naar het bureau. Kes liep ernaartoe en pakte de agenda op. 'Dus elke afspraak die hij had, noteerde hij hierin?'

'Nee, helemaal niet.'

Kes probeerde haar irritatie te onderdrukken en hield de agenda omhoog. 'Mag ik...'

'Neem maar mee. De laatste afspraak die Donald had, staat daar trouwens niet in.

'Met wie was dat dan?'

'Met die Olaf van Hoorn over wie ik het net had.'

Kes stak de agenda in haar tas. 'Weet je waar ik hem kan vinden?'

Met een zucht liep Elsa naar het bureau. Terwijl ze wat met de spullen schoof die erop lagen zei ze: 'Je zult er echt niets mee opschieten, hoor, als je met die man gaat praten.' Toen hield ze een post-it omhoog. 'Hier, zijn mobiele nummer.'

'Ik moet toch ergens beginnen,' zei Kes terwijl ze het papiertje aanpakte.

'Da's waar, maar je kunt je wel voorstellen dat het mij allemaal geen moer meer interesseert. Don is dood en ik heb wel iets anders aan mijn hoofd. Succes ermee.'

31

Op het moment dat ze hem in de ogen keek, wist Kes meteen dat Olaf van Hoorn haar expres tien minuten in zijn kleine hal had laten wachten. Dat hij zo'n type was, straalde hij aan alle kanten uit.

'Sorry, ik moest even een spoedje afhandelen. Ga zitten.' Olaf wees naar de stoel tegenover zijn bureau. In de kamer rook het naar champignonsoep.

Spoedje, m'n neus, dacht ze en zei: 'Meneer Van Hoorn, fijn dat u tijd voor mij heeft vrij kunnen maken.'

'Het gaat over Donald Christie, toch? Wat een vreselijk verhaal zeg.'

'Ja, het is afschuwelijk.'

Toen ze Olaf van Hoorn had gebeld om deze afspraak te maken, wist ze zodra Van Hoorn zijn adres opgaf dat de man niets met de overheid te maken had, want voor zover zij wist zat de overheid niet in het WTC-complex.

'Zoals ik u telefonisch al liet weten, ik schrijf voor *Nederland Vandaag* en ben bezig met een artikel over Donald Christie, over zijn leven, zijn werk, dat soort zaken. U hebt waarschijnlijk al gehoord dat hij is overleden?'

Olaf keek haar geschokt aan. 'Wat? Overleden? Ik dacht... Dat hij in het ziekenhuis lag, dat had ik gehoord, maar overleden?'

'O, dat spijt me, dan komt dit u nogal koud op uw dak vallen. Dat was niet mijn bedoeling. Ja, het is vannacht gebeurd.'

'Wat vreselijk. Wat afschuwelijk.' Olaf leek eerder verbaasd dan ontdaan te zijn.

'Ja, nogmaals, het spijt me dat ik u daarmee overval. Meneer Van Hoorn, het was in eerste instantie de bedoeling dat ik een reportage zou schrijven over hoe hij zijn dagen in de aanloop van zijn boekpresentatie doorbracht, maar het is, zoals u zult begrijpen, een iets andere insteek geworden. Om een volledig beeld van hem te krijgen, wil ik zo veel mogelijk mensen spreken die een rol in zijn leven hebben gespeeld.'

'Hoe komt u bij mij uit?'

'Nu de omstandigheden zijn gewijzigd, is besloten het artikel aan te vullen met uitspraken van mensen met wie hij de laatste dagen van zijn leven gesproken heeft. Ik heb begrepen dat u er daar een van bent. Vandaar dat ik dacht dat u wel iets kunt bijdragen aan mijn stuk. U hebt hem onlangs toch gesproken?'

'Even voor alle duidelijkheid, echt goed kende ik hem niet hoor.'

'Dat geeft niet en daar gaat het mij ook niet om. Ik wil een weergave proberen te geven van hoe hij zijn laatste dagen heeft doorgebracht zodat de lezers een beeld krijgen van zijn werk. Ik neem aan dat u een werkbespreking met hem had?'

Olaf leunde achterover. 'Zo zou je het kunnen noemen. Ik ken hem sinds een paar maanden en heb hem gevraagd of hij iets meer te weten kon komen over mijn familie.'

Kes trok haar wenkbrauwen op.

'Ik zal het uitleggen. Mijn voorouders behoorden tot de kolonisten die Manhattan in de zeventiende eeuw bevolkten. In de achttiende eeuw is een deel van die familietak weer naar Nederland geëmigreerd. Daar behoor ik toe, tot die Nederlandse tak. In die hoedanigheid heb ik een aantal keer met Donald gesproken. Aangezien hij beschikte over het archief met documenten uit die periode, vroeg ik mij af of er iets over mijn familie tussen zat.'

'Dus u bent een nakomeling van mensen die Manhattan hebben opgebouwd? Dat is niet niks.'

Hij keek haar aan met een blik alsof hij daar eigenhandig aan had bijgedragen. 'Klopt. Dat mag je gerust in je stuk zetten. Mijn voorouders kwamen met lege handen aan, met een plunjezak met wat kleding, verder niets, geen cent op zak. Aan het eind van hun leven waren de Van Hoorns bemiddeld en hadden een goedlopend boerenbedrijf. Die mensen waren hier in Nederland voor een dubbeltje geboren en werden daar meer dan een kwartje.'

'De Amerikaanse droom.'

'Precies. En die *American dream* is gestoeld op de energie en inzet van de eerste kolonisten die op Manhattan voet aan wal zetten.'

'Dat is toch niet alleen aan ons te danken? Of aan hoe Manhattan zich heeft ontwikkeld? Ik heb begrepen dat wij niet de enige kolonie vormden. Ook inwoners uit andere landen hadden zich daar aan de Oostkust gesetteld. Ik neem aan dat die ook hun steentje hebben bijgedragen aan de opbouw van Amerika.'

'Zeker wel, maar het was onze Hollandse cultuur die de grootste stempel heeft gedrukt op het huidige Amerika, op hun gedachtegoed. Ik noem liberalisme, ik noem de handelsgeest, ik noem vrijheid en gelijkheid voor iedereen.'

'Vrijheid en gelijkheid voor iedereen? Dat is hier niet altijd zo geweest als ik het me goed herinner.'

Hij wuifde haar cynisme met een handgebaar weg. 'Je bedoelt in Nederland? Vergeleken met andere landen hadden wij toen, en nog steeds, weinig met hiërarchie door afkomst. Dan laten we het koningshuis even buiten beschouwing. Het ging er bij ons eeuwen geleden al om wat je zelf ondernam. Als je iets presteerde en daar rijk mee werd, was het goed. Nieuw geld, oud geld, in de zeventiende eeuw begon dat allemaal door elkaar te lopen, in elkaar over te vloeien. Het maakte toen niet zoveel uit.' Hij bleef even stil en keek haar peinzend aan. 'Trouwens, misschien weet u daar iets van? Nu Donald Christie overleden is, hoe gaat het dan verder met het project? Hebben ze daar al iets over gezegd? Ik neem aan dat u dat in het artikel gaat verwerken. Al iets over gehoord?'

'Geen idee. Ik heb het projectbestuur nog niet gesproken. Ik ga ervan uit dat het project zonder Donald Christie een tijd stil zal komen te liggen. Helaas heb ik Donald niet lang mee mogen maken, maar ik weet wel dat hij helemaal vervlochten was met zijn werk.'

'Hm. Ik denk dat hij het sowieso niet lang had kunnen volhouden.'

'O?'

'In het geval van Donald bestonden zijn geldschieters grotendeels uit fortuinlijke lieden, maar bij een groot aantal van hen heeft de crisis er behoorlijk op ingehakt.'

Kes knikte langzaam. 'Dat heeft hij u allemaal verteld? Wat vreemd. Hebt u enig idee waarom hij u dat heeft laten weten? Hij heeft het mij ook gezegd, maar hij benadrukte daarbij dat het in vertrouwen was. Ik ging ervan uit dat bijna niemand daar iets van wist.'

Olaf schoof wat heen en weer in zijn stoel. 'Ik hoop dat u hier ook discreet mee om zult gaan.' Hij bleef even stil en zei toen: 'Hij had geld nodig.'

'Dat begrijp ik.'

Olaf leunde iets naar voren en zei: 'Ja, maar van mij. Hij wilde op eigen houtje een fonds oprichten, buiten het bestuur om. Die club, daar had hij geen enkel vertrouwen meer in. Hij vroeg of ik soms mogelijkheden zag hem te ondersteunen. Donald vertelde mij dat een groot aantal partijen zich de laatste jaren uit het project had teruggetrokken. Er kwam steeds minder geld binnen. Hij liet doorschemeren dat het bedrag dat er op de bankrekening van het project stond voldoende was voor maximaal drie maanden onderzoek. Lang niet genoeg dus om zijn project af te ronden, bij lange na niet zelfs.'

'Hebt u hem kunnen helpen?'

'Nee, helaas heb ik hem moeten teleurstellen. Ik heb zelf ook behoorlijk te lijden gehad van de crisis, begrijpt u wel? Het is momenteel voor niemand een vetpot.'

'Dus Donald zag geen andere uitweg dan zelf bij mensen langs te gaan om geld te vragen. Dat klinkt behoorlijk nijpend.'

'Dat was het ook.'

'Denkt u dat de huidige donateurs dit weten?' vroeg ze. 'Ik neem aan dat als zij dit horen, de kans groot is dat zij ook afhaken. Ik kan me voorstellen dat zij het vrij zinloos vinden een project te financieren dat in feite ten dode is opgeschreven.'

'Dat is ook precies de reden waarom Donald wilde dat het stil werd gehouden. Hij drukte mij op het hart niemand te zeggen dat hij mij om geld had gevraagd, omdat hij juist bang was voor die afhakers waar u het net over had.'

'Dus hij heeft u verder niet geholpen met het uitzoeken van uw stamboom?'

'Nee, u begrijpt het verkeerd. Die stamboom was het punt niet, daar kwam ik zelf wel uit. Het ging mij om aanvullende informatie. Hij liet mij weten dat hij mijn verzoek in beraad zou houden.'

'Was u niet kwaad?'

'Nou, echt leuk vond ik het niet, maar hij was mijn enige mogelijkheid.' Olaf zuchtte. 'Luister, het is een hobby van me, meer ook niet. Het is geen kwestie van leven of dood.'

'En nu? Wat denkt u? Hoe gaat dit verder nu Donald dood is?'

'Ik denk dat ze, nu de situatie er zo voor staat, een extra financiering helemaal op hun buik kunnen schrijven en dat de huidige donateurs zich terug gaan trekken. Dat zou ik in hun geval ook doen.

Het hele project draaide uiteindelijk om hem.'

'Dus u gaat ervan uit dat het hiermee ophoudt?'

Olaf hief zijn handen op. 'Ik weet het niet zeker natuurlijk, maar ik ben bang van wel.'

'Maar zoiets kan toch niet zomaar van de ene op de andere dag stopgezet worden? Hij is er decennia mee bezig geweest.'

'Niemand is onmisbaar. Ooit zal er iemand komen die zijn werk voort zal zetten.'

'Dat kan maanden duren,' zei Kes. 'Jaren misschien zelfs.'

'Ja, en aangezien dat archief er ook al jaren ligt, denk ik niet dat het veel uitmaakt. Denkt u van wel? En wees eens eerlijk. Waar zou u voor kiezen? Voor eten en drinken en een dak boven je hoofd, of voor een stapel documenten die honderden jaren geleden zijn geschreven? Want laten we wel wezen, wat doet het ertoe? Wat brengt het ons om te weten hoe het er toen in Manhattan aan toe ging? In grote lijnen weten we dat wel. En bovendien, wat worden we daar nu wijzer van? Nou? Weet je, we leven in een tijd dat we allemaal concessies moeten doen, keuzes moeten maken. Zo zit de wereld nu eenmaal in elkaar.'

'En al dat werk dan? Straks wordt het archief voor de zoveelste keer jarenlang ergens opgeslagen. Ik kan me niet voorstellen dat ze dat toelaten. Dan is die hele investering pas echt weggegooid geld geweest. Hij was pas net begonnen met publiceren.'

'U hebt met eigen ogen kunnen zien hoe gecompliceerd zijn werk is, ik bedoel was.'

'Mevrouw De Kooning is er ook nog.'

'Zijn medewerker? Natuurlijk is zij er nog, maar denkt u nou werkelijk dat zij dit in haar eentje kan bolwerken? Zij assisteert hem bij zijn werk. Begrijp me goed, ze zal zeker zeer talentvol zijn en hoogstwaarschijnlijk zeer goed zijn ingevoerd in de hele materie, maar uiteindelijk was Donald degene met alle kennis in huis.'

Kes begon Elsa's frustratie steeds beter te begrijpen. 'Denkt u?'

'Ja.' Met een verveelde uitdrukking op zijn gezicht keek Olaf haar aan. 'Of het project nou doorgaat of wordt stopgezet, dat is mij echt om het even. Bovendien, denk maar niet dat die publicaties zichzelf kunnen bedruipen. Geloof me, daar moet geld bij, veel geld. Nee, ik ben bang dat het hiermee voor iedereen ophoudt.'

Toen zijn telefoon ging, keek Olaf verstoord op. 'Een ogenblikje alsjeblieft.' Hij keek op zijn schermpje en zei: 'Sorry, deze moet ik even nemen, ik ben zo terug.' Hij liep de kamer uit en sloot de deur achter zich.

Kes staarde naar de dichte deur en vroeg zich af waar haar gevoel vandaan kwam dat er iets niet in de haak was. Ze was hier alleen omdat Elsa dacht dat Olaf iets met de overheid van doen had. Waar ze gelijk in had gehad, was dat Donald van Olaf geld zou krijgen, geld waar hij, volgens Van Hoorn, om had gevraagd. Maar Elsa had haar verteld dat Donald opgetogen was geweest nadat hij met Olaf had gesproken. Dan zou alles toch rond moeten zijn, zou er op z'n minst een onderlinge afspraak moeten zijn gemaakt als het om geld ging? En nu beweerde Olaf dat hij Donald nooit geld had gegeven.

Olaf kwam binnen in een walm van toiletverfrisser. 'Goed, excuses daarvoor. Waar waren we gebleven?'

Met rode konen liet hij zich in zijn stoel zakken en zijn hand trilde toen hij een pen oppakte er ermee begon te spelen. Kes zag aan alles dat het geen opwekkend telefoongesprek geweest was.

'U vertelde net dat Donald u heeft gevraagd donateur te worden van zijn project. Ik neem aan dat toen u dat weigerde, hij u ook niet verder wilde helpen?'

Olaf keek haar even aan. Toen knikte hij. 'Inderdaad, ik moest het zelf maar gaan uitzoeken.'

'Dat dacht ik al. En?'

'Wat, en?'

'Hebt u hem uiteindelijk betaald?'

'Nee, zoals ik net al zei, ik heb geen geld. Ik kon hem helemaal niet betalen.'

'Dus het liep op niets uit?'

'Inderdaad.'

Ze klapte haar schrijfblok dicht. 'Goed, meneer Van Hoorn, veel dank voor uw tijd.'

Hij stond op. 'Geen dank. Hebt u genoeg? Het spijt me dat ik u niet van meer informatie heb kunnen voorzien. Zet maar niets in uw stuk over dat gedoe met dat geld. Over de doden niets dan enzovoort, snapt u wel? Zet erin dat ik vind dat hij mij enorm geholpen heeft. Dat mag u letterlijk citeren, naam en toenaam. Als u nog meer nodig hebt, weet u me te vinden.'

Toen Kes weg was, haalde Olaf opgelucht adem. Volgens hem

had hij het goed gedaan. Hij keek naar de kale muur tegenover hem. De bout waar de Karel Appel had gehangen stak er als een angel uit en confronteerde hem met zijn vergiftigde situatie. Opeens kreeg hij het bloedheet en begon te zweten. Hij trok zijn das los en peuterde met veel moeite het bovenste knoopje van zijn overhemd open. Wankelend stond hij op en liep naar het keukentje waar hij zichzelf een glas water inschonk. Hij dronk met gulzige slokken, het water stroomde langs zijn kin naar beneden en hij voelde de stralen over zijn brandende borst glijden. Langzaam liep hij terug naar zijn kamer en liet zich in zijn bureaustoel zakken. Dit had hij nog nooit meegemaakt. Hij moest naar de dokter, morgenochtend, *first thing*. Er was iets goed mis met hem. Hij leunde achterover in zijn stoel en keek omhoog. Het plafond vervaagde en zijn hoofd voelde te zwaar voor zijn nek. Het kostte hem veel moeite weer naar voren te kijken. Langzaam kreeg Olaf zijn focus weer terug. Alleen in zijn hoofd werd het nog niet helder. Daarbinnen was het een grote brij.

Olaf richtte zijn blik op zijn computerscherm en keek naar de lijst met inkomende berichten. Een ontmoeting tussen hem en Stedman Cruiser was natuurlijk onvermijdelijk, maar hij had niet verwacht dat hij nu al in aanraking zou komen met de man die een van zijn sterkste opponenten zou worden. Een mail was tot daar aan toe, maar een persoonlijk contact als het telefoontje van daarnet had hij niet verwacht. Hij had gedacht dat hij Stedman Cruiser pas in de rechtszaal zou spreken, zodra het proces van start ging.

Aan de ene kant vond Olaf het beangstigend om de strijd aan te gaan met een van de machtigste vastgoedbaronnen van de Verenigde Staten. Aan de andere kant keek Olaf ernaar uit de man onderuit te zien gaan. Het zou een zwaar gevecht worden. Stedman zou een leger aan advocaten om zich heen verzamelen, stuk voor stuk ervaringsdeskundigen in de juridische aspecten van vastgoed en grondeigendom. Daarom wilde Olaf zich goed voorbereiden. Daarom had hij al dat geld nodig. Daarom zat hij nu in de problemen.

Dat Stedman Cruiser blijkbaar nu al op de hoogte was van het bestaan van het testament en wist wat hij ermee van plan was, maakte het er allemaal niet makkelijker op. De man was meteen met de deur in huis gevallen.

'Heb je mijn mail gelezen?' had hij gevraagd.

'Ja.' Het was voor het eerst dat Olaf de stem van Stedman Cruiser hoorde. Die klonk precies zoals hij verwacht had. Zacht en dwingend.

'Mooi zo. En?'

'Wat bedoel je?' vroeg Olaf.

'Ik wil graag een reactie horen. Hoe zit het met het testament? Aangezien je al een tijd bezig bent met het treffen van voorbereidingen, neem ik aan dat je precies weet wat er voor mij op het spel staat. Of vergis ik mij?'

'Nee, je hebt gelijk, ik weet alles.'

'Alles? O ja? Dat lijkt me nou weer wat overdreven, want dat zou betekenen dat je meer weet dan ik. Dat kan ik me haast niet voorstellen. Mijn advocatenteam heeft zelfs moeite overzicht te krijgen in de juridische aspecten van mijn bouwontwikkeling. En jij hebt daar wel honderd procent kijk op?'

'Ik ben van alles wat voor mij en mijn achterban van belang is op de hoogte.'

'Achterban? Noem je het zo? Ze zouden eens moeten weten.'

'Waar doel je op?'

'Doe niet alsof je me niet begrijpt, Van Hoorn. Laten we er niet omheen draaien. Daar hebben we helemaal geen tijd voor. Of zie ik dat verkeerd? Heb jij soms wel tijd voor allerlei kat-en-muisspelletjes?'

'Ik denk wel dat ik mij wat dat betreft wat meer kan permitteren, ja. Ik ben niet degene die dagelijks een miljoenenverlies lijdt.'

'Het klinkt nogal lachwekkend om dergelijke onzin te moeten aanhoren van iemand die alles al kwijt is. Een beetje sneu ook. Wat had je voor ogen, Van Hoorn? Dat jij de eigenaar zou worden van een deel van Manhattan? Ben je wel goed snik?'

'Cruiser, als het je allemaal zo onwaarschijnlijk lijkt, waarom wind je je dan zo op? Als ik jou was zou ik me een beetje inhouden. Ondertussen ben ik wel degene die het testament heeft.'

'Ah, dus je hebt hem al?'

'Sterker nog, hij ligt hier voor me. Als je zou lezen wat erin staat, zou je wel een toontje lager zingen. Ik moet eerlijk zeggen dat ik niet had verwacht dat het allemaal zo uitvoerig beschreven zou worden. Volgens mijn advocaten is er geen speld tussen te krijgen.'

Dat stuk van Manhattan waar jij je toren wilt gaan bouwen, is nooit van jullie geweest. Niet van de Engelsen die Manhattan van ons hebben gejat, niet van de New York Port Authority, niet van jullie regering, maar van ons. Ik heb het hier zwart op wit: dat grondgebied behoort tot mijn familie.'

'Als je je zo goed hebt ingelezen, weet je ook dat het kavel helemaal niet van mij is.'

'Natuurlijk weet ik dat. Maar jij bent degene die er verlies op lijdt. Je hebt een contract voor 99 jaar afgesloten als ik mij niet vergis? Ik vraag me af hoe lang je dat vol kunt houden. Bereid je er maar op voor: zodra dit bekend wordt, wordt de stekker uit je project getrokken. Het proces zal jaren gaan duren. Iedereen zal zich ertegenaan gaan bemoeien. Wat denk je dat onze regering zal doen als blijkt dat een deel van Manhattan van Nederlanders is? Denk je dat ze dat zomaar laten gaan? Er zullen jaren overheen gaan voordat we tot overeenstemming komen, voordat de rechtmatige eigenaar wordt toegewezen.'

'In feite betekent dit dat we in hetzelfde schuitje zitten. Jij noch ik kunnen ons dit permitteren.'

'Het vermogen van mijn familie is inderdaad nog niet toereikend.'

'Zeker niet nu degene aan wie zij hun geld hebben toevertrouwd er met de poet vandoor is gegaan.'

'Wacht even, nu ga je te ver. Ik ben inderdaad veel geld kwijtgeraakt, maar daarvan heb ik geen cent in mijn eigen zak gestoken.'

'Nee, omdat het daar al te laat voor was. Ga me niet vertellen dat je dat niet van plan was, Van Hoorn.'

'Ik wilde het verdubbelen, ik zag allang aankomen dat het niet toereikend zou zijn. Daarom heb ik het belegd. Maar daar gaat het niet meer om, dat is allang een gepasseerd station. Ik heb iemand anders gevonden die bereid is hier geld in te steken.'

'O ja? Heb je een of andere gek gevonden die vertrouwen in je stelt?'

Olaf had opgehangen en was naar de wc gerend. Terwijl hij daar op de wc zat en zijn maag leegde, was het zweet hem uitgebroken.

Nu hij weer achter zijn computer zat, Kes vertrokken was en zijn maag bij elke ademhaling meer tot rust kwam, voelde hij zijn strijdlust weer opkomen. Op de vraag hoe Stedman Cruiser wist waar hij mee bezig was, was maar één antwoord mogelijk. Die klootzak Donald Christie had zijn verdiende loon gekregen. Voor de zoveelste keer opende hij de mail van Cruiser. Hij probeerde zich te focussen op de tekst, maar de letters dansten voor zijn ogen. Plotseling voelde hij een druk op zijn borstkas die langzaam groter werd, alsof iemand met zijn hele gewicht op zijn borst zat en zich steeds zwaarder maakte. Terwijl hij regelmatig adem probeerde te halen, werd er aangebeld. Moeizaam stond hij op, liep naar de gang en drukte op de intercom. Misschien kon degene die voor de deur stond hem naar de huisarts rijden, want dit was niet normaal.

'Ja?' Olaf van Hoorn hoorde zijn eigen piepende stem, schraapte zijn keel en herhaalde zichzelf.

'Goedendag, Andries Klaassen, AIVD,' klonk het door de intercom. 'Kan ik u even spreken?'

Andries Klaassen? Het hoofd van de AIVD? Bij hem aan de deur? Wat kwam die nou doen? 'Eh... Waar gaat het over?'

'Ik denk dat u ons behulpzaam kunt zijn en ik wil even met u praten. Het is vertrouwelijk, dus als u zo vriendelijk wilt zijn...'

Olaf kneep zijn ogen tot spleetjes en keek op de kleine monitor die naast de intercom hing. Hij herkende Andries Klaassen van de televisie en van foto's in de krant. Naast hem stond nog iemand. Op het scherm was alleen de mouw van een jasje zichtbaar.

'Ja, jazeker, komt u boven.' Olaf vloekte hardop. Kwamen die ook voor Donald Christie? Waarom kwam iedereen naar hem toe? Waarom ging alles mis, waarom was hij toch altijd weer de lul? Hij moest opletten, geconcentreerd zijn. Elk woord dat hij wilde zeggen moest eerst op een goudschaaltje worden gewogen. In een paar passen stond hij in de keuken, draaide de kraan open en gooide een plens water in zijn gezicht. Hij greep naar de keukendoek en depte zijn gezicht. Toen haalde hij diep adem en liep naar de deur.

Andries Klaassen was niet groot, toch leek hij de ruimte te vullen, alsof hij die met zijn aanwezigheid vacuüm trok. Nadat Olaf hen had binnengelaten, stelde Andries hem niet aan de kleerkast voor die met hem mee naar binnen liep. Terwijl ze naar Olafs kamer gingen, bleef de man in de hal achter.

'Laat maar open,' zei Andries op het moment dat Olaf de deur dicht wilde trekken. Hij ging aan tafel zitten en legde zijn handen naast elkaar op het tafelblad.

'Meneer Van Hoorn, ik val maar meteen met de deur in huis. U hebt iets waar wij graag even naar willen kijken.'

Olaf keek hem vragend aan. 'En dat is?'

'Uit informatie die ons ter ore is gekomen, blijkt dat u in het bezit bent van een testament waaruit blijkt dat een deel van Manhattan aan uw familie toebehoort.'

Olaf slikte zijn verbazing weg. 'Van wie hebt u dat gehoord?'

'Dat doet er even niet toe. U kunt zich voorstellen dat onze premier erop gebrand is dat testament in handen te krijgen.'

'Hoezo? Dat kan ik me helemaal niet voorstellen. Waarom? Wat moet de premier ermee?'

'Omdat het deel van Manhattan dat in het testament genoemd staat Nederlands grondgebied is.'

'Nee, het is van mijn familie.'

'Dat ziet u verkeerd.'

'Volgens mij niet.'

'Volgens mij wel. Ik zou het graag met eigen ogen willen zien.'

'Het testament? Dat kan niet.'

'Waarom niet?'

'Omdat ik het niet heb.'

'Niet? Dat is vreemd. De heer Christie heeft ons verzekerd dat hij het bij u heeft achtergelaten.'

'Christie? Wanneer heeft hij dat gezegd?'

'Dat doet er niet toe.'

'Hij heeft gelogen. Ik heb het niet. Echt niet.'

Andries leunde voorover in zijn stoel en keek vluchtig opzij naar de man die in de hal stond, lang genoeg om zijn bedoeling kenbaar te maken. Vervolgens keek hij naar Olaf. 'Het is een waardevol stuk dat toebehoort aan het cultureel erfgoed van ons land. Het is van de overheid en dat blijft het ook. Ik vraag u vriendelijk het aan mij te laten zien.'

Olaf klemde zijn kaken op elkaar en keek hem aan.

'Meneer Van Hoorn, we kunnen het op een andere manier oplossen. Zoals ik al zei, ik wil het alleen maar even bekijken.'

Olaf voelde zijn bovenlip vochtig worden. Zijn hart barstte bijna uit zijn borstkas. In een reflex legde hij zijn hand erop.

'Last van uw hart, meneer Van Hoorn?'

'Ja,' beet Olaf hem toe. 'Zou u dat niet krijgen in mijn situatie?'

'Ik weet helemaal niet in welke situatie u zich bevindt.'

'Niet? Ik word hier bedreigd door de AIVD.'

'Bedreigd? Hoe komt u daar nou bij? Ik vraag u alleen of ik het testament mag zien. Bedenkt u zich ook dat u onze regering hiermee een dienst bewijst. Ik ben hier niet op persoonlijke titel zoals u zult begrijpen. Ik zou me kunnen voorstellen dat de premier u eeuwig dankbaar zal zijn als u uw medewerking verleent.'

Olaf frunnikte wat aan zijn vingers. 'Die eeuwige dankbaarheid, waar zou die uit kunnen bestaan?'

'U kunt daarbij denken aan een fikse financiële tegemoetkoming.'

Olaf keek naar Andries. Hij vertrouwde hem voor geen cent, maar hij kon geen kant op.

'We kunnen hier ter plekke een contract opmaken,' zei Andries.

'Goed dan.' Olaf boog zich opzij en trok zijn bureaula open. Als vanuit het niets stond de man uit de hal plotseling naast het bureau. Hij hield zijn rechterhand in de binnenkant van zijn jasje.

Olaf stak zijn hand op. 'Rustig maar. Rustig. Het ligt hierin. Hier, hier hebt u het.'

Hij legde het testament dat in een plastic hoesje zat op tafel en schoof het naar Andries die het voorzichtig oppakte.

'Dat wat erbovenop ligt, is de transcriptie.'

Andries zei niets. Olaf zag zijn ogen in sneltreinvaart over de regels gaan. Toen legde hij de transcriptie opzij en drukte zijn vinger op het testament.

'Dus het is waar?'

Olaf knikte.

'Hoe weten wij of dit echt is?'

'Omdat Donald Christie het heeft gecontroleerd.'

'Is iemand anders hiervan op de hoogte?'

'Mijn familie weet ervan. Ik doe dit niet alleen voor mezelf natuurlijk.'

'Uw hele familie weet van het bestaan van dit testament?'

'Ja, in zoverre..., ze weten dat ik hiernaar op zoek ben.'

'Maar dat u het heeft?'

'Nee, nee, dat heb ik ze nog niet verteld. Ik heb het pas sinds kort.'

'Goed, nou bedankt.' Met die woorden stond Andries op. Olaf stak zijn hand uit om het testament van hem aan te pakken, maar Andries zei: 'Dit neem ik mee. Het betreft hier een document van nationaal belang.'

Langzaam liet Olaf zijn hand zakken. Hij slikte en keek naar de bewaker die weer in de deuropening was gaan staan. 'Eh, ja natuurlijk. Van nationaal belang.'

Toen de deur achter hen dichtviel, liet Olaf zich in zijn stoel zakken en legde zijn handen over zijn gezicht. Alles, maar dan ook alles was voor niks geweest. Hij kon naar zijn geld fluiten en zijn familie zou hem de rug toekeren. Hij kon geen kant meer op. Hij kreunde licht toen de beklemmende pijn achter zijn borstbeen weer kwam opzetten. Het straalde nu uit naar zijn kaak en zijn linkerarm. Binnen een paar seconden was hij zeiknat van het zweet. Hij duwde zich omhoog uit zijn stoel. Langzaam liep hij naar het keukenblok, leunde zwaar op het aanrecht en deed de kraan open. Hij draaide zijn hoofd onder de kraan om het water op te vangen. Op de een of andere manier stroomde er niets in zijn mond. Hij duwde zijn hoofd naar voren, maar het hielp niet. Plotseling voelde hij alle kracht uit zich stromen, als een ballon die leegloopt. Zijn armen vielen langs zijn lichaam. Hij zakte op de vloer en viel op zijn zij. Zijn mond ging open en dicht, open en dicht, als een goudvis.

Het had allemaal anders kunnen gaan. Als Donald hem niet had bedreigd, gewoon had gedaan wat er van hem werd verwacht, had hij niet in hoeven grijpen. Maar de gedachte dat Donald hem voor de rest van zijn leven kon chanteren met het wereldkundig maken van het echte testament, met de dreigementen dat hij Cruiser ervan op de hoogte zou stellen dat het testament dat hij had een vervalsing was, daarmee had Donald zijn eigen graf gegraven. Het vreemde was dat hij opgelucht was geweest toen hij hoorde dat Donald Christie in coma lag. Vlak nadat het gebeurd was, wist hij al dat hij slecht kon leven met het idee dat hij een mens van het leven had beroofd. Daarom schrok hij ook zo toen Kes hem vertelde dat Donald dood was. Het was haar schuld dat zijn hart het had begeven en dat hij hier nu lag, dat hij alles hoorde, zag en rook, maar dat hij zich niet meer kon bewegen.

Zonder met zijn ogen te knipperen staarde Olaf naar de korrels hagelslag die tegen de afsluitplank onder het keukenblok lagen. Hij telde ze. Het waren er zes. Zes chocoladekorrels. Terwijl hij toekeek, stegen ze langzaam op en zweefden naar hem toe, tot ze zijn hele gezichtsveld vulden en alles zwart werd.

32

Het tochtgordijn werd opzijgeschoven. Door de kou die langs haar benen streek, keek ze op. De jongen die in de deuropening van het café stond, was een jaar of twintig. Met een ruk trok hij het gordijn achter zich dicht en keek om zich heen. Toen zijn ogen die van haar bereikten, liep hij naar haar toe.

'Hoi. Jij bent Kes toch? Kes van Buren? Jij bent toch met een artikel bezig over Donald Christie?'

Verbaasd keek Kes hem aan. 'Ja?' zei ze met een blik die kon doden en een intonatie die de jongen ervan moest weerhouden bij haar te komen zitten. Ze wilde rustig nadenken over het gesprek dat ze net met Olaf van Hoorn had gehad, over de lijst die ze bij Merel had gezien, over de dood van Donald. Over alles. Haar reactie maakte blijkbaar geen indruk want hij stak met een resoluut gebaar zijn hand uit.

'Evert-Jan. Mag ik even?' De jongen wees naar de stoel tegenover haar.

'Ga je gang. Ik moet wel zo weg.'

Met een knik legde hij zijn jas over de rugleuning en ging zitten.

'Hoe wist je eigenlijk dat ik hier zat?'

'Iedereen weet dat dit jullie stamcafé is.' Hij wees met zijn duim naar haar kantoor aan de overkant van de straat. Op de hoogte van zijn linkerborst pakte hij zijn zwarte polo tussen duim en wijsvinger beet. Met zijn andere hand wees hij naar het logo. SMETTELOOS BV stond er. 'Ik maak schoon in het huis.'

'Het huis?'

'O, sorry, dat klinkt inderdaad behoorlijk vaag. In het West-Indisch Huis. Je weet wel, waar meneer Christie werkte.'

'Och ja, natuurlijk.'

Hij liet zijn shirt los en streek het logo glad. 'Ik... eh, wat een rotnieuws hè?'

'Dat is het zeker. Kwam je hem daar vaak tegen?'

'Nee, nee, helemaal niet.' Hij begon aan het logo op zijn shirt te plukken. 'Ik maak daar 's ochtends schoon, heel vroeg, als er nog niemand is. Ik heb hem maar een paar keer gezien, iets van twee keer denk ik.'

'Wil je iets drinken?'

'Doe maar een colaatje.'

In stilte wachtten ze tot de bestelling werd gebracht. Evert-Jan dronk in een keer de helft van zijn glas leeg. Kes zag dat hij een boertje onderdrukte. Daarna veegde hij met een kinderlijk gebaar over zijn bovenlip. 'Ik heb iets. Iets wat van hem is geweest.'

Kes hoorde hem met zijn voeten schuifelen. 'Wat bedoel je daarmee? Heb je iets van zijn kamer gepakt?'

'Eh, ja en nee.'

'Gekregen?'

'Nee, nee, ik heb het gevonden. Op zijn kamer. Het lag op zijn kamer en ik, tja, ik heb het meegenomen. En ik dacht, goh, misschien wil jij het wel hebben. Voor je artikel.'

'Hoe weet je dat ik daarmee bezig ben?'

De jongen boog zich opzij en woelde in zijn jaszak. Toen hij weer rechtop zat, had hij iets in zijn hand. Hij legde het op tafel en pulkte met veel moeite het dichtgeknoopte boterhamzakje open. 'Dit is het.' Hij haalde een zwart boekje uit het zakje, legde het voor zich op tafel en vouwde zijn handen eroverheen. 'Het lag in de open haard. Het valt haast uit elkaar.'

'Heb je het uit de haard gevist?'

Hij knikte. 'Iemand heeft het geprobeerd te verbranden. Ik heb het gelezen.' Evert-Jan tikte met zijn wijsvinger op de kaft. 'Hij heeft het zelf geschreven. Die meneer Christie. Het is een soort dagboek, niet echt een verslag van elke dag, maar meer van wat hij meemaakte en voelde en zo, dat soort dingen, je weet wel.' Hij hield even op met praten, legde zijn vinger op de kaft en streek er lichtjes overheen. 'Weet je wat raar was? Toen ik het had gelezen, voelde ik me een beetje opgelaten, alsof hij bij mij op de bank lag, zeg maar, dat ik een of andere therapeut was. Ik had dat natuurlijk gewoon weg moeten gooien.'

'Op zijn kamer terugleggen zou ook een optie zijn geweest.'

'Misschien. Maar jouw naam staat erin, zie je, en dat je een artikel aan het schrijven bent en zo. Toen dacht ik, misschien is dit jou wel wat waard.'

Ze lachte even. 'Begrijp ik het nou goed dat je dit aan mij wilt verkopen?'

'Yep.'

'Sorry, maar ik betaal niet voor informatie.'

'O?'

'Ik doe dat uit principe niet.'

'Nou, van dat principe zul je dan af moeten stappen.'

'Ik bepaal zelf wel van welke principes ik afstap.'

Hij haalde zijn schouders op. 'Je moet het verder zelf weten, maar geloof me, hier staan allemaal dingen in die je echt wilt weten.'

'Zoals?'

Hij leunde met zijn ellebogen op tafel en zuchtte. 'Zet jezelf even in mijn positie. Jij bent vast ook ooit student geweest. Dan weet je dat het echt geen vetpot is. Ik heb geld nodig, jij dit boekje. Een win-winsituatie.'

Irritant rotjong. 'Wat moet je ervoor hebben?'

'Ik zat zelf te denken aan tweeduizend euro.'

'Droom vooral verder.'

'Jammer, vooral voor jou bedoel ik dan. Ik zal je zeggen, het is echt de moeite waard. Tja, misschien moet ik naar een andere krant, een waar ze deze sensationele informatie op waarde weten te schatten.' Toen Evert-Jan aanstalten maakte om op te staan, stak Kes haar hand op: 'Blijf zitten. Duizend euro.'

Hij snoof. '*No deal.* Vijftienhonderd en het is van jou.'

'Goed dan. Vijftienhonderd euro.' Ze stak haar hand uit om het boekje naar zich toe te trekken.

Evert-Jan legde zijn hand er weer op. 'Nee, nee, gelijk oversteken. Ik loop wel even met je mee naar een pinautomaat.'

'Weet je wat, ik weet het nog veel beter gemaakt. Ik maak het hier ter plekke aan je over.' Ze trok haar laptop uit haar tas, klapte die open en surfte naar de site van haar bank. Toen tikte ze de gegevens in die Evert-Jan opdreunde. Voordat ze de opdracht verzond, draaide ze het scherm naar hem toe. 'Hier, controleer het maar. Zie je? Zo goed?'

'Helemaal goed.' Op het moment dat ze op enter drukte, schoof hij het boekje naar haar toe en stond op.

'Wacht even, nog één ding, wanneer heb je dit gevonden?'

'De dag nadat meneer Christie in het ziekenhuis werd opgenomen.'

'Dus iemand heeft dit boekje die avond daarvoor in de open haard gegooid?'

'Ik denk het. Als hij het zelf heeft gedaan, moet dat overdag geweest zijn.' Ze keken allebei naar het boekje. 'Er lag behoorlijk wat as in. Ik denk dat degene die dit heeft gedaan er een paar proppen papier in heeft gegooid en die heeft aangestoken. Ik heb het allemaal weggeschept. Het is niet de bedoeling dat die haard wordt gebruikt namelijk. Dat is ten strengste verboden. Er zit geen luchtkanaal.'

'Vandaar dat het vuur snel gedoofd is.'

'Precies.' Hij schoof zijn stoel naar achteren. 'Ik moet eerlijk zeggen dat ik opgelucht ben ervan af te zijn. Het klinkt misschien gek, maar ik voelde me er niet prettig bij. Nu heb jij het.'

'Ja, inderdaad, nu heb ik het.'

'Nou, dan ga ik maar es. Ik ben blij dat we iets hebben kunnen regelen. Veel plezier ermee. Het is interessant. Die man kon schrijven. Misschien moet je het uitgeven. Het leest als een thriller.' Hij trok zijn jas aan en bleef even naast haar stoel staan. 'Op de een of andere manier kreeg ik het gevoel dat hij het voor jou had geschreven.' Met een knikje liep hij weg.

Kes staarde naar het boekje dat voor haar op tafel lag. Voor haar neus lag het dagboek van Donald Christie en het las als een thriller. Om de een of andere reden twijfelde ze eraan het te openen. Ze had er een slecht gevoel bij. Ze schoof het naar zich toe en sloeg het open. *Logbook Project Nieuw-Amsterdam 2010. If found, please return to Donald Christie.*

Zijn keurige handschrift maakte een onverwachte emotie bij haar los. Het kwam vanuit haar tenen en ze sloeg een hand over haar mond om een snik binnen te houden. Ze wist dat haar reactie niet alleen te maken had met Donald, maar ook met haar. Misschien had ze haar ego opzij moeten zetten en na haar grove nalatigheid haar ontslag in moeten dienen. Als ze niet alleen met zichzelf bezig zou zijn geweest, als ze zich echt verdiept had in wat Donald zo dwarszat, had ze misschien zijn leven kunnen redden. Ondertussen wist ze dat 'misschien-denken' net zo zinloos was als de 'stel-dat'-variant. Gelul achteraf.

Ze bladerde erdoorheen. Donalds handschrift was klein en priegelig, en een aantal pagina's waren door het vuur zodanig aangetast, dat ze onleesbaar waren, net als bij het Manhattan-archief. Donald had allerlei stukjes tekst, losse zinnen en gedachten, op losse blaadjes geschreven en in het boekje gestoken. Er zaten ook wat schetsen tussen. Ze pakte er een en keek glimlachend naar de kleine kaart die hij van Manhattan had getekend. Het deed wat kinderlijk aan. Hij had een paar stukken van het eiland begrensd en in verschillende kleuren potlood gearceerd. Ze vouwde het op, en stopte de tekening terug. Op het moment dat ze het boekje in haar tas wilde stoppen en vertrekken, ging haar telefoon.

'Met Kes van Buren.'

'Dag, met Nathalie Kremer.'

'Ja?'

'Van het CG New York? Wij hebben elkaar gesproken tijdens de boekpresentatie van Donald Christie?'

'Och ja, natuurlijk, sorry.'

'Kes, ik wil je graag zo snel mogelijk spreken.'

'O ja, je zou nog wat quotes leveren.'

'Ja, maar daar gaat het niet over. Of heb je die nog steeds nodig? Ik kan me na wat er gebeurd is voorstellen dat de strekking van je stuk nu iets anders zal zijn.'

'Ik kan het nog steeds niet geloven.'

'Nee. Dat snap ik.'

Kes fronste haar wenkbrauwen. De meeste mensen hadden op zijn minst nog het fatsoen om te doen alsof ze geschokt waren of onder de indruk, maar Nathalie probeerde het niet eens.

'Ik moet je spreken. Kunnen we elkaar vandaag ergens ontmoeten? Zit je in Amsterdam?'

'Waar gaat het over?'

'Dat zeg ik liever niet over de telefoon.'

Kes keek naar het notitieboekje dat voor haar op tafel lag. 'Heeft het veel haast? Ik heb het nogal druk zie je, en ik...'

'Ja, het heeft haast.'

Kes keek op haar horloge terwijl ze inschatte hoeveel tijd het haar zou kosten het notitieboekje door te nemen en zei: 'Oké, zullen we over twee uur afspreken?' Ze liet Nathalie weten waar ze moest zijn, in een café een paar deuren verderop waarvan Kes wist dat daar geen collega's kwamen.

'Goed, dan zie ik je zo.'

Met gefronste wenkbrauwen legde Kes de telefoon neer. Wat nu weer?

33

Anderhalf uur later sloeg Kes het boekje dicht. Die Evert-Jan had gelijk gehad. De informatie was het bedrag waar hij om had gevraagd meer dan waard. Ze voelde zich zelfs een beetje opgelaten dat ze het geld aan hem had overgemaakt vanaf een bankrekening waarop ze zo rood stond als de kont van een vruchtbaar bavianenvrouwtje. Dat geld zou hem nooit bereiken.

Christies logboek werd, naarmate de tijd vorderde, steeds persoonlijker. Waar de eerste pagina's over het archief gingen, begon hij op ongeveer de helft van zijn logboek te schrijven over zijn toenemende innerlijke onrust over hetgeen hij had gedaan, of, in zijn optiek, over wat hij had moeten doen om zijn project veilig te stellen. Ook schreef hij veel over Nederland en wat er volgens hem mis aan was.

Bij elke bladzijde die ze las, drong het dieper tot Kes door wat ze in handen had. Elsa had bij haar de twijfel al gezaaid, maar nu ze dit had gelezen was Kes er helemaal van overtuigd dat de dood van Donald geen ongeluk was. Iets in haar zei dat ze het nog even voor zichzelf moest houden. Zij had dit in handen gekregen en had daarmee ook het recht ermee te doen wat zij wilde. Natuurlijk zou ze de politie hiervan op de hoogte stellen, want dat er een motief was om Donald Christie van het leven te beroven, was overduidelijk. Maar niet voordat zij precies wist hoe het in elkaar zat. En zeker niet voordat ze er iets over gepubliceerd had.

Wat haar vooral intrigeerde was dat iemand zo ver ging om zijn werk te beschermen. Blijkbaar was het het hem allemaal meer dan waard geweest. Maar als Elsa gelijk had, en daar was ze ondertussen van overtuigd, had Donald het wel met zijn leven moeten bekopen. Voor hem was het te laat, en nu zij dit allemaal wist, lag de bal bij haar. De grootste uitdaging was erachter komen waar Donald het originele testament had gelaten. Want dat hij het in zijn bezit had, stond als een paal boven water. Ze pakte het boekje weer op en las voor de tweede keer de laatste bladzijden.

Na al deze jaren ken ik Stuyvesant als mijn broekzak. Wat hem verweten wordt, is zijn hardheid en onverdraagzaamheid. Zo was hij totaal geen voorstander van vrijheid van godsdienstuitoefening en stak dat niet onder stoelen of banken. Quakers, lutheranen. Hij zag ze liever gaan dan komen en liet dat ook merken. Dat gold ook voor joden.

Ik denk dat Stuyvesant wist dat hij met zijn beleid geen vrienden zou maken, maar dat was ook niet zijn intentie. Hij vond dat er iemand moest zijn die het leven op de kolonie in goede banen leidde, iemand die de touwtjes in handen had. Een leider. Dat is wat de kolonie nodig had. Dat was ook wat hem was opgedragen door zijn werkgever, het bestuur van de WIC.

In onze moderne opvatting was Stuyvesant onverdraagzaam. Maar hij had een reden om joden en quakers te weren en lutheranen te verbieden hun religie te prediken. Hij was bang dat die verschillende religieuze opvattingen verdeeldheid zouden veroorzaken en bovendien Gods toorn zouden opwekken. Stuyvesant was ervan overtuigd dat zijn methode werkte. De WIC wist wel beter. Die wist dat een tolerante houding jegens de diversiteit binnen de samenleving een randvoorwaarde is voor de vrije handel. En vrije handel tierde welig op Manhattan. Dat moest zo blijven.

Het bevreemdt mij dat de Hollanders hier niets van hebben opgestoken. De overeenkomst die ik ooit heb gezien tussen deze prachtige stad en mijn geliefde New York is aan het verdwijnen. Van tolerantie, vrijheid en handelsgeest is in dit land momenteel weinig tot niets terug te vinden. De bevolking is onzeker en gestrest. Ooit zal het weer goed komen, maar dat kan jaren duren.

Dagelijks kijk ik naar zijn beeltenis op de binnenplaats van mijn kantoor en elke keer weer gaat het mij aan het hart hoe hij afgebeeld is, alsof de maker de draak met hem heeft willen steken. Het raakt me diep. Wat dat betreft begrijpen de Nederlanders niet wat hij voor hen heeft betekend. Hoe hard hij heeft gevochten om Manhattan te behouden, net zo hard als ik probeer mijn archief te beschermen tegen de ondergang, wil behoeden dat het wegkwijnt en wordt gedumpt in de kelder van een of ander obscuur gebouw om daar vervolgens nooit meer uit tevoorschijn te komen. Daarom heb ik besloten Stuyvesant datgene terug te geven waar hij zo hard voor heeft gestreden.

Ik weet dat ik te ver ben gegaan, dat ik in mijn paniek alleen voor ogen heb gehad hoe ik aan geld kon komen om mijn werk voort te zetten. Ik heb daarbij iets essentieels over het hoofd gezien. Liefde. Liefde voor Manhattan. Er is maar één manier om het goed te maken en dat heb ik gedaan. Ik heb Stuyvesant zijn land teruggegeven, het land waar hij in mijn ogen de rechtmatige eigenaar van is.

Ze raakten haar, die woorden die Donald zo zorgvuldig had opgeschreven. Hij had gelijk. De Nederlanders waren inderdaad onzeker en gestrest. Zijn woorden zorgden er ook voor dat ze zich schuldig voelde. Ze kon kritiek leveren als de beste, maar wat deed ze nou feitelijk? Artikelen schrijven en complimenten in ontvangst nemen over haar inhoudelijk sterke stukken en haar kritische blik. En dan, hup, door naar het volgende onderwerp.

Het drong nu pas tot haar door dat ze haar gesprekken met Donald zou missen. Ze had genoten van zijn uitweidingen over de details die hij in de stukken tegenkwam en de manier waarop hij over zijn geliefde project sprak, alsof alles zich in het heden afspeelde, en niet al eeuwen geleden gebeurd was. Zijn filosofieën over hoe het verleden zich verhoudt tot het heden en andersom en zijn kijk op Nederland als buitenlander, over hoeveel Nederlanders, inclusief huisdieren, maximaal op een fiets passen en over al die andere typisch Nederlandse zaken waar Donald zich over bleef verbazen en waardoor hij zoveel van dit land hield. Of had gehouden.

Wat ze niet goed begreep was die ene alinea waarin hij zei dat hij het land aan Stuyvesant zou teruggeven. Hoe dan? Bedoelde Donald daarmee dat hij het originele testament aan de rechtmatige eigenaren zou retourneren? Dat zou dan de familie Van Hoorn moeten zijn. Nee, dat kon ze zich niet voorstellen. Uit Donalds logboek bleek overduidelijk dat hij een pesthekel had aan Olaf van

Hoorn, iemand die in zijn ogen alleen maar op geld uit was. Bovendien hadden de inspanningen van Olaf van Hoorn niets met de liefde voor het land te maken. Gezien de manier waarop Donald over Nederland sprak, wist ze ook zeker dat Donald hier niet mee bedoelde dat hij het testament aan de Nederlandse regering zou overhandigen. Donald moest geweten hebben dat zo'n actie alleen maar ellende zou veroorzaken. Zij zag het in elk geval al voor zich, het gedrang van een aantal machtswellustelingen die zich kapotvochten om een paar kilometer extreem waardevolle grond te bemachtigen. Of, erger nog, dat Amerika en Nederland in een conflict zouden raken waar de honden geen brood van lustten, net nu het erop begon te lijken dat de wereld zich opmaakte voor een nieuwe wereldorde: die van stabiliteit en eenheid. Of dit zou gebeuren was de vraag, maar het ging om de intentie en die was aanwezig. Nederland was wat dat betreft een uitzondering, met een premier aan het roer die er ideeën op na hield die volkomen achterhaald waren, die in een ander tijdperk thuishoorden. Voor de zoveelste keer liep Amerika voor en Nederland achter.

Nee, ze kon zich niet voorstellen dat Donald deze afwegingen niet had gemaakt. Dus moest het iets anders betekenen. Ze moest logisch nadenken. Hij had het testament aan Stuyvesant teruggegeven, schreef hij. En de enige Stuyvesant die zij ooit had gezien, stond op de binnenplaats van het West-Indisch Huis.

Ze las het nog een keer en zag toen dat Donald helemaal onder aan de bladzijde met potlood nog iets had geschreven. *Overdrachtsakte tussen indianen en Minuit – check vvb en vvw dossier.* Wat zou hij daarmee bedoelen?

'Kes?'

Ze schrok op en schoof het boekje in haar tas. 'Hé, Nathalie.'

'Hallo. Ik heb iemand meegenomen.'

Nathalie deed een stap opzij en Kes keek recht in de ogen van Werner Benjamin, de man die de premier op grote afstand hield van de media, die op geen enkele manier toestond dat een journalist wiens vragen niet gecheckt en gedubbelcheckt waren de premier benaderde en die bovendien zelf onbenaderbaar was.

'Wat doet hij hier?' vroeg ze Nathalie terwijl ze naar Werner wees.

Werner deed een stap naar voren en stak zijn hand uit. Kes nam hem weifelend aan. 'Kes, hallo, wij kennen elkaar.'

'Wij kennen elkaar zeker.' Ze keerde zich naar Nathalie. 'Wat heeft hij hiermee te maken? Je denkt toch niet dat ik...'

Nathalie stak haar hand op. 'Kes, luister eerst even naar wat we te zeggen hebben, goed? Kom, laten we daar gaan zitten.' Ze wees naar een tafeltje helemaal achter in het café.

'Goed,' zei Kes, toen ze zich hadden geïnstalleerd. 'Waarom wilde je mij spreken?'

'Het gaat over Donald Christie. Jij hebt hem een tijdje gevolgd, toch?'

'Dat klopt.'

'Heb jij iets vreemds aan hem gemerkt?'

'Buiten het feit dat hij chagrijnig was, met wallen onder zijn ogen rondliep, mij als een last beschouwde en nu dood is? Nee. Nathalie, waar gaat dit over? Wat wil je precies van me weten?'

'Zo, jij bent lekker direct.'

'Het spijt me maar ik heb geen tijd om indirect te zijn. Bovendien is dat veel te vermoeiend. Geef eens antwoord.'

'Eerlijk?'

'Zou fijn zijn.'

'Wij denken dat Donald ons heeft gechanteerd,' zei Werner.

Kes voelde haar hart tekeergaan en maande zichzelf tot rust. Ze vertrouwde Werner voor geen cent en moest zich van den domme houden. 'Gechanteerd? Hoe komen jullie daar nou bij? Met wat? En wie zijn "wij"? Doel je op de regering?'

Werner knikte. 'Indirect wel ja.'

Nathalie vertelde haar over het telefoontje, over de Schagenbrief en dat zij dachten dat het ergens anders over ging. 'Het vreemde is, dat we sinds het overlijden van Donald niets meer hebben gehoord. Het kan toeval zijn, maar wij denken dat het Donald is geweest.'

'Omdat hij geld nodig had?'

'Ja.'

Kes besloot het over een andere boeg te gooien. 'Weten jullie eigenlijk al iets over de stand van zaken rond Donalds overlijden? Is er al een autopsie verricht?'

Nathalie schudde haar hoofd. 'Niet dat ik weet. In elk geval kan het nog wel even duren voordat we daar iets over horen. Hoezo? Twijfel je er soms aan of het een ongeluk was?'

'Ja. En jullie ook, anders zouden jullie hier niet zijn. Zullen we hiermee ophouden, met het om de zaken heen draaien? Ik weet alles. Ik weet precies hoe het zit.'

'En dat is?'

'Dat hoef ik jullie niet uit te leggen. Jullie weten toch waar ik het over heb? Die afspraak die gemaakt is?'

'Afspraak?' vroeg Nathalie. Kes zag dat ze een blik met Werner uitwisselde.

'Jullie wisten ervan, jij in elk geval,' zei ze en ze wees naar Werner. 'Van Donald, zijn werk en het doel.'

Werner boog zich naar haar toe. 'Oké. Ik heb geen idee hoe jij aan die informatie komt, maar het klopt wat je zegt. Ik was ervan op de hoogte.'

'En de premier dus ook.'

Werner schudde zijn hoofd. 'Hij weet het pas sinds kort, en heeft geen idee hoe het echt zit.'

Kes keek Werner aan. 'Ik kan het even niet meer volgen. Aan welke kant sta jij eigenlijk?'

Werner vertelde haar over zijn gesprek met Ilse Lambach en over het dossier dat hij van haar had gekregen. 'Nu weet je dat ik er op een andere manier bij betrokken ben dan je denkt. Ik moet je bekennen dat ik die hele kwestie niet echt serieus nam.'

'Tot nu.'

'Inderdaad, tot nu.'

'Donald moest van jullie dat testament zoeken. Op jullie kosten. Tot jullie besloten dat het genoeg was geweest, dat het beter zou zijn als de huidige premier er niet van op de hoogte zou raken?'

'Er werd inderdaad besloten het project stop te zetten, tot nader order.'

'Totdat er een andere partij aan de macht zou komen, bedoel je. En met Donald hield niemand verder rekening? Die moest het maar uitzoeken verder?'

'Het klinkt hard, maar inderdaad. Het komt erg slecht uit dat het testament waar we al dertig jaar naar op zoek zijn nu tevoorschijn komt. Uitgerekend nu hij aan de macht is.'

'Alle andere premiers waren er wel van op de hoogte?'

'Ja, zij wel.'

'Hoe wisten zij het dan wel en deze niet?'

'Van de koningin.'

'Pardon?'

'Iedere premier wordt wekelijks door de koningin ontvangen. Een van de dossiers die worden besproken is datgene dat het testament behandelt en dat de AIVD Donald opdracht heeft gegeven op zoek te gaan naar dat testament. De premiers dienen dat, net als de rest van het gesprek trouwens, voor zich te houden. Het werkt, want er komt nooit iets over naar buiten.'

'Hm,' zei Kes.

'Wat zou jij in onze plaats doen?' vervolgde Werner. 'Zou jij die gek alles vertellen? Hem slimmer maken dan hij is? We kijken wel uit.'

Kes keek naar Werner. Hij leek oprecht. Maar hoe kon ze daar zeker van zijn?

'Ik kan erin komen dat je het project wilde stopzetten, maar waarom moest je Donald om het leven brengen?'

Werner schoot naar voren. 'Wat? Denk je dat ik... Je bent niet goed snik. Je weet net zo goed als ik dat Olaf van Hoorn hoogstwaarschijnlijk degene is die dat op zijn geweten heeft.'

'O ja? Ik heb hem ontmoet. Die man durft zijn vinger niet eens in zijn neus te steken omdat ie bang is voor wat ie tegenkomt. Bovendien, wat is zijn motief? Hij moest dat testament juist in handen zien te krijgen. Hij is wel de laatste die baat heeft bij de dood van Donald.' Ze bleef even stil en zei: 'Ik weet niet of jullie het doorhebben, maar Donald at van twee walletjes. Hij vroeg aan Olaf geld om het testament te vervalsen, en vervolgens zette hij jullie onder druk om met nog meer geld over de brug te komen.'

Nathalie keer Kes bevreemd aan. 'Wat zeg je nu: heeft Donald het testament vervalst? Hoe kom je daarbij?'

'Dat hou ik liever voor me tot ik meer weet.'

'Meer over wat?'

Ze keek naar Werner. 'Dat testament waar jullie al die jaren naar hebben gezocht, kon hem in feite gestolen worden. Maar hij begreep ook dat zodra hij liet weten dat hij het gevonden had, zijn project op losse schroeven zou komen te staan. Wat had hij er voor baat bij het testament aan jullie te leveren nu jullie besloten hadden de zoektocht stop te zetten? Toen hij het dus vond, met dank aan Olaf van Hoorn, besloot hij jullie er niet meer bij te betrekken en zijn geld op een andere manier te krijgen. Hij begreep donders

279

goed waarom jullie die beslissing namen, maar voor zijn project was het de genadeslag. Vroeger zou het geen punt zijn geweest, maar aangezien niet alleen de Nederlandse regering zich terugtrok, maar alle donateurs het bijltje erbij neergooiden, had hij het gevoel dat hij geen keus had. Maar hij moest en zou het geld voor zijn project ergens vandaan halen. Donald was woedend dat vanuit Nederland de stekker uit zijn project werd getrokken. Hij begreep het niet, want jullie hadden hem nog steeds nodig om die eerste pagina van het testament op te sporen. Maar met deze premier zagen jullie daar het nut niet meer van in. Liever niet zelfs. En toen kwam Olaf van Hoorn om de hoek kijken. Hij kwam erachter dat het testament bestond en vroeg Donald hem te helpen het origineel te vinden. Het origineel waarvan jullie de tweede pagina allang hadden. In de tussentijd nam die Anna Green namens Olaf contact op met het Nationaal Archief. Door zijn vraag zijn ze in het dossier van de familie Bayard gaan spitten. Nu wil het geval dat, zodra er in Nederland of waar dan ook ter wereld iets wordt gevonden wat met die periode en met Manhattan te maken heeft, Donald hier als eerste van op de hoogte wordt gesteld. Dus opeens had Donald een volledig testament in handen. Toen begon alle ellende pas goed.' Ze vertelde waar Donald mee bezig was geweest en dat hij Olaf onder druk had gezet.

'Dus Donald chanteerde Olaf?' vroeg Nathalie.

'Ze chanteerden in feite elkaar. Zolang Olaf met het geld over de brug kwam, zou Olaf zijn mond houden over wat Donald had gedaan. Donald zou op zijn beurt niets zeggen over de tweede pagina van het testament en dat het vervalst was.'

'Ik snap nog steeds niet waarom die pagina vervalst moest worden. Ze hadden het origineel nu toch?'

'Ja, alleen hetgeen er op die tweede pagina stond, kwam Olaf niet zo goed uit. Donald paste die tekst voor Olaf aan. In de versie die Donald heeft gemaakt, staat dat de grond, na het overlijden van Judith Bayard, aan Johannes van Hoorn toekomt.'

'Dat klopt dan toch?'

'Nee, want het origineel heeft een extra zinsnede. Daarin schrijft Judith Bayard dat de grond na de dood van Johannes van Hoorn aan de Nederlandse staat moet worden overgedragen.'

'Dus die grond is wel van ons,' zei Werner zacht. 'Andries Klaassen kennende heeft hij Olaf van Hoorn al benaderd en hem het testament afhandig gemaakt. Als het een vervalsing is...'

'Dat is het, daar ben ik honderd procent zeker van.'

'Dan heeft de premier nu een testament in zijn bezit dat niets waard is,' glimlachte Werner. 'Maar de vraag is: waar is het origineel? Als we dat hebben, kunnen wij de premier ermee om de oren slaan zodra hij met die vervalsing actie gaat ondernemen.'

Kes keek naar Werner en Nathalie. 'Ik kan daar wel achter komen. Maar waar ik nou benieuwd naar ben: wat zijn jullie ermee van plan?'

34

De poort van het West-Indisch Huis stond open. Terwijl Kes naar het beeld liep, keek ze vanuit haar ooghoeken naar de open deur naast de trap die naar de ingang van het gebouw leidde. In de deuropening stonden een paar loopkarren met linnengoed. Vanuit het gebouw kwamen kletterende geluiden van serviesgoed en flessen die in kratten werden gezet.

Ze posteerde zich achter de sokkel, leunde over de rand van de fontein en duwde tegen het beeld. Er was geen beweging in te krijgen. Kes stapte op de rand, haalde diep adem en duwde er met alle kracht die ze in zich had tegenaan. Het stond zo stevig als een huis. Dat is het niet, dacht ze. Wat een belachelijk idee ook, om te denken dat het in het standbeeld verstopt zou zitten. Ik lijk wel gek.

Ze keek omhoog, naar Stuyvesant met zijn arrogante afgewende blik. Zou het daar liggen, in de Compagniezaal waar Stuyvesant zo kwaad naar keek? Dat zou helemaal symbolisch zijn. Maar hoe kon ze daar ongemerkt binnenkomen en rond gaan neuzen? Nee, het kon niet anders. Dit beeld moest het zijn, het was de enige logische plek en bovendien de enige die zij kon bedenken. Want wat zou Donald er anders mee bedoeld hebben? Daar kwam nog bij dat hij hier vaak tot diep in de nacht zat te werken. Hij had dus meer dan voldoende tijd gehad het document hier te verstoppen, ook buiten. Als ze hier niets kon vinden, dan moest ze proberen naar binnen te sluipen. '*First things first*,' mompelde ze.

Ze trok haar laarzen uit, stroopte haar spijkerbroek op en stapte over de rand van het bassin. Het water kwam tot aan haar kuiten. In de achtkantige stenen sokkel waar Peter Stuyvesant op stond, was op elke kant een waterkraan bevestigd. Ze reikte naar voren en probeerde er een open te draaien. Muurvast. Langzaam waadde ze door het water terwijl ze aan elke kraan die ze passeerde een ferme ruk gaf en haar oog af en toe op de personeelsingang liet vallen. De eerste vier zaten stevig in de sokkel verankerd, maar bij de vijfde kraan voelde ze wat speling. Ze boog zich voorover en gleed met haar vinger langs de rand van de metalen muurplaat die de kraan op zijn plek hield. Toen ze haar vinger terugtrok, zag ze tot haar verbazing dat die grijs was. En vochtig.

Ze keek om zich heen en blikte naar de personeelsingang. Niemand te zien. Met twee handen pakte ze de kraan vast en draaide en trok. Tergend langzaam kwam de kraan uit de sokkel en met een laatste ruk trok ze hem eruit. Ze liet hem in het water vallen, stak haar vinger in de kleine opening en pulkte de muurplaat los. Toen bukte ze zich, kneep een oog dicht en keek naar binnen. De waterleiding zat er nog, maar als Donald het stuk had opgerold, had hij het er gewoon overheen kunnen schuiven. Ze drukte haar vingers bij elkaar en stak haar hand erin. Ze strekte haar vingertoppen tot het uiterste. Voelde ze nu iets haar vingertoppen raken, of verbeeldde ze zich dat? Ze trok haar arm terug en kneedde haar verkrampte vingers tot ze stemmen hoorde. In de opening van de poort stond een groep toeristen haar met open mond aan te staren. Een van hen nam een foto. Ze stapte uit het bassin en liep met grote passen naar de poort. 'Sorry, *closed, geschlossen, fermé,*' zei ze en duwde de deur dicht. Snel liep ze terug, stapte de bak weer in en strekte haar vingers in het gat, net zover tot de pijp van de waterleiding pijnlijk in haar handpalm drukte. Ja, nu wist ze het zeker. Ze klemde het stukje plastic tussen haar vingertoppen en trok haar hand langzaam terug.

Het zat in donkergrijs plastic verpakt en was tot een koker gemaakt, omwikkeld met tape. 'Hebbes,' fluisterde ze.

'Mevrouw? Mag ik vragen wat u daar aan het doen bent?'

Kes boog zich opzij en keek langs de sokkel naar de man die in de deuropening van het West-Indisch Huis stond en haar met zijn handen in zijn zij stond te bekijken. Ze legde de koker uit het zicht op de rand van de bak. Toen zwaaide ze naar hem en riep: 'Mijn ring. Ik had mijn ring in het water laten vallen.'

Toen de man aanstalten maakte haar kant op te komen, riep ze hem toe dat ze hem al gevonden had. De man stopte. 'Hulp nodig?'

Terwijl Kes de bak uitstapte, riep ze: 'Nee hoor, dank u wel.' Ze stak haar hand omhoog en wees naar de ring om haar vinger. De man stak zijn hand op en verdween naar binnen. Zo snel als ze kon viste ze de kraan uit het water en duwde die terug op zijn plek.

☆☆☆

'Heb je het?'

Andries gaf de premier het plastic mapje waar het testament in zat aan en kuchte. 'Het is zeer kwetsbaar.'

'Dat hoef je mij niet te vertellen, ik doe heus wel voorzichtig.' Met twee handen pakte de premier het mapje aan. 'Klopt het, jouw informatie?'

'Als een bus. Op die bovenste A4'tjes kunt u lezen wat er in het testament staat.'

De premier las het door en keek op. Zijn ogen schitterden. 'Andries, dit is een droom. Iedere Nederlander die ooit in Manhattan is geweest, of die er weet van heeft dat het ooit van ons is geweest, heeft zich weleens afgevraagd hoe het zou zijn gegaan als wij dat niet aan de Engelsen hadden verloren, als we het niet hadden geruild tegen Suriname. Dat gaan we nu laten zien. Ha! Ik vind het wat, ik vind het wat.' Hij sloeg met zijn hand op het bureau. 'Oké, hoe nu verder? Ik neem aan dat je daarover hebt nagedacht?'

'Nou, dat is afhankelijk van wat u voor ogen hebt.'

'Dat weet je toch? Ik wil die stomme fout herstellen, die stomme idiote fout van die Stuyvesant om Manhattan uit handen te geven. Andries, ik wil het terug.'

'Het gaat maar om een relatief klein deel van Manhattan, niet het hele eiland. Dat u zich daar wel bewust van bent.'

'Tuurlijk, een stukje is al genoeg. Een Nederlandse provincie in Manhattan. Ik heb zelfs al bedacht hoe we het gaan noemen. Raad eens.'

'Eh...'

'Geen greintje fantasie. Nieuw-Nederland. Zo gaat dat stuk heten. Andries, laat een afspraak met de president maken. Zeg dat ik hem met spoed moet spreken.'

'De president?'

'Ja, van Amerika natuurlijk, welke dacht jij dan?'

Andries voelde een golf van warmte door zijn lichaam gaan en trok aan de boord van zijn overhemd. 'Maar... nou, het kan nog wel even duren voordat hij tijd heeft.'

'Zeg dat ik maar een kwartier nodig heb. Als ik daar eenmaal zit, en hij hoort wat ik te zeggen heb, maakt hij wel meer tijd voor me vrij, denk je niet?'

35

Verbaasd keek Elsa haar vanuit de deuropening aan.

'Ben je daar nu weer?'

'Ja,' zei Kes. 'Komt het ongelegen?'

'Nogal, ja.'

'Mag ik binnenkomen? Ik moet je iets vragen. Het is belangrijk.'

Elsa trok haar schouders op en slaakte een diepe zucht. Voor Kes uit liep ze de trap op. Bij elke beweging die Elsa maakte, kraakten de treden angstvallig en rook Kes een lichte zweetlucht.

'Ga zitten. Wil je thee?'

'Nee, dank je. Elsa, ik heb iets gevonden waar ik jouw hulp bij nodig heb.'

Met een kleine glimlach zei Elsa: 'Je weet toch zo langzamerhand dat transcriberen het enige is wat ik kan?'

'Donald hield een soort dagboek bij. Iemand heeft het gevonden en aan mij gegeven.'

Elsa keek haar gespannen aan. 'Dagboek?'

'Ja, ik heb het gelezen.' Kes pakte het boekje uit haar tas en hield het omhoog. 'Ben jij trouwens degene geweest die dit in de haard heeft gelegd?'

Elsa antwoordde niet en stak haar hand uit.

'Nee, ik hou het liever bij me als je het niet erg vindt. Op een van de pagina's had Donald met potlood een aantekening gemaakt die mij nogal fascineert. Ik begrijp niet goed wat Donald ermee bedoelt.' Kes opende het boekje en haalde er een post-it uit. 'Ik heb het overgeschreven. Er staat: "Overdrachtsakte tussen indianen en Minuit – check vvb en vvw dossier". Heb je enig idee wat dat betekent?'

Kes gaf Elsa de post-it aan en keek naar Elsa die fronsend naar de tekst staarde. Na een paar seconden zei Elsa: 'Peter Minuit is degene geweest die in 1626 Manhattan van de indianen heeft gekocht.

Hij was een Waal, trad in dienst van de West-Indische Compagnie en werd in Nieuw-Nederland als directeur aangesteld.'

'Dus wat er in de Schagenbrief staat, is het werk van die Minuit?'

'Precies.'

'En wat bedoelde hij met die letters, denk je, vvb en vvw?' vroeg Kes.

'Daarmee refereert Donald aan twee vredesbesprekingen waarin Nieuw-Amsterdam ter sprake kwam. Dat waren de Vrede van Breda en de Vrede van Westminster. Die besprekingen maakten een einde aan de Tweede en de Derde Engelse oorlog.'

'Waarom waren daar twee besprekingen voor nodig?'

'Omdat wij Manhattan in 1673 hebben heroverd op de Engelsen.'

'Hè?'

'Ja. Het Verdrag van Breda is in 1667 opgesteld. Daarin werd vastgelegd dat de Engelsen en de Nederlanders die gebieden mochten behouden die zij tot dat jaar op de tegenstander hadden veroverd. Hierdoor bleef Nieuw-Amsterdam, dat in 1664 door de Engelsen was ingenomen, in Engelse handen. Wij mochten op onze beurt het Engelse fort en de handelsnederzettingen langs de Surinamerivier houden die wij veroverd hadden. Dat was de deal. Maar negen jaar later, in 1673, hebben wij Manhattan weer van de Engelsen teruggepakt.

'Dus toen was het weer van ons?'

'Ja, maar dat was van korte duur. Een jaar later deden we er weer afstand van. Dat is tijdens het tweede verdrag, die de Vrede van Westminster wordt genoemd, vastgelegd.'

'Vvw.'

'Ja. Dan pas doen wij voor het eerst echt formeel afstand van Manhattan.' Elsa keek naar de post-it. 'Dit heeft te maken met de overdrachtsakte tussen de indianen en Minuit.'

'Ga je me nu vertellen dat het ooit officieel op papier is gezet dat de indianen Manhattan aan ons hebben overgedragen? Dat daar een akte van bestaat?'

'Die door beide partijen ondertekend is. Ja. Die moet er ooit geweest zijn. Er bestaat een verslag waarin naar de zogenoemde Akte van Manhattan wordt verwezen. Hoogstwaarschijnlijk is die rond 1626 in Nederland terechtgekomen en hier aan de wic-archieven toegevoegd. Maar we hebben hem nooit kunnen vinden. Iedereen ging ervan uit dat die stukken samen met veel andere documenten tweehonderd jaar later tijdens een opruimactie zijn verdwenen. Wij ook.'

'Je bedoelt, toen veel van die documenten als oud papier zijn verkocht?' Elsa knikte en bleef peinzend naar het papiertje staren. Toen zei ze: 'Donald heeft het gevonden. Hij is in de archieven van de Vrede van Breda en de Vrede van Westminster gedoken. De overdrachtsakte zat in een van die dossiers.'

'Ga je nu vertellen dat wij in het bezit zijn van de officiële eigendomsakte van Manhattan?'

'Precies. Ik heb alleen geen idee waar die is.'

'Zou dit het misschien zijn?'

Met open mond staarde Elsa naar de koker die Kes in haar hand hield. 'Wat? Waar heb je dat vandaan?'

'Donald had dit verstopt,' zei ze en ze vertelde Elsa waar ze het had gevonden.

'In de sokkel? Hoe wist je dat je daar moest zoeken? Stond dat in zijn logboek?'

Toen Kes knikte, zei Elsa: 'Wat vreemd. Ik heb het een paar keer gelezen en ik...'

'Het stond er wel in, weliswaar wat cryptisch omschreven, maar het stond er. Aan jou de eer het open te maken.'

Kes stak de koker uit. Met een peinzende uitdrukking op haar gezicht pakte Elsa hem aan en liep ermee naar het bureau. Ze schoof alles opzij, pakte een schaar en knipte het tape voorzichtig door. Langzaam rolde ze het plastic eraf. Daaronder zat nog een laag. Met uiterste precisie rolde ze het naar beneden.

'Hij had dit natuurlijk nooit mogen oprollen,' zei Elsa zacht. Ze haalde een loep uit de bureaula en rolde het document voorzichtig uit. Langzaam schudde ze haar hoofd. 'Is dit wat ik denk dat het is? Zou hij het gevonden hebben?' Met de loep voor haar ogen zette ze haar vinger op het papier en volgde wat regels. Toen ze opkeek zag Kes dat Elsa glimlachte en dat er tranen in haar ogen stonden.

'Dit is ongelofelijk. Kes, dit is fantastisch.' Glimlachend schudde ze haar hoofd en keek naar Kes. 'Dit is de overdrachtsakte die ooit door de indianen is ondertekend, de officiële overdrachtsakte van Manhattan.' Haar ogen begonnen te glimmen. 'Hij heeft het me nooit laten zien, wilde me niet vertellen waar hij het had verstopt.

Hij vond het veiliger als ik dat niet wist. Ongelofelijk, dat ik het heb, het bewijs dat Manhattan daadwerkelijk aan ons is overgedragen, dat het eiland van ons is.'

'Was bedoel je waarschijnlijk, van ons wás.'

'Nee, is.'

Kes staarde haar ongelovig aan. 'Meen je dat nou?'

Elsa staarde naar de grond. Toen ze opkeek had ze een glimlach om haar mond. 'Volgens mij kan ik het allemaal goedmaken.'

Wat bedoel je?'

'Alles wat er gebeurd is. Wat Donald heeft gedaan, wat ik heb gedaan.'

'Wat jij hebt gedaan?'

'Ja, Donald vroeg mij naar Nathalie Kremer te bellen om haar te zeggen dat wij die akte hadden. Hij wilde er geld voor vragen om zijn project voort te zetten.'

'Dus dat was jij?'

'Ja, weet je daarvan?'

Kes vertelde haar over het gesprek dat ze met Nathalie en Werner had gehad. Toen ze klaar was zei Elsa: 'Ik hoor het al, jullie weten veel. Alleen niet waar het originele testament is gebleven. Ik weet dat wel. En ik denk dat ik ook weet hoe we dit aan moeten pakken.' Ze stond op en pakte haar jas die over een stoel lag. 'Kom op, Kes, we hebben geen tijd te verliezen. Ik hoop dat we nog op tijd zijn.'

'Voor wat?'

'Voordat die klootzak John Henley het land uit is.'

36

John Henley keek op toen de stewardess zich over hem heen boog.

'Uw drankje,' zei ze en gaf hem een glas whisky aan.

Hij nam een slok, sloot zijn ogen en concentreerde zich op de warmte die zich door zijn lichaam verspreidde. Eindelijk was het zover, eindelijk had hij datgene in handen waar ze al jaren naar op zoek waren.

Zijn vingers gleden over het attachékoffertje dat op zijn schoot lag. Vanaf het moment dat hij het document had gepakt, had hij het geen seconde uit het oog verloren. Toen hij Elsa in het ziekenhuis had bezocht en haar had laten weten dat als ze hem het testament niet zou geven, hij Donald om het leven zou brengen, had ze hem zonder veel tegensputteren de sleutel van Donalds appartement gegeven en hem verteld waar hij het kon vinden. Dat verbaasde hem niets. Het had haar allemaal niets meer kunnen schelen. Het lag inderdaad precies waar ze zei dat het lag, in de onderste la van Donalds bureau.

Hij glimlachte toen hij terugdacht aan het gesprek dat hij daarna met Stedman Cruiser had gehad. Eindelijk was hij verlost van de man die hem jaren geleden, toen hij nog voor de gemeente New York werkte, een zak vol met geld had toegestopt om de bouwvergunning te regelen van een van zijn projecten. Het had altijd als een molensteen om zijn nek gehangen, en nu had hij zijn schuld afbetaald. Het was zo simpel geweest, zo soepel verlopen allemaal.

Hij legde het koffertje op de stoel naast hem en leunde achterover. Op het moment dat hij zijn ogen wilde sluiten, voelde hij een tikje op zijn schouder.

'Meneer Henley. Wat een toeval.'

Verbaasd draaide hij zich om, recht in het gezicht van Nathalie.

'Ach, mevrouw Kremer. Zeg dat wel.'

'Hoe is het met u?'

'Eh, goed hoor.'

'Zal ik even naast u komen zitten?'

Henley keek naar het koffertje, en weer terug naar Nathalie. 'Eh, ja, natuurlijk.'

Het ging niet van harte, en Nathalie wist precies waarom.

☆☆☆

Stedman Cruiser zat aan het hoofd van zijn vergadertafel en keek naar de maquette die een paar meter van hem vandaan gecentreerd op de tafel stond. Een streep zonlicht spleet de kamer in tweeën en eindigde in een punt die nog net de toppen van de torens raakte. Zijn torens.

Het zurige glimlachje om zijn mond werd veroorzaakt door een gedachte die hem maar niet losliet. Het bleef maar door zijn hoofd spoken in wat voor een buitengewoon ironische situatie hij zich bevond. Dat juist dit project zijn ondergang kon betekenen, juist dit, waar hij met een totaal andere intentie in was gestapt dan in alle andere.

Financieel zat hij bijna aan de grond. Op papier leek hij een vermogend man, maar dat geld zat allemaal vast in zijn panden. Zijn liquiditeit was tot het nulpunt gedaald. Om op korte termijn iemand te vinden die een van zijn panden zou willen afnemen, was in deze tijd een onmogelijke opgave. Het reservepotje met geld was op, en op de reservebank met bekenden en kennissen die altijd wel een pand van hem af wilden nemen voor een financiële ondersteuning van zijn projecten, zat niemand meer. Het geld was op. Hij ook.

Nooit had hij ook maar een seconde gedacht dat hem dit zou overkomen. Toch was het onwaarschijnlijke gebeurd. Hij was het kwijt. Niet alleen zijn geld, maar ook zijn energie, en zijn intuïtie, zijn fingerspitzengefühl. Er zat een leegte in hem die op de een of andere manier stiekem naar binnen was geslopen, als het zwarte gat in het heelal dat alles opslurpt wat er op zijn pad komt en niet afgesloten kan worden. Wat hem nog het meest verbaasde, was dat hij er niet uitkwam, dat hij voor het eerst van zijn leven geen oplossing had. Het probleem zat vast in zijn hoofd, als een vos in een klem met als enige uitweg het afknagen van zijn eigen poot. Maar hij was niet van plan om voortaan verminkt door het leven te gaan.

Hij keek naar de stofdeeltjes die sierlijk om zijn torens dansten en vroeg zich af of hij te ver was gegaan in het doordrukken van zijn zin, in het koste wat kost willen realiseren van zijn project. Het was van hem, van hem en van niemand anders en zo zou het ook blijven. Misschien was dat de oorzaak van zijn mislukking. Misschien had hij zich deze symbolen nooit mogen toe-eigenen, deze gebouwen waarvan de funderingen rustten op grond waar meer dan drieduizend lijken hadden gelegen, mensen die met het puin naar beneden waren gestort, die als levende fakkels uit het raam waren gesprongen, hun tweede ondergang tegemoet nadat ze hun eerste ondergang, het vuur, recht in de ogen hadden gekeken. Alsof ze daarmee wilden laten zien dat ze een mens waren, met een eigen keus en een vrije wil, terwijl het een dierlijk instinct was om je van het vuur te keren en elke andere uitweg te kiezen die mogelijk was. De lucht in dit geval. Maar hun vlucht werd hun even fataal als die van American Airlines Flight 11 en 77 en United Airlines Flight 93 en 175.

Het bevreemdde Stedman, deze gedachtestroom. Hij herkende zichzelf er niet in. Het voelde alsof iemand anders zich in zijn hersenen had genesteld. Hij bedacht dat zijn eigen gedachten misschien ook in dat zwarte gat waren weggezogen, door het grote niets waren opgeslokt en dat hij er op de een of andere manier deze vreemde gedachten voor in de plaats had gekregen. Misschien had hij er nooit aan moeten beginnen.

Eigenlijk waren de problemen al veel eerder begonnen dan in de periode dat hij zich met de bouw bezig had gehouden. Het gesteggel over de grond waarop hij zijn torens aan het bouwen was, had een waarschuwing moeten zijn. Na 9/11 werd hij door de grondeigenaar, de New York Port Authority, benaderd. Zij wilden de rechten om op de grond van het WTC te bouwen van hem terugkopen. Stedman had stelselmatig geweigerd hen tegemoet te komen, en dat was hem duur komen te staan. Ze waren er als de kippen bij om hem van hebzucht te betichten. Hoe durfde hij? En dat over de ruggen van alle slachtoffers. Hij was de onderhandelingen wel ingegaan, maar had vanaf het begin al besloten zijn poot stijf te houden. Uiteindelijk kreeg hij zijn zin. Maar de prijs die hij ervoor betaalde was hoog, onmenselijk hoog. Hij had zijn ziel aan de duivel verkocht, had zich verlaagd tot het laagste van het laagste, tot een niveau waarvan hij had gedacht dat hij er nooit toe zou afdalen.

Hij leunde met zijn ellebogen op tafel en legde zijn handen over zijn gezicht. Op de achtergrond hoorde hij zijn medewerkers door de gang lopen. Een deur sloeg dicht, een karretje rolde voorbij. Morgen moest hij ze vertellen dat het allemaal over was, over en uit, dat Cruiser Real Estate ophield te bestaan. Hij bedacht zich dat hij die fase kon overslaan, dat hij ze in het ongewisse kon laten. Gewoon, zijn geld van de bank halen en met de noorderzon vertrekken. Dat zou geen waardig afscheid zijn, maar het laatste restje waardigheid dat hij had was toch al verdwenen. Het liep uit de hand, alles liep uit de hand. En als hij ging, zou hij die verdomde John Henley met zich meesleuren.

37

Het zachte geklik van toetsen die ingedrukt werden, vulde de Oval Office. Met een verrukte uitdrukking op zijn gezicht keek de premier naar Werner. Die knikte terug en keek toen naar beneden. Met zijn schoen gleed hij over het graankleurige tapijt. Hij wist dat het een van de eerste taken van een nieuwe president was een nieuw kleed te kiezen voor de bekendste werkkamer ter wereld. Ook in dit kleed was het Amerikaanse wapen op een prominente plek verwerkt. Maar door de zachtere kleurstelling was het minder dominant aanwezig dan op de tapijten van zijn voorgangers. Ook had de president in de rand van het kleed citaten laten opnemen van vijf van zijn grote voorbeelden. Werner draaide zich om in de bank en keek naar de rand van het stuk tapijt achter zich. ‘The Only Thing We Have to Fear Is Fear Itself’ – President Franklin D. Roosevelt. De andere citaten waren van Martin Luther King, Abraham Lincoln, John F. Kennedy en Theodore Roosevelt. Werner vond het een mooie geste. Hij kon zich voorstellen hoe de president hier piekerend rondliep, en dat die citaten hem steunden in het nemen van beslissingen.

Werner ging weer recht zitten, keek naar de premier en bedacht zich dat het verschil in het intellectuele gehalte tussen de twee mannen even groot was als de omvang van de landen die zij leidden.

De president stond op. ‘Zo, excuses.’ Hij ging op de bank tegenover hem zitten, leunde met zijn ellebogen op zijn bovenbenen en vouwde zijn handen. ‘Zegt u het eens.’

‘Meneer de president,’ begon de premier. ‘Ik hoop van harte dat wij er samen uit zullen komen. Ik ga ervan uit dat u inmiddels hebt begrepen waar het om gaat?’

De president zei niets. Toen stroopte hij langzaam zijn hemdsmouwen op en keek de premier aan. Schuin achter de president hing een portret van Franklin D. Roosevelt. Het was net alsof twee paar ogen de premier aankeken, dacht Werner. De blik in de ogen van beide mannen was zacht maar indringend. De premier voelde het blijkbaar aan, want Werner zag hem even slikken.

'Dat heb ik zeker begrepen,' zei de president. 'Ik heb niet veel tijd, dus ik hou het kort.'

'Natuurlijk, prima, we kunnen er altijd later nog op terug...'

De president stak zijn hand op. 'Daar vergist u zich in. We komen er niet meer op terug. Nooit meer. Dit is de allerlaatste ontmoeting die wij ooit zullen hebben.'

'Maar wat... Wacht eens even...' Werner voelde de ogen van de premier op hem rusten, maar hij bleef stug voor zich uit kijken, recht in ogen van de man die tegenover hem zat.

'Nee, ú moet even wachten en luisteren naar wat ik u te zeggen heb. Met veel aandacht heb ik uw stappen gevolgd, de beslissingen die u hebt genomen. Ik begrijp ze wel als ik ze in de context plaats van onze huidige tijd. U bent niet de enige die gek geworden is na 9/11. Kijk maar om u heen. Mensen die uit naam van de vrijheid onschuldigen vermoorden, die de Bijbel of de Koran verbranden, die elkaar beschimpen en bespotten. Mensen die zich gesterkt voelen of juist verzwakt door de discussie van de afgelopen tijd over onze vrijheid van meningsuiting, van religie, van zijn. Beide groepen zijn naar mijn mening even gevaarlijk.'

'*The Only Thing We Have to Fear Is Fear Itself*', mompelde Werner.

De president knikte hem toe en de premier keek Werner aan alsof hij het in Keulen hoorde donderen.

'Dat is precies wat ik bedoel,' zei de president. 'De aanslag op de Twin Towers. Weet u wat het ons gebracht heeft? Monsters. Het heeft monsters geschapen. We zijn niet in oorlog met terroristen of met moslims of met christenen of met blanken of met zwarten. Wij zijn in oorlog met onszelf, met onze humaniteit, met onze beschaafdheid en tolerantie. Met ons begrip, onze eigenwaarde. En nu, in deze tijd, komt u bij mij aan met een document waarin staat dat een deel van Manhattan aan uw land toebehoort? En u stelt eisen? U eist macht? U eist een plek in de G20? U eist een monopoliepositie binnen bepaalde bedrijfstakken? En zo niet, dan eist u een stuk land terug en dat baseert u op een testament dat nota bene vervalst is?'

De premier werd rood. 'Wat zegt u? Vervalst? Dat kan niet, dat is onmogelijk. Het is gecontroleerd door een expert op dit gebied.'

'Dat hebt u fout,' zei Werner. 'Het is gefabriceerd door een expert op dit gebied.'

De premier werd nog roder. 'Werner? Zeg hem hoe het zit.'

'Het klopt. Het is een vervalsing.'

Met open mond keek de premier Werner aan. 'Heb jij… Wist jij daarvan? Heb jij mij bewust mezelf hier voor schut laten zetten?'

'Ja. Bovendien, ook al was het testament niet vervalst, dan nog had u geen schijn van kans. Als u Amerikaan was geweest, dan was het wellicht een andere kwestie, maar een deel van Manhattan kan nooit door een wilsbeschikking Nederlands grondgebied worden.'

De premier stond op en stak zijn vinger uit naar Werner. 'Als ik één woord hiervan in de pers terugzie, dan zet ik het je betaald, daar kun je van op aan.' Hij keerde zich naar de president en zei: 'En u, u kunt door de stront zakken.'

De president schraapte zijn keel. 'Ik hoop dat u begrijpt dat u met deze actie onze onderlinge betrekkingen op het spel heeft gezet. Gaat u nog even zitten? Ik ben nog niet klaar.'

Als een kind liet de premier zich op de bank zakken.

'Ik wil u even een kort verhaal vertellen om duidelijk te maken wat ik daar precies mee bedoel. In 1662 werd uw Peter Stuyvesant door de WIC op het matje geroepen. Stuyvesant had John Browne, een quaker, op de boot naar Amsterdam laten zetten omdat deze man quakerbijeenkomsten organiseerde. Stuyvesant wilde dat niet hebben, maar hij werd door de WIC hierover benaderd. Natuurlijk was de religie van de quakers een verachtelijke religie, lieten ze hem weten. Maar het ging ergens anders om. Een procedure tegen de quakers aanspannen, was het laatste wat ze wilden. Het zou de kolonie niet ten goede komen. Mensen zouden uit Nieuw-Nederland vertrekken en de immigratiestroom zou verminderen. Sluit je ogen ervoor, zeiden ze tegen Stuyvesant, en laat iedereen zijn eigen geloof hebben, zolang ze zich gedragen en zich niet tegen ons richten.'

'Wat wilt u hier precies mee zeggen?'

'Dat het de WIC niet ging om de acceptatie van andersdenkenden uit humanistische of ethische overwegingen. Intolerantie was slecht voor de handel. Dat is precies wat u uit het zicht verloren heeft, en daar staat u niet alleen in. Wat u in uw fixatie om emigranten uit uw land te weren bent vergeten, is dat de kracht van uw land mede te danken was aan de heterogene samenstelling van uw maatschappij. Dan bedoel ik kracht in de breedste zin van het woord. Net als dat hier het geval is.' De president stond op. 'Daarom denk ik dat het goed is dat de Nederlanders precies weten welk gesprek zich hier heeft afgespeeld. Hopelijk maken ze zo'n vergissing niet een tweede keer.'

'U noemt mij een vergissing? Mij?'

'Ik ben niet perfect, maar ik probeer voor mijn land, voor mijn mensen, te doen wat het beste voor ze is.'

'Ik ook,' schreeuwde de premier.

'O ja?' zei de president. 'Waaraan denkt u dat wij de laatste anderhalf jaar die gigantische toestroom van Nederlanders te danken hebben? Al die andersdenkende Nederlanders, onder wie veel kunstenaars, schrijvers, journalisten, wetenschappers en hoogleraren. Al die mensen van het vrije woord zijn hier van harte welkom. Is het niet ironisch, dat velen van hen zich in New York vestigen? In Manhattan, wederom een toevluchtsoord voor mensen op zoek naar de vrijheid zich te kunnen uiten, op wat voor manier dan ook.'

'U mag ze houden.'

De president keek de premier na terwijl hij de kamer uit beende en zei: 'Wij houden ze heel graag.'

In zijn hotelkamer greep Werner naar de telefoon op het nachtkastje.

'Ha, met mij. Ja, het is gelukt. Ben je er klaar voor?'

Epiloog

Ik ben een opportunist. Zo, dat is eruit. Je hoeft me niet eens echt goed te kennen om dat te kunnen constateren. Het schijnt van me af te stralen. Daarom was ik blij met de huizenhoge publiciteitsgolf die ontstond nadat mijn verhaal in de krant was verschenen. Elk praatprogramma, elke krant, elk tijdschrift wilde mij 'hebben'. Ik heb me niet ingehouden en ben op elk verzoek ingegaan. Wat ik daarmee hoopte te bereiken, was dat het tot elke Nederlander zou doordringen wat er met ons land aan de hand is, in welke situatie we ons bevinden en hoe nijpend die is. Dat ze wakker zouden worden, het tot ze door zou dringen welke leider ze hadden gekozen om voor hen te zorgen, hen te vertegenwoordigen en te beschermen. Dat ze begrijpen wat de reden is waarom we er economisch zo zwak voor staan en overal uitgekotst worden. En dat dit moet veranderen. In hoeverre het geholpen heeft, zullen de volgende verkiezingen uitwijzen. Wat ik er ook mee hoopte te bereiken (zie opportunist) was dat ik de prijs van de onderzoekjournalistiek zou winnen. Dat is me gelukt.

Deze premier is in elk geval exit. Dat geldt ook voor Andries Klaassen. Nadat de Oval Office-tape, zoals de opname van Werner wordt genoemd, gepubliceerd was en het hele verhaal eromheen, werden hun posities onhoudbaar. Na het gesprek tussen de Nederlandse premier en de Amerikaanse president, werd Werner Benjamin door de premier de wc van The White House ingesleurd en ter plekke op non-actief gesteld. Dat was te verwachten. Wat de premier vervolgens deed, namelijk het terugroepen van de Nederlandse ambassadeur uit de VS, was voor veel Nederlanders de druppel, zeker omdat er internationaal stemmen opgingen voor een algehele boycot van Nederland. De oppositie groeide en kwam overal vandaan. Leden van het kabinet, de Kamer, de media en de bevolking keerden zich tegen hem. Op een gegeven moment kon de premier geen kant meer op en moest hij zijn ontslag wel aanbieden. Dat deed hij met verve, en zijn speech circuleert nog steeds op internet als een van de domste en kortzichtigste ooit. Knap wel.

John Henley en Stedman Cruiser wachten in de VS hun proces af. Zij maken deel uit van een groep van achttien verdachten die zijn opgepakt op verdenking van grootschalige vastgoedfraude. Elsa blijft beweren dat John Henley de dood van Donald op zijn geweten heeft. Toen het ziekenhuis erachter kwam dat iemand het beademingsapparaat had uitgezet, werd er meteen een onderzoek gestart. Maar het leidde tot niets. De FBI weet van haar verdenking en heeft beloofd de man onder druk te zetten. Maar er is geen bewijs. We wachten het af. Achteraf gezien is het maar goed dat Donald overleden is. Ik begreep later van zijn arts dat hij zó'n zware hersenbeschadiging had opgelopen dat hij hoogstwaarschijnlijk als een kasplantje door het leven had moeten gaan. En dat kun je geen leven meer noemen.

Hoe het hier nu verder zal gaan? Dat is moeilijk in te schatten. Het is niet zo dat de grimmige sfeer in dit land helemaal verdwenen is. Dat kan ook niet. Zoiets kost tijd. Toch lijkt het alsof er een gevoel van saamhorigheid heerst. Het kan mijn verbeelding zijn. Of mijn hoop. Daar zit bij mij niet echt veel verschil tussen. In elk geval worden we in het buitenland weer voor vol aangezien. Daar is al veel mee gewonnen. Het is een begin. Misschien heb ik wel aan de wieg gestaan van een grote omslag. Misschien ook niet. We zullen zien.

Ik stel me zo voor dat als mijn artikel over een paar decennia wordt gelezen en er aan deze tijd wordt teruggedacht, het een tijdsbeeld weergeeft van een periode waar Nederland zich doorheen heeft moeten slaan. Velen zullen het zien als een zwarte bladzijde in onze geschiedenis. Maar deze periode is niet alleen zwart. Daarmee doen we haar tekort. Net zo natuurlijk als het democratische proces door de eeuwen heen in ons land verlopen is, zal ook deze fase op een natuurlijke manier eindigen. En we kunnen er sterker uitkomen. Maar we moeten erdoorheen. Om ervan te leren. Hopelijk doen we dat. Hopelijk zijn we krachtig genoeg. Want er zijn sterke schouders voor nodig om de vrijheid te kunnen dragen. Niet iedereen kan die verantwoordelijkheid aan. Niet iedereen heeft sterke schouders. Dat is wel gebleken.

De eigendomsakte van Manhattan ligt op een veilige plek. Alleen Werner en ik weten waar hij ligt. De kans dat we ooit met de eigendomsakte naar buiten komen, is klein. Waarschijnlijk gaat deze een sluimerend bestaan leiden. Het kan zijn dat hij ooit vernietigd wordt. Misschien is dat uiteindelijk het beste. Maar toch, je weet nooit waar hij goed voor zal zijn. Zo denkt de president er ook over.

In een gesprek dat Werner met hem had, liet de president weten dat het hem een veilig gevoel geeft dat die akte bestaat, in handen is van mensen die hij vertrouwt, zoals hij dat formuleert. Werner heeft dat gesprek zo vaak naverteld, dat ik de woorden van de president onderhand kan dromen. 'Je weet nooit op welke manier die akte ons nog eens van pas kan komen. Er is momenteel een machtsverschuiving in de wereld aan de gang, en ik heb er in de verste verte geen zicht op wat de effecten daarvan zullen zijn. Het is allemaal zeer onzeker. Daarom, hou die akte bij je. Wie weet hebben we er ooit baat bij dat Manhattan Nederlands blijkt te zijn. Je weet hoe vijandig sommige landen tegenover ons staan. Misschien hebben we dat ooit nodig, een eiland van neutraliteit aan onze kust. Een Nederlands eiland, geen Amerikaans eiland.'

De geschiedenis kan zich herhalen, daar weten we alles van. Dan is het inderdaad goed iets achter de hand te hebben, een gebied voor mensen die hier om wat voor reden dan ook geen kant meer op kunnen, die zich beknot voelen in hun vrijheid. Wellicht zit de wereld dan zo in elkaar dat we die plek ooit moeten afdwingen. Misschien houden die verschuivingen in de machtsverhoudingen wel in dat wij Nederlanders Manhattan straks hard nodig hebben. Natuurlijk, ik begrijp wat de president bedoelt, maar ik ben een opportunist. En Werner ook.

Dankwoord

De manier waarop Russell Shorto in zijn fantastische boek *Nieuw Amsterdam, Eiland in het hart van de wereld* het verhaal van de kolonisatie van Manhattan schetst, heeft mij geïnspireerd tot het schrijven van *De man van Manhattan*. Lees zijn boek!

Mijn dank gaat uit naar mijn lieve vrienden en familie en naar Hanncke Lenkens en Goof van Riet, mijn trouwe en strenge mee-lezers. Taco de Groot, een 'out of the box-denker' pur sang hielp mij weer op weg zodra ik die kwijt was. Verder ben ik Jaap Jacobs, als historicus gespecialiseerd in de geschiedenis van Nederlanders in Amerika in de zeventiende en achttiende eeuw, eeuwig dank-baar dat hij de tijd heeft genomen mijn manuscript uitvoerig te le-zen en van commentaar te voorzien. Angela Carper, @csidoktor op Twitter, heeft mij geholpen met een medische vraag. Over Twitter gesproken, dank aan al mijn volgers voor jullie steun tijdens het schrijven van #demanvanmanhattan. En het is dankzij de inzet, het vertrouwen en het geduld van Paul Sebes, Willem Bisseling en ie-dereen bij A.W. Bruna dat dit boek er überhaupt is.

Het citaat uit Van Laers boek *Documents relating to New Nether-land, 1624-1626* op pagina 122 is afkomstig uit *Nieuw Amsterdam, Eiland in het hart van de wereld* van Russell Shorto.

Alle feitelijke onjuistheden over Manhattan en Peter Stuyvesant zijn van mijn hand.

Blijft u graag op de hoogte van de nieuwste spannende boeken?

Kijk dan op

www.awbruna.nl

en geef u op voor de spanningsnieuwsbrief.

Op deze manier krijgt u steeds als eerste alle informatie over nieuwe boeken en kunt u gebruikmaken van aantrekkelijke kortingen en andere lezersacties.